生き残れるのか？我が祖国・日本

偉大な国民が目覚める時

もくじ

PART1　米中戦争

PART 2　米国の繁栄と後退

PART3 アメリカ合衆国はどこへ行くのか

PART 4　ロシアと中国

PART5　大英帝国の世界支配

PART 6　世界的主人の登場…ギリシャとローマ帝国

PART7　国家ヴィジョンと神の摂理

PART 8　日本の行くべき道

PART1　米中戦争

（1）米中経済戦争の勃発か、それとも貿易摩擦に帰結するのか？

45年間も間違い続けた米国の対中国戦略

第45代アメリカ合衆国ドナルド・トランプ（Donald John Trump）大統領が2017年1月に就任し、対中外交を開始した時には、習近平とその周辺リーダーたちは米国の大きな変化の本質を理解できなかったようだ。あまりにも大きな変化に度肝を抜かれたのかもしれない。

リチャード・ニクソン大統領の中国訪問（1972年）以来現在まで、歴代の米国大統領とその政権は関与戦略（Engagement Strategy）を取り続けてきた。ニクソン政権の狙いは、当時強力であった共産主義国・ソビエト連邦を封じ込めるため、中共を取り込むことに重点的狙いを置いた。

しかし、ニクソン以後、中国に対する関与戦略は変化を続けるべきだったのだ。特に、ソビエト連邦が崩壊（1991年12月25日）した後には、その狙いを大きく変えなければならなかった。

しかし、米国の歴代政権と政治リーダーたちは中華人民共和国に対して楽観的であり続けた。ニクソンの採用した対中関与戦略とは異なるものが、米国の歴代大統領と共和・民主両党の中心的戦略となった。

「中国が発展し、経済的に豊かになれば、米国とともに世界の平和秩序と自由民主主義を保護する責任を持ち貢献する」と勝手に信じ込む大統領が続いた。また多数の中国専門家がマスメディアを通じてそれを支持し続け、強力な世論を形成してきた。こうして、その当初と大きく変質したエンゲイジメント戦略（中国の経済成長をさせて、世界の自由と平和秩序形成に貢献する力として育てる）がオバマ政権末（２０１７年１月）まで、45年間も米国の対中戦略の基礎であり続けたのだ。

その極めつけはオバマ政権の８年間だった。歴代大統領のなかでも特にバラク・オバマ大統領（２００８年〜16年）は中国にあまりにも寛容だった。

また、彼の政権下ではまさに天文学的な米中貿易不均衡が生まれた。２０１７年、米国の「物の対中貿易」赤字は３７００億ドル（40兆円）を超えた。米国の世界諸国との「物の貿易赤字」の約50％が中国一国との貿易によるものだった。米国進出の中国企業はきわめて自由に企業活動が保障された。しかし中国に進出した米国企業は大きく制約され、中国企業との合弁や基幹技術の提供が強制された。

中国経済は国営企業が基盤となっており、その数は１５５，０００社に上るという。しかも経営に失敗しても国営企業に対しては国が無制限に融資を行ない、安価で、きわめて競争力の高い製品を洪水のように世界に輸出して世界市場を支配した。その結果、米国では多くの製造業が倒産し、消滅した。

中国は堂々とＷＴＯ協定に違反し、自由市場経済を歪めたといえる。もっとも、ＷＴＯは最初から大きな欠陥を持っていた。国家の資金援助で保護された中国企業は高い競争力を持つことができ、安い商品で世界市場を席捲し続けているにもかかわらず、ＷＴＯはそれを野放しにした。加えて、オバマ政権は８年間も中国に対し黙っていた。

こうして中国は勝ち得た富の増加は、そのまま「歴史上かつてない速度で軍事力を拡大し、同時に軍の近代化の達成」に使われることになったのだ。

自ら「無法者」であることを宣言した中国

海洋の安全は世界の国々の生命線となっている。２０００年代に入り南シナ海はその重要度を急速に増した。世界貿易の33％におよぶ物資が往復する。特に、日本への原油輸送のほとんどが南シナ海の海上交通線に依存している。

中国は２０１５年から、南シナ海の領土・領海問題であからさまな攻撃的態度をとるようになった。元来、中国は歴史的に南シナ海の島々に領有権を主張していなかった。しかし、中華人民共和国の建国（１９４９年）後、共産党政権は「南シナ海」の広範囲に「九段線」なる線引きをし、その内側は「中国の領海」であり、「中の島々は全て中国領土」であると主張しはじめた。ベトナムが領有していた西沙諸島の島をめぐり、中国は戦争を起こして奪ってしまった（１９７１年１月）。

２０１５年、中国は「南シナ海の南沙諸島と西沙諸島」の7カ所に人工島を造りはじめ、人工島を「島」と主張し、「陸としての領有権と領海（約22・２㎞）」を要求しはじめた。

米国は中国の行動に懸念を示した。すると習近平国家主席は「中国は、埋め立て工事をしている7カ所の島を軍事基地化しない」とバラク・オバマ大統領に約束した。しかし、彼が大統領である間に両諸島の軍事基地化を完成させてしまったのだ。

フィリピンは南沙諸島の領有権と漁業権問題で中国との間に紛争を抱えてきた。そのためハーグの常設仲裁裁判所に中国の違法性を訴えていた。２０１６年7月、常設仲裁裁判所は「九段線内と両諸島に対する中国領有権は国際法に基づく正当な根拠がまったくない」との判決を下した。すると中国

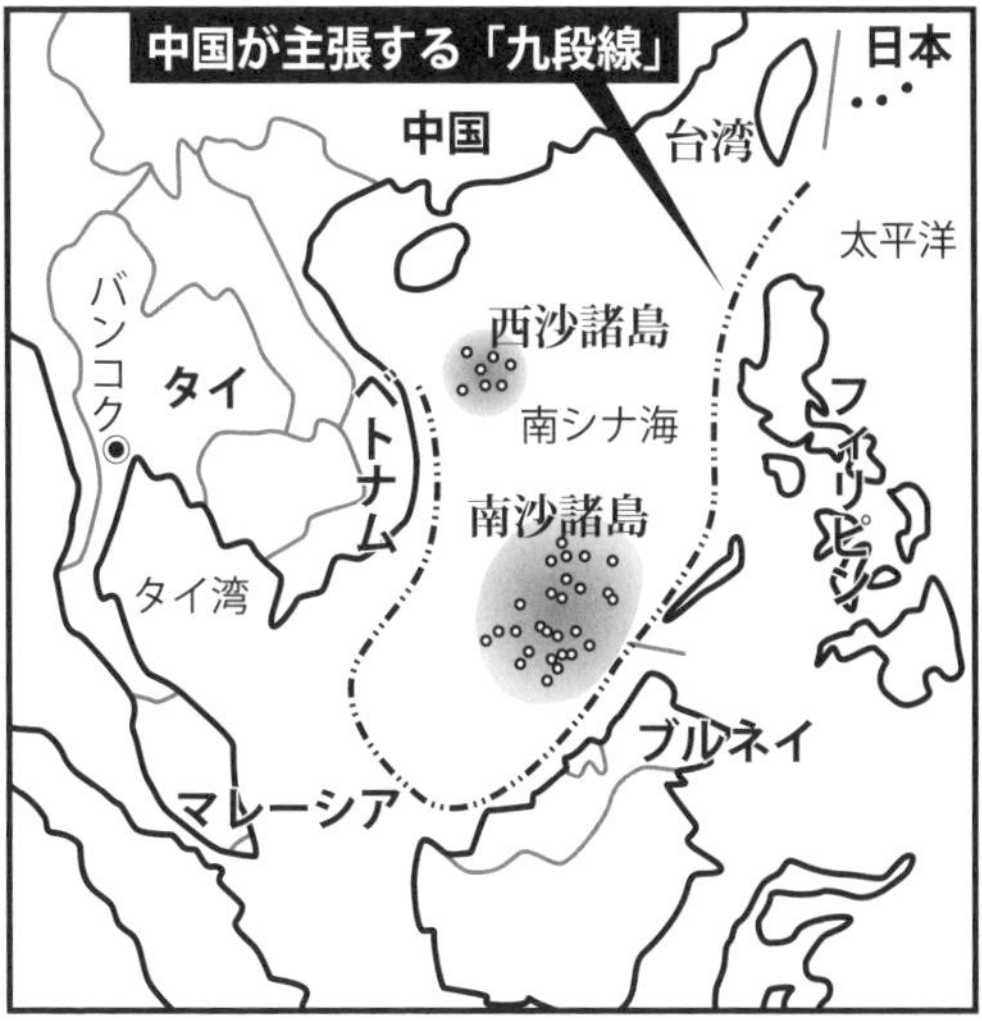

の戴秉国（胡錦濤政権時代、外交の責任者）が米国のカーネギー国際平和財団とワシントンでの中国人民大学主催の講演で「国際仲裁裁判所の判決は、なんの価値もない。紙屑のようなものだ」と主張した。

わざわざ米国行政府のあるワシントンで「中国は国際法の制約を受けない。それを無視する。」と宣言したに等しい。中国は、自ら「無法者」であることを宣言したのである。バラク・オバマ大統領はそれにさえもあえて触れようとしなかった。習近平政権の主張を米国が公認したかのような結果となった。

（2）覚醒した米国

歴史の教訓

このような体たらくの米国であったが、巨大な変化が内部から起こってきた。

アメリカ合衆国の国防政策顧問マイケル・ピルズベリー（Michael Pillsbury）は、ニクソン政権（１９７０

年代）からオバマ政権まで一貫して国防総省の中国軍事動向を調べる要職にあった。

１９９０年代から、彼は国防総省とＣＩＡからの指示で、「中国のアメリカを欺く能力と行動」を調査してきた。彼はその結果を著書「１００年マラソン The Hundred-Year Marathon」（１９９２年２月）により明らかにした。すなわち、隠されていた中国の意図を暴露したのである。

40年以上も中国の対外戦略を研究してきたピルズベリー氏が〝中国は『平和的台頭』や『中国の夢』等の偽装的スローガンの陰で、真の意図は建国１００周年の２０４９年までに経済、政治、軍事の各面で米国を圧倒的に超えた強国となり、中国共産党の価値観や思想が支配する国際秩序と覇権を確立しようとしている〟と総括した。

彼はまた「米国の歴代政権に対して、関与戦略に基づき中国を援助するように提案してきたが、それは自分が犯した大きな間違いであった」と告白した。

同書はいまもワシントンの外交政策関係者たちの間で熱っぽい議論の輪を広げているという。彼の告白は、最高レベルの中国研究専門家でありながらも率直に自己の見解の誤りを認めたものだったため、上下両院の民主・共和議員と外交関係者たちに大きな衝撃を与えた。

２０１７年５月、グレアム・アリソン Graham T.Allison（米国政治学者、ハーバード大学ケネディ行政大学院初代院長）による著書「戦争に運命づけられている Destined For War」が出版された。それは、〝米・中両国が戦争に突入する可能性が非常に高く、危険な「ツキディディスの罠」（従来の覇権国家と台頭する新興国家が、戦争が不可避となるという罠に陥る歴史現象）から逃れるべきである〟と指摘した。

彼の著書「Destined For War」は、〝対立する古代ギリシャの二大強国、アテネ（デロス同盟）とスパルタ（ペロポネソス同盟）が27年に渡る戦争（ペロポネソス戦争）に突入したが、米・中両国の関係はその時と相似的関係で推移していると記している。

過去500年間に、古代ギリシャの覇権を奪い合うアテネとスパルタとその同盟軍との対決と同様の対立が16回あった。そのなかで12回は大戦争となった。戦争を避けられたのはわずか4回である〟と指摘している。

避けられた4回の戦争危機のうち、2回は英米両国間での世界覇権の交代劇と、米・ソの対決だった。前者は日独伊との戦争で英米がともに助け合わざるを得なかった。第二次大戦が終わった時にはすでに米国が英国に力で勝り、世界を指導する圧倒的覇権国家になっていた。それゆえに、米英の覇権をかけた戦争は避けられたのである。

後者である米ソの対決は、とてつもなく破壊力の大きい大量の核兵器によるものだった。恐ろしい大量の核兵器のゆえに、両者は核戦争に到らず、ソビエト連邦が遂に力尽きて自ら崩壊した（1991年12月）。500年間に大国間による覇権交代劇で戦争にならなかった例は他に2例しかない。

アメリカ合衆国と中華人民共和国の近未来は、戦争になる確率が余りにも高い(75%以上)のである。歴史の事実に照らし合わせると、正にグレアム・アリソンの言葉「戦争に運命づけられている(Destined For War)」が説得力を持つことを認めざるを得ない。

ツキディディスの著書「戦史」は米国の戦略研究者にはよく知られているようだ。トランプ政権時代の元国家安全保障問題担当大統領補佐官ハーバード・マクマスター陸軍中将と元国防長官ジェームズ・マティス海兵隊大将らは、両者ともに歴史学のPh.D.を持つ古代ギリシャ戦争史（ペロポネソス戦争）の専門家でもある。当然、彼らはグレアム・アリソンの見解、「Destined For War」の多くを共有している。２０１７年中ごろにホワイトハウスはグレアム・アリソン教授を招き重要スタッフを集め研究会を行った。

このような米・中関係の未来認識は戦略研究者たちや民主・共和両党の政治リーダーたちに広く、かつ深く浸透し拡がっている。加えてトランプ大統領は、就任以前の大統領選挙戦の時からきわめて激しい対中政策を主張してきた。彼は「米国の中国からの輸入品には45％の関税をかける」と選挙期間中から主張した。彼のそれは米国共和党の保守派の見解を代表していたといえる。トランプ大統領の唱えた「アメリカファースト」のスローガンの焦点は対中政策に帰結していたのだ。

トランプ氏の対中経済政策はカリフォルニア大学教授ピーター・ナヴァロ氏に大きな影響を受けたといわれる。ナヴァロ氏は２０１６年にトランプ選挙キャンペーンの「政策アドバイザー」に就任した。同年12月、彼は大統領選挙に勝利したドナルド・トランプ次期大統領の指名を受け、ホワイトハウス国家通商会議（ＮＴＣ）のトップに就任することになった。現在の「通商製造業政策局（OTMP）」トップである。彼の重要研究テーマの一つが「アメリカ合衆国とアジアの関係」であり、自分の対中戦略を著書「中国による米国の死 Death by China」にまとめた。そしてそれは映画化された。

彼はその著書で「中国のWTO加盟を推し進めたのは、ビル・クリントン大統領と当時の閣僚たちだった。巨大なマーケットが開放されることを手放しで評価した。WTOには様々な法的弱点があるにもかかわらず、ビル・クリントンは中国の加盟がアメリカの労働者と製造業に明るい未来をもたらすと約束した。しかし、それがまったくの見当違いであり、アメリカ国民を不幸へと引き入れた」と指摘した。「その結果、不均衡な米中貿易により〝勝利〟したのは、中国政府と中国に工場を移転した米国の多国籍企業であり、〝敗者〟はアメリカ合衆国とアメリカ国民だった。加えて共産党独裁政府の支配下に置かれる中国国民の悲劇がもたらされた。」と強く主張した。

米中経済戦争へ

２０１７年1月20日、ドナルド・トランプ大統領就任による共和党政権が発足すると、民主党政権時代の対中政策とまったく異なる路線が日を追うごとに明確になってきた。

習近平政権の指導部は、混乱しはじめた。ドナルド・トランプ大統領が登場すると、彼らがまったく予想もしていなかった、急激で大きな「米国による対中戦略の変化」が起こったからである。ドナルド・トランプ大統領は、これまで45年間も変わらなかった対中関与戦略（Engagement Strategy）を廃棄処分にしてしまった。それは２０１７年4月に習近平が訪米して行われた最初の米中首脳会談で明確になった。新しい米中関係はトランプ大統領による激しい威嚇ではじまったのだった。

２０１８年に入ると中国に対する妥協のない激しい態度がさらに際立って示された。アメリカ合衆国の政治リーダーたちが、急速に中国の欲深い赤裸々な姿に目覚めはじめた。

中国共産党は米国と米国企業に二枚舌を使って、脅迫と窃盗、政治的圧力による技術提供の強要をしてきた。そして中国政府の国策により産業スパイが米国のハイテク技術を盗み続けてきたのだ。サイバー攻撃や知的財産の窃盗を公然と実行してきた黒幕は中国共産党政府である。共産党独裁政権が、経済の成長を強大な軍事力へ転化させ、アメリカに勝り、世界の覇権をにぎるようになれば、「法の支配 The Rule of Law」や自由市場経済は完全に破壊される。

トランプ大統領と彼の政権は「中国を不退転の決意で克服すべき米国の敵」として最初から結論づけていたといえる。それはきわめて明確な事実と証拠、そして深いアカデミズムに基づいていた。これは、かつてロナルド・レーガン Ronald Reagan がソビエト連邦を「悪の帝国」と呼び、その本質を明確にした（フロリダ州オーランド演説１９８３．３．８）のとよく似ている。そのため、トランプ政権に反対する上下両院の民主党議員さえも、その多くがトランプ政権の対中政策に積極的に賛同するようになった。

こうして、対米外国投資委員会ＣＦＩＵＳ（Committee on Foreign Investment in the United States）の権限強化法案が圧倒的多数の支持で上下両院を通過し、8月に大統領の書名により国防予算（総額約７１６０億ドル、約80兆円）とともに「国防権限法」の重要な柱となった。ようやくアメリカ合衆国は中華人民共和国の真の姿に目覚め、それへの応戦がはじまったのだ。

マイク・ペンス副大統領が、きわめて具体的かつ明確に、中国政府の戦略的過ちを指摘しつつ、実行するべき米国の対中戦略とその政策を暗示する講演を行った（２０１８年10月4日・ハドソン研究所）。

その演説に対し、ある国際政治の専門家は「中国に対する事実上の宣戦布告である」と指摘した。その指摘は、すでに実行されつつある激しい対中政策に照らし合わせてみると、まったく正確だったと思われる。

ペンス副大統領は、指摘したいくつかの中国共産党の重大な過ちを「トランプ政権と米国民は決して許さない」と決意宣言をしたのである。それはトランプ政権のみによる決意宣言ではなく、上下両院の大多数の民主・共和両党議員による支持を背景にしての宣言でもあった。

ペンス副大統領は中国について以下の点を指摘し、その具体的根拠まで明確に説明した。

①中国の主席が安全保障政策に関する外交交渉で交わした約束で、米国の大統領に明らかな「嘘」をついた。
②米国の情報技術と知的財産を窃盗し、強制的に技術移転をしている黒幕は中国政府である。
③中国は米国内への浸透勢力を使い、激しく内政干渉をし、大統領まで替えようとしている。
④中国はＷＴＯの弱点を利用し自由経済市場を破壊する経済活動をしている。
⑤中国政府の戦略として「債務の罠」により、アジア、アフリカ、欧州、南米諸国の戦略的資産を支配しようとしている。
⑥中国内の少数民族（ウイグル人）、宗教（イスラム・キリスト教・他）に対し人権無視の激しい

弾圧を行っている。

⑦米国大統領は引き下がらない。断固とした行動により国益、国民の顧用と米国の安全保障を守る。マイク・ペンス副大統領の講演は単なる言葉の演説ではなかった。後述するように、もうすでにトランプ政権の行政府により次々と厳しい対中政策が打ち出された。かつそれらはペンス演説以前に、迅速に実行されつつあるものだった。

（3）すでにはじまっていた米中経済戦争
米国の一貫した、静かで巧みな、かつ迅速な「戦略と戦術」

2018年6月26日、アメリカ財務省が一方的に「中国に重要通知」をした。「国際緊急経済権限法（1977年）に基づいて国家緊急経済防衛政策の実行を行う」とするものだった。それは「政府から25％以上の資金援助を受けている中国の国営企業が、米国での営業を禁止する」と同時にまた、「米・中の企業が相互に両国に進出する場合に米国のCIAを含む監視機関が審査および管理する」というものだった。特に中国企業の米国市場での投資と企業活動の可否決定は大統領権限で大統領が行うことになった。

これにより中国企業の45％を占める国営企業（米中経済安全保障調査委員会〈USCC〉の報告書による）は米国での事業活動が極限される立場に立たされると同時に、米国市場に対する投資がまったくできなくなる。事実、すでに米国政府の規制は強化されており、中国資本の米国市場への投資額は

２０１８年に入り激減している。

米国調査会社ロジウムによると、「２０１７年には、すでに中国の対米直接投資も前年比35％減少していた。２０１８年１―５月迄には純投資額はマイナスになった。逆に中国の投資家は米資産のうち96億ドルを売却している。メディアは「中国政府が質の悪い投資の破たんを警戒して、圧力をかけている側面がある」と伝えている。しかし、そのことはむしろ中国企業を厳しく規制しようとしている当局の動きを察知して、中国企業が警戒をはじめた結果であると言えるだろう。

対米外国投資委員会ＣＦＩＵＳの権限が議会両院の立法により強化

ＣＦＩＵＳ（Committee on Foreign Investment in the United States）の権限強化には米国議会両院は民主・共和両院の大部分の議員が賛成した。２０１８年６月、下院ではＣＦＩＵＳ改革法案を４００対２という圧倒的多数で可決した。中国政府の政治介入による米企業に対する強制的な技術移転、またサイバー攻撃による最先端技術の窃盗といった手法には、米議会のアレルギーがきわめて強い。

米国の中国に対する徹底した警戒と強硬路線の選択は、トランプ政権より以上に米国議会が強硬なのである。ＣＦＩＵＳ改革法案を４００対２という圧倒的多数で可決したことを見れば米中関係は異常な状態に到達しているといえる。

対米外国投資委員会は中国を「特に懸念される国」と指定、審査をさらに厳格化

元来、この委員会が審査をする場合の主な条件は「米企業の支配を目的とする海外企業による買収・合併」に対するものであった。しかし新法案では「米企業への少額出資や合弁企業の設立」も対象に加えた。特に米国の主要27産業に関して、企業買収に限らず米企業に対するあらゆる投資を審査できるようになった。米国財務省の高官によると、対象産業には航空、通信、コンピュータ、半導体、電池なども含まれるという。

また、中国を「特に懸念される国」と指定して中国企業に対する審査をさらに厳格化する。規模と投資の大小は問わずに、全ての中国からの投資は厳しい調査の対象となる。

対米外国投資委員会は独自の権限により、規模の大小にかかわらず米国企業の株式を所有しようとするすべての中国企業が、米国の安全保障を損なうものであるか否かを厳格に調査し、かつ判断できるようになった。その判断基準は対米外国投資委員会が所有しており、その処理対策は大統領が決定する。

対米外国投資委員会にＣＩＡの代表が加わった

対米外国投資委員会（ＣＦＩＵＳ）は財務長官が議長を務め、国防総省、国務省、商務省などの18の省庁の代表者で構成される。最近では対米外国投資委員会にＣＩＡの代表が加わるようになった。

中国に進出している米国企業は中国企業との合弁企業となることを強要されている。彼らは高度な

企業技術の提供を中国政府に強要されたり、米国大統領の対中政策に反対する行動をとるか、もしくは中国から撤退するかの選択を迫られたりもしている。

対米外国投資委員会CFIUSは、中国に進出した米企業の状況を調査し、米国の安全保障するために大統領に具申せねばならない。しかしそれ以前にまず正確な情報が必須であるが、在中米国企業についての調査は力不足だった。そこでCIAが対米外国投資委員会の一員となる必要があったのだ。CIAは中国での米国企業の実態（中国政府による犯罪行為…強制、技術や知的財産の収奪、米国政治への干渉のための謀略、他）を調査する重要な役割を果たすだろう。

今後、中国の全ての「米国の知的財産を侵害した企業」は「米国への進出、米企業への投資や合併」が禁止される。その企業と関係を持つ日本やヨーロッパ企業も同罪として制裁される。

米国行政府18省庁の各機関が、中国のあらゆる製品について、技術や特許を盗用したものかどうかを詳細に調査することになった。中国による無数の技術の窃盗が明らかになるだろう。

米国商務省はすでに、中国が世界に誇り、輸出しようとしている中国新幹線を調査した。その結論は「中国と米・日・欧の技術力の差は一般に考えられているよりも大きい。ほとんどの重要部品やシステムは盗んだ技術で作られている。中国新幹線は、まるで泥棒が盗んだものを詰め込んだ大きな箱のようなものであった」と言う。この結果、中国新幹線にかかわりある企業（中国鉄路総公司に深いかかわりのある企業）は全てアメリカへの進出や投資が禁止された。当然アメリカ企業との合併や共同事業も禁止される。さらに、前述したように、中国鉄路総公司にかかわりを持つ日・欧をはじめとする他国企業も制裁されることになる。

当然、知財を窃盗して発展した中国企業と深い関係を持つ非中国企業は、その共犯者とされ、制裁される。

その具体例がある。

中国通信大手企業のファーウェイ（Huawei、華為）と近い関係にあるシンガポールの半導体大手企業「ブロードコム（Broadcom）」（本拠地はシンガポールとアメリカのカリフォルニアに置く）が、アメリカの「クアルコム（Qualcomm）」を買収しようとしたが、アメリカ政府が介入して大騒ぎになった。結果は「米国の安全保障上の理由」から大統領令で禁止された。クアルコム買収禁止命令事件が端緒となり、実質的に同様のいかなる合併、買収も禁じられた（２０１８年3月）。

ブロードコムはシンガポールの堂々たる大手企業であるが、今や、そのビジネスは米国企業との関係では様々な制限をうける。

シンガポールの「ブロードコム（Broadcom）」による「クアルコム（Qualcomm）」買収禁止命令事件の延長戦で、連邦通信委員会ＦＣＣ（Federal Communications Commission）も商務省の調査と並行して中国の通信企業の調査を開始していた。ＦＣＣは大統領直属の独立機関（委員５人、委員長は大統領が任命）である。ＦＣＣは「中国の通信事業企業が不正な売買や技術の盗用をしていることが明白である」として、そのような中国企業から米国企業が製品を購入することを禁止した。ＦＣＣの委員による5対０の評決で、米国企業は中国から部品を一切買うことができなくなった（２０１８

年5月)。

この決定は「中国の大手通信企業ZTEに対し、米国の通信企業が部品を売ってはならない」という米商務省の政策が発表されたのと前後して行われたため、世界のマスコミから注目されなかった。しかしFCCの決定は中国全体の通信事業の未来に深刻な影を落としている。

米国通商代表部USTR（Office of the United States Trade Representative）は、2018年4月以来、中国の通信事業の不正に対して大掛かりな実態調査をしてきた。通商代表部はアメリカ大統領府内にある通商交渉機関であり、通商代表は閣僚級ポストである。大統領に直属し、大使の資格と外交交渉権限を持つ。

通商代表部の調査により中国の対米貿易の不正な実体が明白になってきた。中国の巨大通信企業「アリババ（阿里巴巴集団・Alibaba Group Holding Limited）」はアメリカ国内ではどこでもアメリカ企業と同等の自由な企業活動を享受できる。その一方で中国に進出しているアマゾン・コムやマイクロソフトは中国政府から強い圧力を受け、中国国営企業との合弁を強要され、しかも重要技術を奪われてきた。中国は、すでに述べたようにアメリカ企業が地方の国営企業と合同して企業活動をしない限り、ビジネスライセンスを出さないという制度を押し付けてきた。

この問題はすでに情報としてはワシントンにも流れ、中国の不法ビジネスと陰で言われてきたのだが、不思議なことにバラク・オバマ大統領の政権はこの事実を黙殺し続けてきた。

トランプ政権がこの事実を公表した。米国政治経済のリーダーたちは、中国に対する反感が増幅された。当然、米国通商代表部は対抗処置を取り、アリババグループのアメリカでの活動は今後大きく制限される。

米中貿易摩擦ではなく「米中経済戦争」である

米国が強くなり中国が弱くなれば、中国中心の世界秩序の再編成は不可能となり、戦争は起こらない。そのために、米国には「レーガン政権時代の対ソ戦略の成功」を、「トランプ政権の対中戦略として成功」させることが要求されている。

中国の国力の急速な成長を抑え、米国力を強めるためには天文学的な対中貿易赤字を克服し、無くさねばならない。対米貿易黒字が中国の軍事力拡大にそのまま直結しているからである。

加えて米国や西側からのハイテク技術や情報の流失を阻止する必要がある。中国政府、人民解放軍、そして中国企業がスパイ活動やサイバー攻撃とハッキングによりハイテク技術を盗み続けている。それにより人民解放軍の軍事力を米軍と対等の実力へと押し上げ、さらに凌駕しようとしているのだ。

米国政府は、遂に中国との経済戦争をも辞さずに、巨大で激しい関税圧力をかけはじめた。これは単に関税圧力にとどまらない、単なる貿易摩擦でもない。またトランプ大統領の交渉術としての気まぐれな脅しでもない。はじまるべくしてはじまった、一貫した戦略的政策である。

貿易摩擦ではなく経済戦争である。

米国は強硬路線を緩めることはない。中国の息の根を止める、つまり中国経済が崩壊する寸前まで追い詰め、そして手を緩めるだろう。

なぜなら中国経済が崩壊すれば世界恐慌を起こしかねず、米国経済にも大きなダメージを及ぼすからだ。米国が中国経済の首を絞め、その後緩めることは、波が押し寄せるように繰り返されることになる。

日本は中国に巻き込まれるな！

振り返って、日本は不思議な国である。米中関係が緊迫すればするほど、米国と中国の両者から日本は必要とされる。それゆえ、日本は危険な立場に立たされる。米国の経済と政治的圧力による困難を脱出するために、中国は日本に接近しようとする。米国が中国への輸出や流出を危険とみなしているハイテク技術とその製造能力が日本にあり、日本が米国の代用となりうるためだ。

日本が過度に経済利益を追求して中国に接近することは、米国の深刻な脅威となる。そうなれば、日本がアメリカの対中戦略を破壊してしまう。

過度な日中接近は、かつて大日本帝国が国益を求めて中国大陸に進出したことを再現するかのような状態になるだろう。無知に基づく日中接近は日米対決、日本経済の崩壊、日米同盟の破壊、そして日本の滅亡をもたらしかねないのである。日本は危険な立場に立たされている。

日本の未来を平和と繁栄へと導ける政治リーダーはだれか？

崩壊、破滅、そして悲劇をもたらす国家的リーダーはだれか？

国民がこれらを探し出すこと、そしてはっきり認識してこの危機を妨げることが日本の未来を救うことになる。

事実を伝えようとしないマスメディアの不思議

非常に激しく進展している米国の対中政策は、決してトランプ政権の暴走からくるものではない。議会の民主・共和両党の圧倒的支持が背景にあり、その同意のもとでトランプ大統領と行政機関が合法的権限を行使しているのである。

米国の対中経済政策は、かつて第二次世界大戦前の対日禁輸政策により日米開戦に向かうプロセスとよく似た道を歩んでいるのではなかろうか。武力戦争になる以前の経済戦争の段階に入っている。もはや、貿易摩擦などと言われるレベルのものではない。

日本の多くの国際政治学者や新聞・テレビの論説では「米国の対中経済政策」がトランプ政権の暴走と保護貿易主義政策、そしてアメリカ第一主義がもたらしているものであるかのように説明する。衆参両院の国会議員でさえも同様に主張する人たちがいる。それは大きな過ちである。その人たちは「国会議員としての資質を問われるべき」である。

また、マスメディアのリーダーたちの責任は大きい。彼らは日本国民の未来に大きな被害をもたらす可能性がある。日本国民に事実とは異なる虚偽の情報を伝え、国民が奈落の底に落ちる手助けをしているかのようだ。トランプ大統領を感情で批判するあまり、起こっている出来事が日本の今後にどんな影響をもたらすかを推察する事もしないし、進展しつつある米国での政治的動きを正確に把握しようともしない。

米中との間で進展している経済戦争が「中国に進出している日本企業」に影響を与えない筈があるだろうか？　アメリカ合衆国は、自分の敵と付き合う「国や企業」を「敵性国家・敵性企業」として扱うだろう。企業規模にかかわりなく、日本企業が米国市場から追放される可能性もでてくる。「自由市場経済を破壊する犯罪者」の共犯者となるからだ。日本のマスメディアは起こっている事実さえもほとんど取り上げていないし、ましてやその深く巨大な背景を伝えようとしなかった。自分で造ったストーリーを繰り返し伝えている。なぜ、この事実と成り行きを日本のマスメディアは追いかけないのだろうか？

PART2　米国の繁栄と後退

（１）東アジアの平和にアメリカが果たした役割と功績

アメリカは東アジアの平和に貢献し続けることができるのか

少し歴史をさかのぼりながら、東アジアの平和維持にアメリカが果たした役割とその功績について触れておきたい。

ヨーロッパの列強はアジア諸国、特に中国の富を貪った。しかし米国は、同様の願望を持ち、その足を帝国主義へと踏み入れたがとどまった。そして、むしろアジアの平和秩序を構築するために、長い期間に渡り貢献することとなった。それは韓国の独立と敗戦国日本の復興からはじまった。

しかし、現在のアメリカは、これまでに果たしてきた平和への貢献を継続する困難に直面している。その現状にも触れざるを得ない。もしアメリカが、東アジアの平和維持に関心を失うか、もしくは国力を割けなくなるとしたら、中華人民共和国、ロシア共和国、そして朝鮮民主主義人民共和国が牙をむき、無法者としての本性を現し、傲慢で横暴な行動をあからさまにすることは火を見るよりも明らかだ。

「神の下の国家」を求めたアメリカ

１９４５年以後、米英を中心とする民主主義が世界に大きく拡大された。第二次大戦後、世界のほとんどの国は国土が荒廃したが、米国は無傷のまま国力を温存し、圧倒的な経済力と軍事力を所有して、万能の国のように世界に君臨することになった。

１９４５年当時、米国の国内総生産（ＧＤＰ）は世界の主要7カ国（米・英・仏・ソ連・日・独・伊）全体総計のなんと59％（ＯＥＣＤ世界経済１８２０～１９９２より）を占めていた。戦勝国であり、国連設立を主導した米国は正になんでもなしうる万能の国家となったのだ。しかも米国キリスト教とその教会は全盛時代にあったといえる。キリスト教精神は政治の領域に大きな影響力を持つに至り、ダグラス・マッカーサーやドワイト・Ｄ・アイゼンハワーはその代表的なリーダーだった。

驚いたことに、米国は敵国であった日本やドイツ、そしてイタリアが、戦争による破綻状態から立ち上がれるように援助をはじめた。また、西欧列強の植民地にされていた世界の国々が独立できるように国連を通じて支援をした。

現在の米国建国の基礎は、英国国教会の改革を唱えたプロテスタントの一派である清教徒（ピルグリム・ファーザーズ〈Pilgrim Fathers〉）がメイフラワー号で大西洋を渡り、現在のマサチューセッツ州の東部に位置するプリマスに入植した（１６２０年）ことから始まった。その数わずか１０２名の清教徒達が「信教の自由」と「神の下の国」の建設を求めて、命を賭して大西洋を航海してやってきた。

彼らはキリスト教信仰に基づくメイフラワー盟約を精神的支柱とした。盟約は、神のために植民地を建設し、より良い秩序を保全し、また、全体の福利のために公平で平等な法律・法令を発し、憲法を制定し、公職（政府）を組織することを誓い合った。メイフラワー盟約に41名が署名をした。彼らは大多数のキリスト教徒たちとは異なり、「天上の国」ではなく、アメリカに実体的かつ現実的国家を建設しようとしていたのである。

アメリカにやってきたヨーロッパからの人たちの大多数は、大土地所有者や金鉱の所有者になることを夢見ていた。またヨーロッパでの争い、抑圧、そして貧しさをのがれ、新しい可能性と希望を求めてやってきた人たちが多かった。１０２名のピルグリム・ファーザーズのような人たちは極々少数だったのである。彼らの信仰はヨーロッパの諸キリスト教と大きく異なる側面を持っており、清教徒の中でも稀な特色を持っていた。

彼らの特色は死後の「天上の天国」を求めるだけではなく、現実の人生での「実体の天国」を強く求めていたのである。

彼らの信仰による願望と苦難は歴史的奇跡を起こした。北アメリカに定着してから１５５年後には、アメリカ独立革命（独立戦争）に直面した。独立戦争の只中に13州の全国民の総意として米国独立宣言（１７７６年）を、さらに１７８８年にアメリカ合衆国憲法を発布した。わずか41名のピルグリム・ファアーザーズが署名をした（１６２０年）メイフラワー盟約の価値観が独立宣言と合衆国憲法の基本となった。

とはいえ、現実の政治は人間が行うものである。その人間は自らの中に善を志向する心と悪を志向する心を内包し、絶えず葛藤している。それは如何なる人も逃れられない現実だった。故に、人間の作る歴史は、多くの場合が悪を克服できず、敗北を経験してきた。

ゆえに当然、米国政治の現実もまた善悪を内包し、葛藤の歴史だった。愛と憎しみ、冷酷なリアリズムと理想主義等の矛盾に満ち溢れ、多くの矛盾と敗北を経験してきた。

しかし、神の下の理想は生き続けて現在に至っている。

ヨーロッパのキリスト教諸国では、余りにも長い歴史を通して「政治権力がキリスト教を支配し、むしろ利用」をしてきた。キリスト教国と自称しながらもイエスの愛を世界に実践する国は現れなかった。例外なく国家主義や民族主義がその国々とキリスト教を強力に支配しており、〝文明化するためだ〟と正当化しつつ、アフリカ、中南米、アジアで軍事力による脅迫、強盗、強奪に走った。

しかし、アメリカは違った。第二次世界大戦後、世界の覇権国家として現れたが、ヨーロッパ・キリスト教諸国とは異なる姿で出現した。

キリスト教精神が政治と調和し、キリスト教会が政治を比較的強く指導するという、きわめて稀な時代が出現していたのだ。このような状況が国として整ったのはイエス・キリスト生誕から2000年間のキリスト教諸国歴史のなかでも初めてであったといえる。

朝鮮戦争で共産主義の脅威に目覚めた米国

米国は圧倒的な国力を持ち、世界最強たる米軍を日本や大韓民国に大規模に駐留させ、確固たるプレゼンスを75年以上も保ち続けてきた。さらに、日米安保条約（1952年～）、韓米相互防衛条約（1953～）、米華相互防衛条約（1954～1979後、台湾関係法）を誠実に実行してきた。それは「中国・北朝鮮・ソ連」による侵害から、「日本・大韓民国・台湾」を確実に守ってきた。そのおかげで極東の平和が守られ、経済的繁栄がもたらされた。

第二次大戦後の極東アジアでもっとも大きな戦争は朝鮮戦争（韓国動乱・1950年6月25日〜1953年7月27日〈休戦協定〉）であった。米国はこの戦争と前後してスターリンとソビエト連邦、そして金日成の北朝鮮や毛沢東の中華人民共和国等の本質に目覚めさせられた。すなわち共産主義の恐ろしさを自覚したのだ。それまでは、米国の政治リーダーたちにはそのような認識がなく、スターリンや毛沢東に対しきわめて楽観的に見ていたし、むしろ親近感を持っていたようである。

米軍14万人をはじめ、南北両国で400万人以上と言われる犠牲者がもたらされた事実と、90万人の犠牲者を出しても米軍と連合軍に闘いを挑んだ毛沢東の中国に対して、米国は認識と態度を根本的に変えた。ソビエト連邦と中華人民共和国、および朝鮮民主主義人民共和国を明確に恐るべき敵と認識し、共産主義勢力との戦いを勝ち抜く決意を固めた。

この戦争のために米国は日本に駐留していた連合軍（米軍）を半島にすべて動員した。そのため日本が空白状態となってしまった。その機に乗じて日本では日本共産党がソビエトの動きに呼応した武力闘争に突入しようとしていたのである。北朝鮮に呼応した朝鮮総連からも多数が日本共産党の武力闘争に合流することとなった。

1950年7月に連合国軍総司令官ダグラス・マッカーサーは吉田茂首相に事実上の軍隊である警察予備隊（後の自衛隊）の設立を命じた。それは朝鮮動乱がはじまった直後であった。日本国憲法は世界に例のない憲法九条を持つ。これは最高司令官・マッカーサーが幣原喜重郎首相に渡したメモがそのまま憲法の条文となったものである（１９４６年2月）。

そのメモによれば「日本が国際紛争を解決するための手段としてだけではなく、自国の自衛のためにも武力を行使することをしない」と言うものであり、明らかに一切の軍事力の所有を否定するものであった。それを、ほとんどそのまま英訳したものが日本国憲法九条となったのだ。

しかし朝鮮戦争の勃発によって、彼の占領政策の根本が突如大きく変化した。１９５０年1月の年頭の演説で、ダグラス・マッカーサーは「自衛のための軍の所有は当然のものであり、準備をするべき」と述べた。唐突に大転換をして日本の自衛のための軍事力の所有を命令したのである。吉田茂首相は当惑した。

これは連合国総司令部が国際共産主義の圧力に狼狽していたことを意味する。彼は、ソ連をはじめとする国際共産主義の恐ろしさを知り、自らの矛盾と恥を覚悟で、占領政策の根本的転換を図ったのだった。１９５０年6月25日にはじまる朝鮮動乱の直前に、ようやく米国政府およびダグラス・マッカーサーの連合軍最高司令部は、極東アジアにおける共産主義勢力のただならぬ脅威を肌で感じはじめたのである。

米国は70年間も韓国と日本を保護してきた

朝鮮戦争を機に米国の極東アジアへのプレゼンスは確立され保持されてきたといえる。その状況は、休戦協定締結（１９５３年7月）から現在に至るまで70年にもなろうとしている。

北朝鮮は激しく大韓民国へ進行するチャンスを伺い、何時でも侵攻を実行できる独裁者と国民の「決心と実力」を持ち続けてきた。しかし、圧倒的な米国の軍事力と強い戦略的決意の前に何もできないまま、自らに有利であった時代（1960〜70年代）を失った。決して平和的対話や外交政策が半島と極東地域の平和をもたらしたのではなかった。圧倒的な国力と世界で最強たる米軍の確固たるプレゼンス、特に38度線の前戦地域に米国陸軍の配置をし続けたことが半島での熱戦を抑えてきたのだ。

台湾の危機を退けた米軍の軍事力

中華民国（台湾）は1950年代〜1990年代までに4度の危機があった。中華人民共和国は、朝鮮民主主義人民共和国が大韓民国に対して侵攻と支配の強い意思を持ち続けるのと同様に、中華民国に侵攻し共産党独裁の下に置こうとする強力な意図を持ち続けていることを否定できない。それは4度の危機事態に顕わにされている。

特に1995年〜1996年は第三次台湾海峡危機として知られている。

李登輝中華民国総統は現実を認め、蔣介石以来の中華民国の国策「大陸侵攻と大陸での中華民国の回復」を放棄し、「中華民国（台湾）独立」を明確に主張していた。96年に初めての総統の直接選挙が行われ、李登輝の当選はほぼ確定していた。

ところが、北京は中華民国総統選挙に干渉し、「国民が李登輝に投票することは戦争を意味する」というメッセージで脅迫し、台湾本土の至近距離海域に向け大規模なミサイル発射を開始した。単なる脅迫ではなく、この時の軍の行動規模は本格的な台湾への軍事進攻を意味していた。米国は二つの空母艦隊群（第5、第7艦隊）を台湾海域に急行させた。北京は米国の強い意思と圧倒的な力の差を感じとり後退した。きわめて明確なのは米軍の巨大な軍事力が危機を退けたという事実だ。国連の調停、国際法、国際世論や米中の外交的対話が極東アジアの安定をもたらしたものではない。米国の強い意思と圧倒的な軍事力がそうさせたのである。

（2）米国の国力後退
国力は限界、後退局面に

第二次大戦後の米・ソ冷戦時代には、米国は自由民主主義を保護するための「世界の警察」であることを自認してきた。米国は「国際共産主義の拡大を防ぐ」ために、必要とあれば世界の何処であれ戦争も辞さなかった。

やがてソビエト連邦の崩壊（1991年12月）により冷戦時代は終結した。冷戦終結直後のしばらくの間、米国による一極体制の時代がやってきた。しかし、10年もすると経済力の側面から見れば多極化がはじまった。日本、EU（欧州連合、27カ国の政治経済同盟）とユーロ圏（19カ国の通貨同盟、ユーロを法定通貨として導入）、そして中国等が台頭し大きな経済圏を持つようになったのだ。

経済力の多極化時代を迎えたが、米国は自由民主主義の盟主を自認し、自らの国益を保護するためにも世界の紛争に介入してきた。政治的・軍事的には米国による一極体制を維持してきた。少なくとも、ジョージW・ブッシュ政権（２００1年1月20日～２００9年1月20日）の終わりまではそれが続いた。

　しかしバラク・オバマ大統領の登場（２００9年1月～２０１7年1月）により、米国は極端なほど大きく変わりはじめた。「世界の警察」としての立場を自らが放棄したのだ。２０１3年にオバマ大統領は2期目に入るや否や、大統領自ら「世界の警察としての米国」の立場を真っ向から否定した。この宣言はオバマ政権の独特の外交・安全保障観に由来する。しかし、米国保守派の人々にも安全保障政策に対する変化が起こっていた。オバマ政権に激しく反発する共和党保守派のリーダーや知識人も、「自由民主主義の保護者、世界の警察」を自認するが、今までのように大胆な軍事介入は自粛して、厳しく選択し、負担を最小限にとどめることを強く要求するようになっていた。

　米国が世界の舞台から後退しようとする流れは保守派・リベラル派の程度や強弱の差があっても共通であった。米国は世界から米軍を引き上げようとしている。特に長期化する紛争に巻き込まれないためにも、極力陸軍兵力を送らず、むしろ陸軍を引き上げはじめた。

米国が抱える天文学的な累積債務問題

　米国民の多くは、国家と自分の家庭生活が近未来に崩壊するかもしれないという危機感を持っている。２０１5年7月にギリシャで起こった国家の破たん状況、事実上のデフォルトがやがて自分の国でも近未来に起こるのではないかと危惧しているのだ。国家経済と国民経済の再建に強い関心を抱いて動向を注視している。米国の代表的知識人であり、米国の良心と言われるパトリック・J・ブキャナンは、現状の深刻さの具体例として、著書「超大国の自殺」のなかで、以下の2つの情報を提供している。

〝米国ではあらゆる領域での裏付けのない債務の合計が62兆ドルにおよぶ（米国会計検査院元院長デヴィット・ウオーカー）〟

〝米国は「国家の累積債務」が14兆ドルを優にこえている。（パトリック・J・ブキャナン）〟

米国の不良債権の総計は2008年の金融危機以来現在まで公表されておらず、隠されている。多分、ここに示された数字は相当正確な根拠を持った推定値であろうと思われる。

裏付けのない債務合計が62兆ドル（7，440兆円）、すなわちGDP18兆ドル（2015年IMF推定）の3.4倍以上もある。さらに加えて国の累積財政債務が14兆ドル（GDPの78％）を優に越えていると指摘している。この状況は日本経済の債務状況よりも数倍深刻である。

米国の累積財政赤字は2020年には約27兆3，000億ドル（2020年会計年度　IMF推定）となった。GDPの149％に到達したのである（IMF推定値に基づく）。おまけに経営収支の巨大な赤字状態が続いており、未だに好転の可能性が見えない。米国政府債権の所有者はほとんどが日本、中国、湾岸諸国、中東と世界の投資家たちである。外国が所有する債権に支えられており、不安定なものとなっている。しかし、信用不安により債権の利率が急激に高騰する可能性を、世界の基軸通貨である米ドルの強さが抑えている。

このような状況は日本経済の債務状況よりも数倍深刻だといえる。日本はＧＤＰの２００％の累積債務を抱えるが、純海外資産を３５０兆円程度所有し世界最大の債権所有国である。それに加え財務省には、外国為替資金特別会計で常時保有するドル資金が1兆３０００億ドル（約１５０兆円）ある。実質の財政の累積債務はＧＤＰの１００％以下である。おまけに政府の国債は90％以上を日本国内の銀行、生命保険会社、そして個人投資家が所有している。日本固有の、世界が理解できない不思議な安定を保ち続けてきた。

上述の米国経済の状況からすれば、米国民が「世界の警察どころではない」と叫んだなら、どんな大統領であっても受け入れざるを得ない現実が進行している。米国は、一般国民大衆をはじめ、リーダー達も速いテンポで内向きになりつつある。

第一次大戦以後の米国は、何時も特別の国であり、万能の国のようであった。しかし、21世紀に入り経済破綻の可能性という壁に立ちふさがれた。米国は普通の国に戻ろうとしている。今や、「過去と異なる形で世界に関わり、貢献する道を探らざるを得なくなっている」のだ。

国防費の大幅削減をせざるを得ない？

上述の理由から、米国は国家予算と歳出の大幅な削減に踏み切らざるを得ない。この方向性は上下両院の民主・共和両党に共通のようだ。当然大幅な歳出カットは国防費にもおよぶ。米国の歳出のなかでも、国防費は非常に大きい。２０１２年でも６６００億ドル超（ＧＤＰの約４％・約79兆円）である。国防総省の歳費は巨大で、日本の防衛費の16倍程度だ。

オバマ政権は２０１２年１月に「今後、10年間で４９００億ドルを削減する」と方針を発表した。さらに「追加で６０００億ドルを削減する」という計画が加えられた。年間１０９０億ドル（約12兆円／年）の削減が10年続くことになる。もしこれが実行されたならば、米国の軍事力は米ソ冷戦終結後に極端に縮小された時の状態に再び戻ることになっていた。幸いにしてオバマ政権の末期には、彼の外交・安全保障政策に対する有識者達や政界リーダーからの信頼は地に落ちた。また、経済政策も誤りが表面化し、米国の製造業が崩壊状態になっていた。

その結果、２０１６年の大統領選挙でドナルド・トランプ（Donald John Trump）氏が当選し、翌年１月20日に第45代大統領に就任した。民主党はもちろん、共和党までもが予想しなかった人が大統領になった。トランプ大統領は就任するとすぐに民主党オバマ政権の外交政策を含む国防政策をすべて破棄した。そして逆に国防予算を増額した。２０１８年…６７１０億ドル（約73兆円）、更に２０２０年…７１８０億ドル（約79兆円）となっている。

トランプ大統領の共和党政権は２０２０年で終わり、２０２１年１月20日、ジョー・バイデン（Joe Biden）第46代大統領が就任した。２０２２年11月に行われる中間選挙で、上下両院民主党が過半数議席をとれば、政策重点が福祉や環境問題に代わり、急激な国防予算の縮小が行われることが心配される。共和党が両院の過半数を確保できれば、オバマ政権の政策のような極端な状態に陥らなくて済むだろう。

中華人民共和国は前者の事態を大歓迎し待ち望むだろう。その場合は台湾、日本、韓国が安全保障上の衝撃を受けることになる。

シェール革命により米国は中東地域の安全に軍事的リスクを冒さなくなった

アメリカでは、２００6年ごろから地下のシェール層から石油と天然ガスを採掘する新技術が開発された。米国には国土のほぼ全域にシェール層が広がっている。そこに埋蔵されている石油や天然ガスは米国の年間消費量の１００年分を超えるといわれている。米国は時間の問題でサウジアラビアを抜く世界最大のエネルギー輸出国になるといわれていたが、２０２０年には既にそうなっている。

２０１3年にはシェール革命がはじまっており、米国内の天然ガス価格は低下し、日本での天然ガス価格の3分の1となった。

このことが米国の外交・国防政策に大きな影響をもたらした。米国は絶対的に必要なエネルギー資源の供給を、政治的に複雑で不安定な中東地域に頼る必要性がなくなったのだ。

その結果、米国は中東地域の安全のために今までのように大きな軍事的リスクを冒すまいと考えるようになった。特にオバマ政権はアフガニスタンとイラクから米軍を撤退させることを最優先した。アラブの春から始まった民主化運動は中東諸国に大混乱をもたらした。バッシャール・アサド独裁体制のシリアではデモやストライキが内戦へと移行した（２０１1年3月）。内戦勃発2年間で11万人以上の一般大衆の虐殺が行われていた。化学兵器さえも使用にする大量殺戮をはじめた。５５０万人

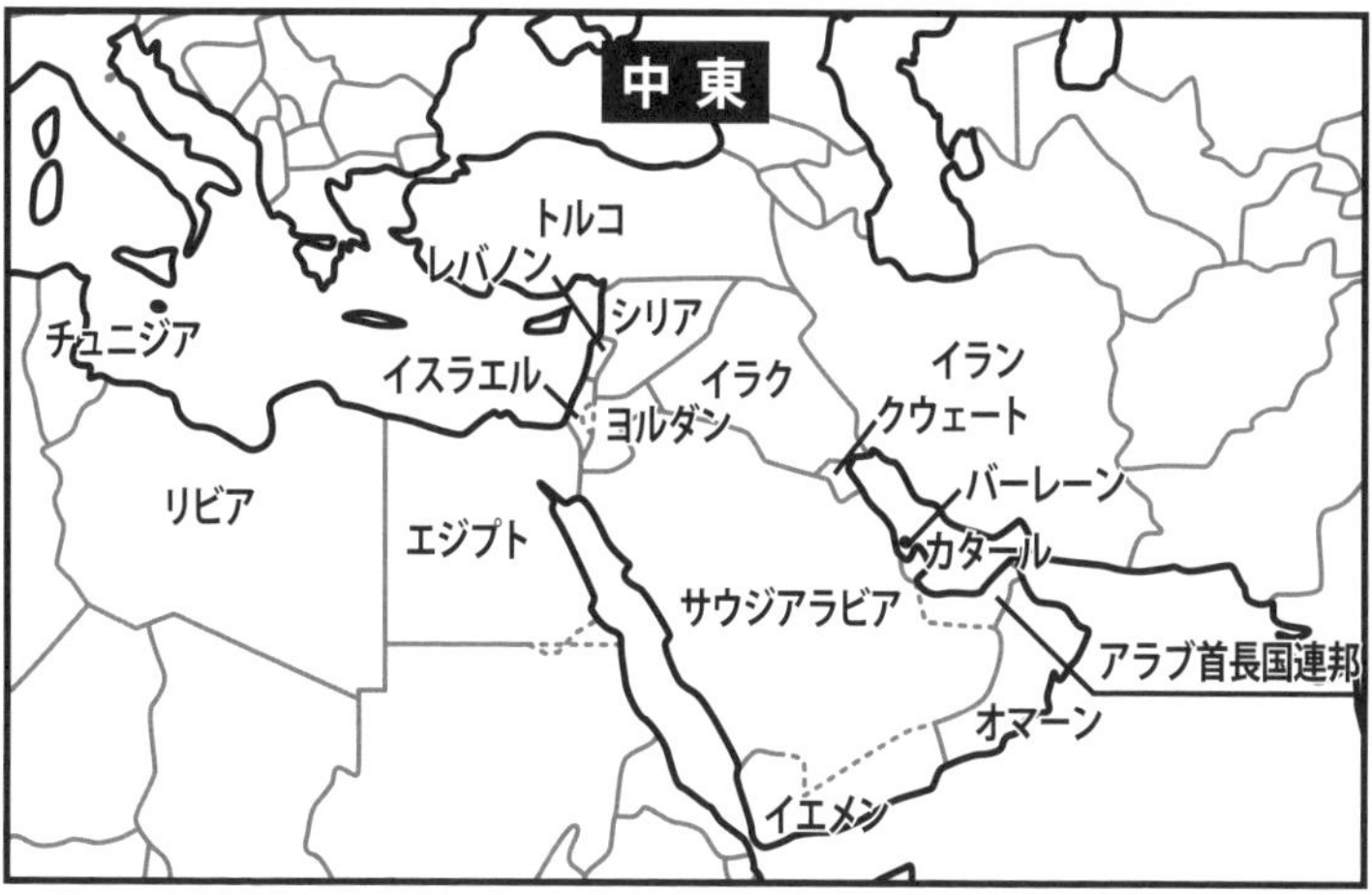

以上が周辺諸国への難民となり、今世紀最大の人道上の危機と言われた。しかし、オバマ大統領はシリア問題解決の責任を回避した。特に、毒ガス（大量破壊兵器）の処理はロシアのプーチン大統領に任せてしまった。

２０１４年にイラクで過激なテロ集団勢力ＩＳ（イスラム国）が拡大し、イラク政府に闘いを挑み、イラク国内にＩＳ国家を設立することを宣言した。このような事態にも彼は解決策を実行しようとはせず、見て見ぬふりをした。

オバマ政権は、イランに対しても米国の同盟国であるイスラエルやサウジアラビアを危機に陥れることになる「イランとの危険な核合意」を受け入れた。すなわち「イランが10年間核開発を中止する約束を受け入れる」ことで、「イランに対する経済制裁を解除」し、経済援助までおこなった（２０１５年７月）。しかし、この「核開発中止の枠組み合意」は穴だらけだった。国連の国際原子力機関（IAEA）はイラン側の許可なしに軍の施設の査察はできないのである。イランは秘密の核施設で核兵器の開発を続けてきた。

サウジアラビアは、米国のオバマ政権がテロ支援国家であるイランに大幅な援助を再開したため、自国に侵入しているイランの手先とＩＳ勢力が急速に拡大することを恐れていた。サウジアラビアがイラクのようになるからであった。

イスラエルは、米国とＥＵ諸国がイランに提供した「核開発中止の枠組み合意（経済制裁の解除と10年間の核開発停止、イラン側が制限できるＩＡＥＡの核査察条件の受け入れ）」により、イランが近い未来に核爆弾を所有することに危機感をつのらせている。中東にある米国の二つの同盟国がオバマ政権に対し怒った。米国は明らかに中東から去りつつある。自らの国益に比較して中東への関与はリスクが大きすぎると考えているのだ。

その後、トランプ政権が誕生したが、この基本的政策は変わらない。もちろん、共和党政権であるからイスラエルやサウジの安全に配慮している。２０１７年にイランとの核合意を破棄し経済制裁を再開した。しかし中東から去ろうとする基本戦略は変わっていない。

安全保障環境の変化と国防戦略の大転換

２０１０年2月、バラク・オバマ政権下の米国防総省は「海空統合戦闘概念（Joint Air-Sea Battle Concept）」を採用することを米国議会側に提示した。最大の難敵として強大化した中華人民共和国

「鉄のカーテン」冷戦体勢

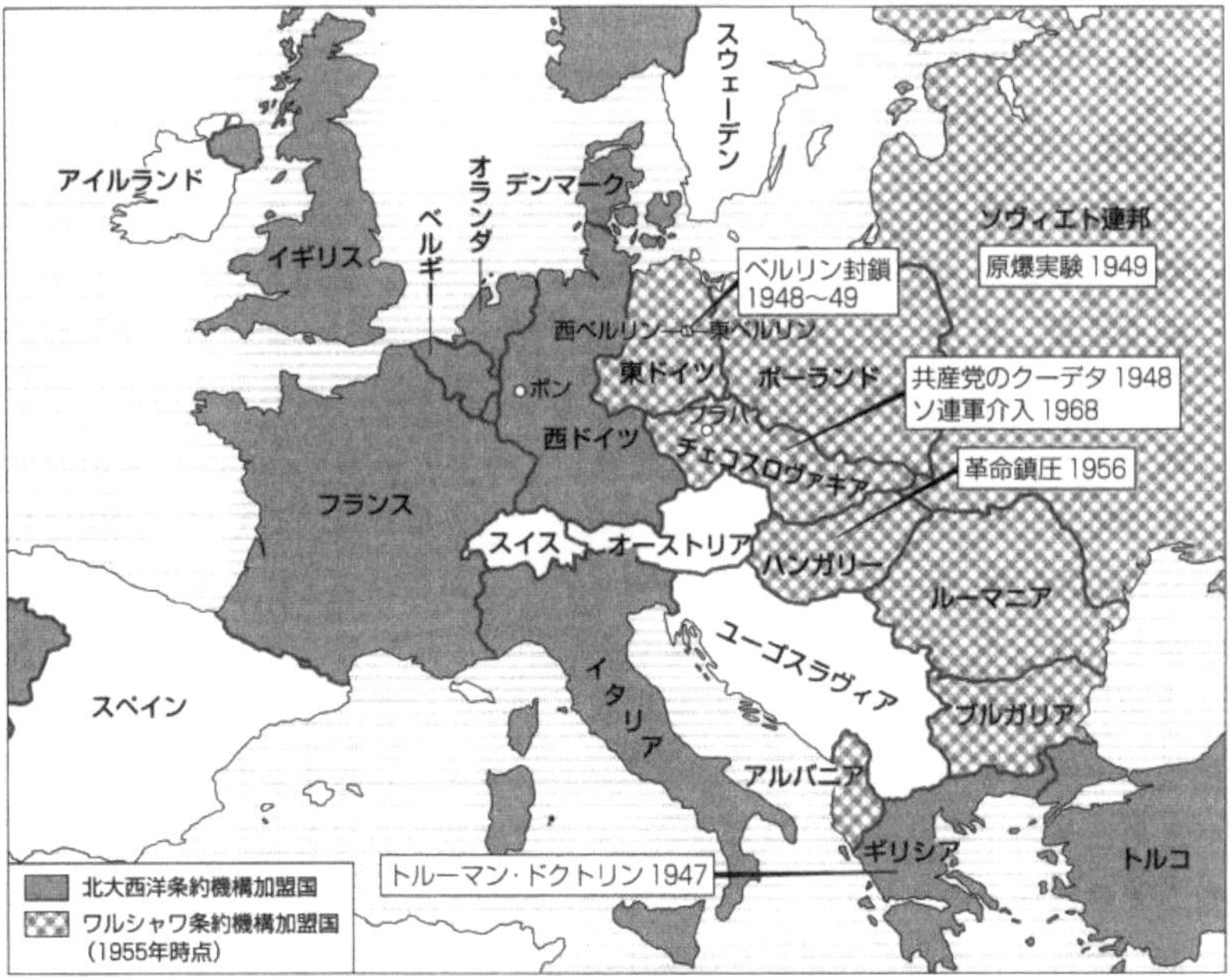
スウェーデン
アイルランド
オランダ
デンマーク
ソヴィエト連邦
原爆実験 1949
ベルギー
イギリス
ベルリン封鎖
1948～49
西ベルリン
東ベルリン
東ドイツ
ポーランド
共産党のクーデタ 1948
ソ連軍介入 1968
ボン
プラハ
西ドイツ
チェコスロヴァキア
革命鎮圧 1956
フランス
スイス
オーストリア
ハンガリー
ルーマニア
ユーゴスラヴィア
イタリア
スペイン
ブルガリア
アルバニア
ギリシア
トルコ
トルーマン・ドクトリン 1947
北大西洋条約機構加盟国
ワルシャワ条約機構加盟国
(1955年時点)

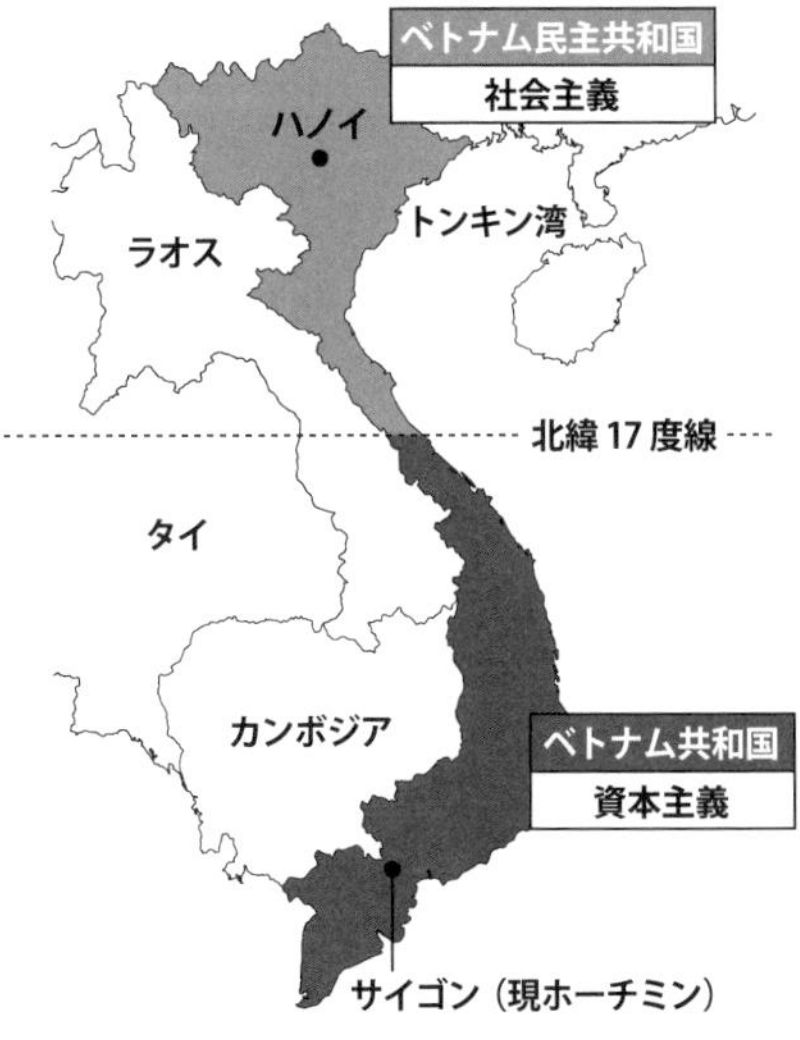
ベトナム民主共和国
社会主義
ハノイ
トンキン湾
ラオス
北緯 17 度線
タイ
カンボジア
ベトナム共和国
資本主義
サイゴン (現ホーチミン)

に対応するために「新しい戦略」を採用することへの理解を求めたものである。これは米国の戦略的大転換を意味した。

第二次大戦後、一貫して米国は戦争や紛争時に自らの脅威に対して「空陸戦闘原理」に依拠してきた。空軍と陸軍との統合戦略による戦いを実行してきたのだ。なぜならば米国の主要な敵が大陸国家であったからである。ソ連とその支配下にあった共産主義支配国家の膨張と紛争を防ぐための戦略を実行したが、海ではなく陸上が主な戦場だった。

1950年の朝鮮動乱の全面武力衝突が行われた後、休戦協定が1953年7月に結ばれた。その後、極めて緊迫した休戦状態が現在まで続いている。韓半島では韓国と北朝鮮が激しく対決し続けたが、実際は米国とソ連・中国の代理戦争のような状況であった。その戦場の中心は陸と空であった。その後も米国は2015年ころまで「空陸戦闘原理」に基づき対応してきた。しかし、2010年には既に新しい戦略が準備されており、オバマ政権末期（2015年）には本格的な実行段階に入った。それが「海空統合戦闘概念（Joint Air-Sea Battle Concept）」と言われるものだった。

冷戦時代（1947年〜1991年）のヨーロッパでは、東西ドイツの700㎞と中部ヨーロッパの1000㎞にわたる国境線で米ソの膨大な軍事力が対峙した。互いに核兵器を後ろ盾にした陸・空兵力が対峙した。これは1991年12月にソビエト連邦が崩壊するまで継続した。

やがてインドシナ半島で15年にも渡るベトナム戦争（米国・ソ連の代理戦争1960年12月〜

中国がひいた「第一列島線」「第二列島線」

１９７５年4月30日）が行われた。

中東では、１９９０年8月、イラクのサダム・フセイン大統領が、突如、イラク軍を隣国のクウェートに軍事侵攻し、６日後にクウェートのイラクへの併合を宣言した。国連常任安保理事会の議決により米軍指導による国連軍が多国籍軍として派遣された。第一次湾岸戦争（１９９１年１月〜3月）である。短期間だが「砂漠の嵐」作戦が実行され、42日間で終了した。

２００３年3月、第二次湾岸戦争が勃発した。前回の戦争後にイラクが武装解除後にも拘わらず、所有していた大量破壊兵器の除去のための戦争だった。同年5月にはジョージ・W・ブッシュにより「大規模戦闘終結宣言」が出された。米英主導での主力軍による戦争は、最大で30万人の軍が派遣され年内に終結した。しかし、その後テロの頻発やISによる紛争が長く続き、米軍の規模を縮小できても、２０２１年現在も完全撤退はできていない。

米国は第二次世界大戦後、現在まで戦争の連続だった。

これら総て戦争が例外なく、典型的な「空陸戦闘原理」を実践したのだった。

ところが、２０１０年ころから米国は国防戦略の大転換をせねばならなくなった。中国が近い将来に米国に対抗できる軍事力を所有する可能性がでてきたからだ。同時に西太平洋の米国の同盟国が中国の軍事的危険にさらされる事態が起こった。そのため必然的に採用せざるを得なくなった国防戦略が「海空統合戦闘概念」である。これは新しい米軍の戦略的展開である。

中国は、すでに１９８２年に「中国人民解放軍近代化計画」をたてている。

それは当時、中央軍事委員会主席であった鄧小平の命令によるものだった。同副主席であった劉華清が命令実行の実務担当をした。計画の内容は以下のとおりである。

「２０４０〜２０５０年までに、西太平洋とインド洋で米海軍に対抗できる海軍の建設を目標とする」

戦力展開の目標ラインを決定

・第一列島線（２０１０年までに）内から米軍を排除する

・第二列島線（２０２０年までに）内から米軍を排除する

中国は一貫して20年以上の間、国防費を前年比10％以上増加させ続けて、２０１０年には巨大な海軍力まで所有するようになった。２０１５年の国防費は公表値でも約17兆円規模（実際はその２倍程度）にまで拡大した。人件費や兵器研究開発費の安さを考慮すれば米国の国防費に近いといえる。それゆえ、人民解放軍の兵器や装備の近代化と規模の拡大は異常なほどのスピードで進んでいる。サイバー・スペースでの攻撃能力が高まり、人民解放軍による大胆な対米サイバーテロは常態化した。宇宙での攻撃能力（衛星攻撃能力）も劇的に高められている。２０１０年ころから軍事力の増強に比例して、中国は軍事的に横暴な行動をとりはじめた。また歴史的な陸軍国家の伝統を持つ大陸国家中国が、「海洋国家」として「海洋に進出する」と堂々と宣言した。

胡錦濤・国家主席は中国共産党第18回党大会（２０１２年11月）で「海洋強国宣言」をした。〝わが国は海洋国家だ。国家の主権と安全を護り、海洋権益を守る上で海軍は重要な地位にある。〟

米国防省はこの一貫した中国の軍事戦略をA2/AD（Anti-Access Area Denial）Strategy：接近阻止・領域拒否戦略と名付けた。

「海空統合戦闘概念」から「遠方海域支配」へ

米国は西太平洋でのプレゼンスの確保と同盟国を保護するために、「海空統合戦闘概念（Joint Air-Sea Battle Concept）」を採用せざるを得なくなった。

中国の脅威の顕在化とともに、西太平洋では冷戦時代の再来を思わせるような安全保障環境が造られつつある。オバマ政権の末期（２０１５年）には国防戦略の重心を西太平洋に置かざるを得なくなった。

西太平洋には地政学的特性がある。米国の同盟国および友好国は、日本、韓国、そして台湾やフィリピン・インドネシヤまで5，０００㎞におよぶ長大な線上に散在している。中国はそのほとんど全域で自分の領土から直接に軍事力の行使が可能である。

この地域を自分の支配下に治めようとする野心的な理由が中国にはある。年々発展する中国経済の生命線である原油と天然ガスの輸入が、必要量の60％を超えているのだ。原油と天然ガス輸入はインドネシアの三海峡（マラッカ、ロンボク、スンダ）と南シナ海、および東シナ海のシーレーンにより可能となる。加えて南シナ海と東シナ海には巨大な海底資源がある。これらの両者を自分の支配下に置くことが、自国にとって重大な安全保障であると認識している。中国はその戦略目標を達成するために、A2/AD（米国が名付けた）戦略を成功させようとしてきた。

米国は空陸戦闘原理を、第二次大戦後には一貫して採用してきた。しかし、強大になった中国の力に対応するためには、今までの「空陸戦闘原理」から新しい「海空統合戦闘概念」へと、国防戦略を急速に転換しつつある。西太平洋の安全保障の確保は、海軍と空軍の戦闘能力のコラボレーションが重要であり、「長距離の攻撃能力」と「敵の攻撃力に対する突破力」が必要である。重点は陸軍から海空軍に移りつつある。

さらに米国国防戦略は前述の戦略を前進させ「遠方海域支配戦略（オフショア・コントロール）」に至ろうとしている。

米国はあくまでも、中国との核戦争に至る事態や大規模な戦争を阻止し、排除しようとしている。その戦略的目的を達成するために採用しつつある戦略が「オフショア・コントロール（Offshore

Control)」である。最小の犠牲で最大の勝利＝中国の崩壊をもたらそうとするものだ。前述のインドネシアにある三海峡を封鎖することは、米国の海軍力からすればきわめてたやすい。現在も米軍はこの地域をコントロールしている。

２０１８年11月安倍前総理大臣は、第二次世界大戦当時、旧日本軍が激しい爆撃を行ったオーストラリアのダーウィンを訪れた。モリソン首相とともに犠牲者を慰霊し、両国の戦後和解の成功と関係の強化を表明し、首脳会談では両国の安全保障協力をいっそう深めていき、「自由で開かれたインド太平洋」を実現することで一致した。とくに日本側は、ともにアメリカの同盟国であるオーストラリアを、同盟国に準ずる安全保障上のパートナー「準同盟国」と位置づけた。そして、資源エネルギー分野の相互依存関係を強化することでも合意した。

加えて、日本とオーストラリアは、インドとの関係を強化している。日・豪の動きは米国の新戦略を補強しようとする動きでもある。２０１５年現在、中国が必要とするエネルギー資源の60％以上がこの三海峡の海上交通線の安全に頼っている。ここが封鎖されたらエネルギー資源が完全に止められるため、中国経済は短期間に崩壊する。

そうなれば数億の人々が職を失い、国内の大衆が蜂起し反乱を起こすか、または内部の権力闘争が激化し共産党政権は崩壊し、５つ～７つの軍事政権国家が誕生することになるだろう。

中国自らがその弱点を自覚しており、自ら「マラッカ・ジレンマ」と呼んでいるようだ。米国は海軍と空軍力の強化により、陸軍をアジアに派遣することなしに、米国本土から直接に西太平洋の安全を確保しようとしている。中国にとっては抗《あらが》い難い新・米国国防戦略＝「遠方海域支配戦略」への流れの中にある。

後退局面での国防戦略

米国は世界の何処へでもいき、戦争を憶することはなかった。しかし、米国政府の累積債務の巨大化、そして出て中東に頼る必要性がない米国のエネルギー事情等によって、「軍事的な消極性」へと導かれるだろうと推察することはたやすい。

しかし、上述した米国の軍事戦略の変化は、それ以外にも重大な意味を含んでいる。オバマ政権の政策はそれを顕著に示している。米国は今後同盟国の脅威を取り除くために陸軍を送ることはしないだろう。むしろ日本や韓国に配置された陸軍や、滞在する米軍家族を極力米国本土に引き上げようとしている。

陸軍の引き上げには長期間かかるため、簡単には後退できなくなり、米国が戦争に巻き込まれる。しかし、海軍力と空軍力のみの派遣は紛争地域から短期間での撤退が可能である。同盟国の防衛のためであっても米国の軍事戦略が拘束されないですむという利点がある。米国は何時でもどこでも戦略的な選択ができる。悪く言えば、いつでも後退できる状況を保ちながら同盟国を守ろうとしている。おそらく、米国の同盟国といえども、自国民が血を流す決意を持って脅威に立ち向かわず、自ら自発的に自国を守ろうとしない国からは、米軍が直ちに撤退できる戦略を選択しているのであろう。

このような、米国の根本的変化を示している発言を引用する。ニクソン、フォード、レーガン大統領のシニア・アドバイザーであった人物が指摘する。

〝韓国は北朝鮮の2倍の人口、40倍の経済力を持つ国である。……もう北朝鮮には毛沢東中国の100万の「義勇兵」はいない。平城の兵器を装備させるスターリンのソ連も消滅した。南の米国製の航空機、銃砲、戦車ははるかに北に優っている。……ではなぜ、まだ我々は韓国にいるのか？　米軍（陸軍）兵士は戦闘の初動段階で必ず戦死すべく配備されている。……在韓米軍は人質なのである。合衆国は60年にわたり同盟国の義務を果たしてきた。……米韓相互防衛条約は見直されてしかるべき……米軍は半島から完全撤退すべきである。

日本にも同じことが言える。日米安全保障条約によれば、わが国には日本防衛の責務があるが、日本には米国防衛に参加する義務がない。……日本経済は中国にほぼ等しいが、技術力はもっと進んでいる。日本は中国その他を食い止める空軍、ミサイル部隊、海軍を構築する能力を有する。……我々が防衛している自由主義国家が自ら核を開発できる能力があるのに、なぜアメリカが核戦争のリスクを背負い続けねばならないのか。

米軍は韓国、日本列島、沖縄から撤退すべきである。自己の防衛は我々にとってよりも彼ら自身にとって遥かに重要である。〟

（『超大国の自殺』パトリック・J・ブキャナン　河内隆弥・訳　2012年・幻冬舎刊）

（3）トランプ大統領の登場と「ロシア疑惑」の真実

ロシア疑惑

ドナルド・ジョン・トランプ（Donald John Trump・1946年〜）は、2016年の大統領選挙に当選し、2017年1月20日アメリカ合衆国の第45代大統領に就任した。

トランプ大統領の政策では以下の3点のような過激とも言える政策を次々と打ち出した。

①大統領令を発動して国境の壁を建設する

②米国第一主義を掲げ保護貿易政策を実施する

③イラン核合意から離脱しイランに対して厳しい制裁を科す

我々日本人にはこれらは理解しがたいが、米国ではトランプ政権の支持率が過去最高に達したことも事実である。トランプ大統領はビジネスマンではあるが、伝統的な大企業の経営の経験はなく、不動産業、カジノ業などを営んでいる。また、個性が強烈であり、極端な発言をすることが多いので、その行動や発言に対して反感を持つ人も多い。

そんなトランプ大統領に「ロシア疑惑」が浮上し、マスメディアはこぞってトランプ大統領をつるし上げた。しかし、その疑惑は以下のような経緯をたどっている。

2019年3月24日、合衆国司法長官ウィリアム・バー（William Barr）が、特別検察官、ロバート・モーラー（Robert Mueller）によるロシア疑惑に対する調査の最終報告書のサマライズ（4枚）を発表した。さらに、4月18日にロバート・モーラーの報告書（448ページ）が公表された。モーラー報告書は当然、法的に許される範囲に限定された公表だった。

司法長官報告書の中身は、打ち寄せる波のように大騒ぎをしてきたほとんどの民主党議員たちや、主流マスメディアにとって、まったく仰天する内容であった。

「ドナルド・トランプ氏と大統領選挙にかかわった誰からも、その証拠はなく告発をしない。また、トランプ大統領による司法妨害の証拠は無い」と言うものだったのだ。

ロシア疑惑はフェイクニュースだった

その時まで、連邦上下両院の民主党議員達、主流マスメディア、そして一部の共和党エリートたちは「ドナルド・トランプはロシアとの共同謀議で当選した法的正当性のない大統領である」と根拠のない情報で幻想を造り、信じ込んでいた。「必ず、弾劾を発議し、そして弾劾裁判の判決によりホワイトハウスから追い出せる」と大きな期待をもってきた。国民が選んだ大統領を2年間も「法的正当性がない」と主張してひたすら反対と攻撃をしてきた。彼らは自分の国の大統領を辱め、犯罪者のレッテルを何重にも貼り付けてきた。

日本から見ていた筆者には、アメリカ合衆国が冷静な知性や合理的判断による「法の支配」を前提とする社会ではなく、怒りや政治的悪感情による人民裁判をする国になったかのようにさえ思えた。

彼らは司法当局の結論に大きなショックを受けた。日本の主流メディアもどうとらえるべきか混乱していた。日本の報道機関は米国の主流メディア（ワシントンポスト、ニューヨーク・タイムズ、C

NN等）の報道をオーム返しのように繰り返して報道をしてきた。国際政治学者や専門家たちもほとんどの人が、米国の主要メディアと同様の見解を繰り返してきた。日本では、今もってこの事件が正確に報道されない。

アメリカ合衆国司法長官ウィリアム・バーの発表によれば「ドナルド・トランプ氏と家族、および大統領選挙対策本部の幹部たちを含めて、自らの選挙を有利にするべくロシアと共謀した事実（証拠）はない。またモーラー報告書によれば、司法妨害の嫌疑については、犯罪行為を〝犯してない〟とも〝犯した〟とも結論付けなかった。しかし司法長官として司法妨害はなかったと結論付ける。」と言うものであった。

アラン・モートン・ダーショウィッツ（Alan M Dershowitz）弁護士（ハーバード大学法学名誉教授）は、特別検察官、ロバート・モーラーの最終調査報告書にある「司法妨害の嫌疑についての結論」に対して、Fox News番組に出演し厳しく〝酷評〟した。

「検察の責任ある仕事は〝告発する〟か、または〝告発しない〟かの、どちらかの結論を出すことであり、彼（ロバート・モーラー）は報告書で責任逃れをしている。膨大な時間と金を調査に投入したにもかかわらず、彼は結論を出すことに失敗した。そのためウィリアム・バー氏は司法長官としての権限と責任において、すべての調査書をもとにして〝司法妨害は無かった〟と結論付けた」と指摘した。有罪として意図的に告発しようと2年間も調査を重ねながらも「有罪の証拠」を提示できなければ、「明らかに無罪であり告発はできない。」という結論が当然であると発表したのだ。アラン・ダーショウィッツ名誉教授は共和党員ではない。彼は生粋の民主党員として高名な法学者である。

ロシア疑惑を調査するロバート・モーラー氏は、司法長官の指導の下に調査を進めねばならない立場にある。決して司法長官と対等の立場にはない。司法長官は議会上院が承認し大統領が任命する。ロバート・モーラーよる調査機関は司法長官が管轄する検察機関の一つにすぎない。ロバート・モーラーが大統領や司法長官から独立した法的権限を持つという見解は大きな間違いである。「独立検察官」という呼称をしばらくの間マスメディアが使用した。日本の学者やメディアもそれを使用した。それは左翼的メディアがトランプ政権を攻撃する武器を造るために、詐欺的な報道をしたものだ。そのような制度は米国には存在しない。合衆国憲法第2章（Article Ⅱ）に違反するものである。「独立検察官」制度については１９８８年に合衆国最高裁で違憲判決が出された。

〝行政権は部分的に大統領にゆだねられているのでなく、全ての行政権が大統領にゆだねられている。大統領は、違法行為に対する調査と告発を指導し完成することを含む責任の数々を憲法的に任されている。〟(Justice Antonin Scalia)

主流と言われるメディアが「独立検察官または特別検察官（special counsel)」を「大統領の指導から独立した調査と告発をする権限を持ったもの」であるかのように報道し、それに基づき議会でも討議がなされたが、これはまったくフェイクニュースを政治的に利用したものであった。

ロバート・モーラーはその調査において大統領の指導をまったく無視した。しかし、大統領とホワイトハウス高官たちは全面的に調査に協力した。憲法に定められている大統領の行政権限に基づき、いつでもロバート・モーラー特別検察官を罷免することもできた。しかし、トランプ大統領はあえてそうしなかった。

また検察官の責任は「告発する、またはしない」の二者択一の結論を出さねばならないが、2年間も調査したにもかかわらず「司法妨害の嫌疑」について結論を出さず、曖昧にした。検察官としての当然の責任を果たさなかったため、バー司法長官が、大統領から任されている行政権限に基づき「司法妨害があったとの嫌疑については、証拠が余りにも不十分であり〝司法妨害は無かった〟」と法的権限を行使して結論付けたのだ。

ロシア疑惑を調査する特別検察官が率いたチームは19人の実力ある検察官や弁護士たち（一人を除き、全て強い民主党支持者達）と40人の職員により構成されていた。調査は本来党派性があってはならないが、きわめて党派性の強い検察官チームを構成した。彼らはその調査過程で「調査権を乱用して調査をする、魔女狩りである」と、トランプ大統領とその支持者たちから強い批判を受けた。彼らによる調査は2年に渡り、25億円以上と言われる豊富で、保障された資金を使った。調査のために罰則付きの呼び出し状（Subpoena）を２８００も送り付け、証言、文書や記録の提出を行わせ、５００の捜査令状が使用された。また５００回の証言を得る機会をもった。しかし、ドナルド・トランプ氏、その家族、選挙組織リーダーたちの誰からも「２０１６年の大統領選で、ロシアとの共同謀議をした証拠」はつかめなかった。結局、有罪として告発しようとしてもできなかったのである。

ロシア疑惑の真実

大統領に反対する民主・共和両党の政治家たち、主流と言われる全米のマスメディア、そして優秀ではあるが政治的偏見を捨てられない行政府内の検察官たちが2年に渡り無意味な空騒ぎをして、25億円もの無駄金をつかった。国民の選挙により選ばれ、かつ、合衆国憲法が「行政権」のすべてを帰属させる大統領を、なんと彼の指導を受けねばならない検察官たちが攻撃を続け、大統領と行政の信頼を深く傷つけた。しかも、2年に渡って「選挙で選ばれた大統領の政治力」を「優秀ではあるが、選挙で選ばれなかった官僚たる検察官たち」がその行政権を大きく侵害したのだ。

これらの事実はアメリカ合衆国の民主主義と憲法の根幹を揺るがす大きな犯罪となる可能性を誘発し、暗い影を投げかけている。今後、ロシア疑惑以上の大きな問題となるだろう。その調査はすでに大きな進展をしている。

選挙で選出されない一部の司法省・FBI高官やマスメディア、そして立法権を持つが行政権を持たない上下両院の民主党議員達と一部のエリート共和党議員たちが、憲法が行政権を帰属させるドナルド・トランプ大統領を、あたかも法的正当性のない大統領であるかのように扱い、行政を大きくゆがめてきた。米国ではそのような自由が許されるのか？　許されるはずがない。

では、この「ロシア疑惑」を捏造し拡散したのは誰だったのだろう。

ロシア疑惑は「スティール文書」と呼ばれる、クリストファー・スティール氏によって、２０１６年の米国大統領選挙中に書かれた文書が発端だった。彼はイギリス政府諜報機関・MI6の元工作員でロシア事情に詳しい人物である。

ニューヨーク・タイムズの記事によると、スティール文書がロシア疑惑の発端となったことを認めている。さらに、疑惑の根拠となった文書がなぜ、どのように広まったのかを、米国の政府機関や議会の複数の委員会が捜査、調査することになった、と報じていた。

ロバート・モーラー特別検察官の報告書もスティール文書に言及し、その記述が事実ではないことを明記していたのだ。さらに前述の4月19日のニューヨーク・タイムズの記事でも、スティール文書は虚偽であると認めていた。

実は、スティール文書はトランプ陣営の政敵だったヒラリー・クリントン陣営の委託で作られていたことが、その後判明した。

ウィリアム・バー司法長官は、ロバート・モーラーの報告がまとまった後、4月10日の上院公聴会でロシア疑惑について証言し、民主党陣営の「疑惑」を提示した。スティール文書の背景と合わせて、今後の司法省当局の捜査の対象にするという。

今後「ロシア共謀疑惑を調査した調査官に対する調査」、「ロシア疑惑の調査を命じたオバマ政権の高官達」に対する調査がさらに本格化する。第二ラウンドがはじまる。

トランプ大統領が告発されれば米国の対外政策は極端な内向き指向になっていた

もしロバート・モーラー特別検察官によるロシアとの共謀疑惑調査の最終報告書が、充分な証拠に基づいて「ロシアとの共同謀議が実行された」、「トランプ大統領による司法妨害が行われた」の両者、もしくはどちらか一方を結論付けていたとしたら、それはトランプ大統領によるその後のアメリカ合衆国の政治を根本から変えてしまっただろう。

すなわち、米国の行政全体が短期間で「極端な内向き指向」に変わってしまう可能性があった。大陪審の告発を受けた大統領は、下院で弾劾発議が提案され、そして過半数の同意で弾劾発議が議決される。さらに副大統領を議長とする弾劾裁判で上院の3分の2の議決で弾劾が決定されることになる。その途上にある大統領は正にレームダック（Lame Duck: 足の不自由なアヒル、役立たずの意味）そのものとなる。

その過程では、結果的に弾劾裁判で弾劾決議をされようがされまいが、米国の世界的外交・安全保障政策や経済政策が決定的な打撃を受ける。アメリカ合衆国の行政権限のすべてを憲法によってゆだねられた大統領が、実際に弾劾裁判にかけられるとなれば、外交・安保政策がストップしてしまうのは当然である。副大統領が代わりに大統領権限を行使するとしても、行政に対する国民の信頼は地に落ち、上下両院の共和党は力を失って大混乱する。すなわち、行政指導力は地に落ちる。

このような事態になったらもっとも益を受けるのは北朝鮮、中国、ロシア、イランである。加えてＩＳ（Isramic State）やテロ集団であった。

49年前のニクソン政権で起こった極端な内向き指向

かつて、米国で大統領の弾劾裁判の議決が実行される寸前まで追い詰められる事態が起こった。それにより米国が1972年～1980年ころまで「極端な内向き指向」となり、時に乗じて強力な力を発揮し勢力を拡大したのはソビエト連邦と北ベトナムであった。

それは、ウォーターゲート事件（1972年6月）にはじまるリチャード・ニクソン大統領の弾劾問題で、当時の米国は完全に内向き指向となっていった。ベトナム戦争の終結と撤退を叫ぶ世論が米国を覆ったのである。ニクソン政権はそれを指導する力も政治的気力も失い、1973年にパリ和平協定により戦争を終結させ、ベトナム共和国（南ベトナム）から米軍を撤退させた。

米国民と世界はパリ和平協定と米軍の撤退により、ベトナムに平和が訪れると信じていた。しかし、ニクソン大統領辞任（1974年8月）からわずか1年足らずを経て、ベトナム共和国（南ベトナム）は北ベトナムの圧倒的軍事力により崩壊し、吸収されてしまったのだ（1975年4月30日）。南・北両ベトナムは共産主義国家として統一された後に、ベトナム社会主義共和国と改名された(1976年7月)。30年間続いた南北ベトナムによる戦争は北ベトナムによる赤化統一により終了した。

この時、ベトナムから111万人ものボートピープルが南シナ海に死を覚悟して脱出した。彼らは米国やカナダに難民として漂着して救済された。日本も11，000人の難民を受け入れた。

トランプ大統領の「ロシアとの共謀疑惑」調査最終報告書の結果次第で、今度は朝鮮半島や台湾で40数年前のインドシナ半島と同じ事態が繰り返される可能性があったのだ。

国の未来は、基本的にそれぞれの国民が選ぶべきものだ。しかし残念なことに、米国が極端な内向き志向になった場合、日本を含めて特に韓国や台湾の運命は決定的影響を受けることは避けられない。

米国の行政力が弱体化すれば「妖怪たちが世界を自由に徘徊する」

現実の世界には多くの妖怪が徘徊している。

1972年のウォーターゲート事件ではじまった大統領の弾劾騒動が米国の行政を極端な内向き指向に変えた。それがベトナムの悲劇を生んだことはすでに述べた。

それとよく似た状況で、トランプ政権が行政力を失えば、まず習近平の中国が、そしてウラジミール・プーチンのロシアが大胆な行動をはじめる可能性があった。彼らは「米国の大統領が確固たる信念で行動する」とみれば、自分の意図を隠して静かにしている。しかし、「大統領と閣僚達が断固たる意思を喪失している」と見れば、隠された意図を実現するために大胆な行動を開始して、大きな悲劇が起こる可能性が高くなる。

良い例がある。バラク・オバマ大統領が2期目に入ってからのことだ。2013年当時、シリアのアサド政権が反政府勢力の共犯者と見た多くの市民を虐殺していた。「近い将来に、シリア政府軍が毒ガスを用いて市民の大量虐殺をするのでは」と世界も心配していた。米国のオバマ大統領は「シリアのアサド政権が、もし大量破壊兵器（毒ガス）を使用するなら、それは米国が軍事介入するためのレッドラインとなる」と力強く宣言した。2013年8月、シリアの政府軍は毒ガス攻撃で1，300人以上を殺戮した。米国がシリアへの軍事的制裁を行うと思われたが、オバマ大統領は「米国は世界の警察官ではない！」と耳を疑うような言葉で結論付けた。そして、シリアの毒ガスの処理をロシアのプーチン大統領に丸投げをした。

オバマ大統領の弱さを見抜いたウラジミール・プーチンは、シリアの大量虐殺の7カ月後の2014年3月にウクライナのクリミア半島全体を軍事力で占拠してロシアの領土に組み入れてしまった。ドナルド・トランプ大統領が現れるまで、ロシアはウクライナ東部までも侵略併合をするかのような軍事圧力をあからさまにかけ続けてきた。オバマ政権は何もしなかった。ただ、申し訳のように、ロシアへの経済制裁を仕掛けた。クリミア半島がウクライナに返還されることは今後もないだろう。

中国の習近平国家主席もオバマ政権を完全に見くびっていた。前述したように、中国は2013年12月に南沙諸島での埋め立てを開始した（アメリカ国防総省発表2014年8月）。南シナ海は世界貿易の30％を支える輸送船が行き来する。習近平は、大胆にも陸地ではない単なる岩礁を大掛かりな埋め立てをすることで人口島にして、さらにそれらの軍事基地化を進めた。

習近平国家主席はオバマ大統領との首脳会談で「埋め立てた島は決して軍事基地化しない」と約束した。しかし、その約束を簡単に反故にした。人工島化の工事を加速させ、オバマ政権の最後の年である2016年中に南沙諸島の8カ所の人口島を全て軍事基地化してしまった。今や、これらの人工島には港と滑走路が建設され、海軍艦艇と軍用機が発着している。レーダーが配置され、少なくとも三つの埋め立て岩礁で3，０００m級滑走路と対空ミサイルが配備され、対艦ミサイルや巡航ミサイルの配備が確認されている。

そのような軍事基地化された人工島を中国は「気象観測所を開設した」と主張している。トランプ政権は激しく中国に軍事対応をしており、南シナ海は米中軍事力が一触即発状態になっている。

これらの世界的事実からはっきりと言えることがある。ロシアのプーチン政権、中国の習近平政権、サダム・フセインのシリアは「強い、確固たる大統領の米国」だけが怖いのである。彼らにとり、国連、国際世論、世界の諸国、マスメディア、国際法等は、政権と自国の利益のために「利用の対象」と考えているようだ。米国の力が弱くなるか、大統領が政治力を失えば、ほとんど時を同じくして彼らは正体を現し、隠していた本音に基づく行動に走る。

朝鮮民主主義人民共和国は小さな国であるがそのような国々の代表でもある。

（4）トランプ政権の動向と北朝鮮

新次元の北朝鮮が顕現する

米国のトランプ政権が弾劾問題で行政力を失い、極端な内向き指向になったならば、北朝鮮の「不可逆的完全非核化」は「夢のまた夢」となったであろう。

国連安保理の決議による北朝鮮に対する経済制裁は、常任理事国・中露の政治工作により揺らぎ、たちどころに骨抜きとなっただろう。各国による「国連の制裁決議」違反は常態化される。また、多くの国が北朝鮮と貿易をはじめるだろう。中露はそれを積極的に推進させ、同時に北朝鮮が所有する核弾頭と弾道ミサイルの増強が加速化し、その性能も飛躍する。さらに、アメリカ東部の大都市を確実に破壊できるＩＣＢＭの増産をはじめた兆候もあるようだ。

北朝鮮は米国のアラスカに配備される弾道弾ミサイル迎撃システムの飽和状態を超える数量と、アメリカの心臓部を確実に破壊できる性能のＩＣＢＭを生産するだろう。

そのような状態を作り上げて、北朝鮮はきわめて大胆で断固たる「核兵器所有の権利」を主張しはじめる。「インドやパキスタンそしてイスラエルは核兵器を所有している。朝鮮民主主義人民共和国の核所有を認めないのは差別である」と主張するだろう。その膨大な数の核兵器は岩盤下の要塞深くに隠される。それらの完全撤去をどの国際機関や国家が、北朝鮮に要求し実行を迫れるだろうか？

北朝鮮から核兵器を撤去するのは事実上不可能となり、世界は北を核保有国の一つとして承認せざるを得なくなるだろう。米国が弱ければそれを追認する以外にないのである。

こうして北朝鮮は新しい次元の「朝鮮民主主義人民共和国」として出現する。

その国は、小型で近隣諸国の何処でも攻撃することが可能な核兵器を所有する国家となる。核兵器は余りにも恐ろしい兵器だ。誰よりもその恐ろしさを最初に体験したのは日本人だった。余りの恐ろしさに核兵器のことになると、日本は蛇ににらまれた蛙のようになり、理性が止まり身もすくむ。世界に例のない不思議な文化を持つようになった。

長崎と広島に核爆弾が投下されてから70年以上が過ぎた。しかし、核兵器は日本の攻撃に使われて以後、世界では他国の攻撃のために一度も使われていない。その間は戦争の連続であったにもかかわらず、なぜ、実際の戦争では使われなかったのか？

政治目的を果たすための核兵器

それは、破壊力が余りにも大きく、それ以上大きな恐怖は他の兵器にはないからだ。絶対的恐怖がその使用を止めてきた。皮肉なことに、もっとも戦争に有効な武器が戦争を抑止している。対決する敵対国どうしが核兵器という有効な報復能力を所有すると、軍事的に対決しても核兵器を使えなくなる。核兵器はたとえ一発でもその破壊力は余りにも大きい。核攻撃に成功しても、報復により壊滅的破壊を受ける可能性がある。相手を威嚇するためや相手の攻撃の意思を挫くために活用しているものの、実際に使用することができなかったのである。

かつて米国とソ連を中心とする東西冷戦は、人類全体を滅ぼしても余りある大量の核兵器で互いに対峙したが、一発として使われることはなかった。むしろ相手の核攻撃に対する誤報が両者に滅亡をもたらす可能性があり、互いに必死に管理した。

東西冷戦時代には、東西ドイツの国境線を中心に歴史的に最大量の戦車、航空機、兵士が配置され、展開されていた。しかし、通常兵器による戦争も起こらなかった。なぜなら、通常兵器による局地戦が拡大して、核戦争に発展する可能性があったためだ。紛争があってもきわめて局地的で抑制的だった。核による報復攻撃の恐怖が強力な抑止力となった。

70数年間に世界で多数の戦争が起こった。戦争は核兵器所有国と非所有国、または両者が核兵器の非所有国間で勃発し、大量殺戮等もなされてきた。しかし、核兵器所有国間では戦争が起こらなかった。否、できなかったのである。このことは歴史の事実であり、皮肉な現実である。

核兵器は、その所有国家がそれを持たない国に対して通常兵器での侵略や恫喝を、より効果的にするため、すなわち政治的目的を果たすために使われてきた。

独裁王朝三代の夢の実現

きわめて近い未来に、朝鮮民主主義人民共和国（北朝鮮）は大量の核兵器を所有し、かつ米国東海岸のいくつかの都市をも壊滅するＩＣＢＭを所有する段階に到る。これにより新次元の北朝鮮が顕現するのである。周辺の国（非核所有国）に対し、北朝鮮による一方的な脅迫と攻撃が可能となる。それは同時に金日成、金正日、そして金正恩の三代の夢が実現することを意味する。

その時は近い。「三代の夢」が一度実現されたなら、もはや日本、韓国、台湾等の安全保障環境は二度と元の状態に戻らなくなる。北朝鮮が極東のブラックホールとなろうとしている。

２０２０年８月３日、国連安全保障理事会の北朝鮮制裁委員会において専門家パネルは制裁委員会に中間報告書を提出し、北朝鮮が弾道ミサイルに搭載可能な核兵器を「恐らく」実現したと指摘した。

もはや数十発の核弾頭を所有しているようだ。近いうちにさらに小型化して、量産化による多数の中・短距離弾道弾ミサイルや、米国に到達する多弾頭の大陸間弾道ミサイルを所有することになる。

「駐韓米軍の撤退」により「核の傘に穴」

台湾、韓国そして日本は核兵器を所有していない。一方北朝鮮では核兵器体系を完成させようとしている。米国の東海岸の大都市を狙えるＩＣＢＭを手にする時が近いのだ。その時に、日本・韓国・台湾に対する米国の核の傘に大きな穴が開く。日本、韓国、そして台湾は北朝鮮の核攻撃からの防衛を米国に頼れない時がくる。

米国はニューヨーク市民を皆殺しにされ、廃墟にされるリスクがあっても日本や韓国そして台湾をも北の核から守るだろうか？　東西冷戦時代に、英国、フランス、西ドイツ、イタリアは「その時に米国は自分達の国を捨てる」と結論付けていた。そのため英国とフランスは核実験を自ら行い核兵器保有国となった。ドイツとイタリアは米国の核兵器を自国で共有する国となった。

すでに述べたように、もしトランプ大統領が「ロシアとの共同謀議疑惑は有罪である」と大陪審により判決され、弾劾問題が本格化していたならば「北朝鮮の非核化と日本・韓国・台湾への核の傘」は、米国の極端な内向き指向政策により放棄されてしまったであろう。

韓国には核兵器がないが、駐韓米軍２８，５００人、その家族および外交官８，０００人以上、そして韓国在住米国人２００，０００以上が在住しており、彼らが米国の人質のようになり韓国の安全を保障している。これは米国が韓国に核の傘を提供する大きな根拠となってきた。彼らが韓国から去れば、直ちに核の傘は失われるだろう。

加えて、米国の核の傘と米軍による韓国の保護を失いかねないもう一つの問題がある。米国と韓国との関係が悪化しており、トランプ大統領が在韓米軍の撤退について何度も言及していることだ。米国の軍の配置や戦略の決定権限は米国議会にはない。行政権を憲法により任されている大統領が決定する。

しかし、奇妙なことに、米国の同盟国でありながらも、文在寅大統領は「核の全面廃棄」について北朝鮮を説得しようとしない。あくまでも北朝鮮のスポークスマンの立場で「金正恩委員長は本気で核の全面廃棄をしようとしている。米国は、北朝鮮の核の段階的廃棄を認め、経済制裁を緩めるべきだ」と主張し続けている。

文大統領は第一回南北首脳会談（２０１８年6月・シンガポール）の後、米国に2人の特使を送った。彼らはトランプ大統領に「北は1年で全面的な核廃棄を完了する」と伝えた。しかし、第二回米朝首脳会談（２０１９年2月・ハノイ）でそれはまったくの嘘であることが明白となった。しかしながら、文在寅大統領は自分が提供した情報に対してまったく責任を持とうともしなかった。

それ以来、明らかにドナルド・トランプ大統領は文在寅韓国大統領に対し怒っていた。２０１９年4月11日の米韓首脳会談がそれをよく表している。異常な米韓首脳会談であった。首脳会談前に文在寅大統領はジョン・ボルトン（安全保障問題担当補佐官）、マイク・ポンペオ国務長官、スティーブン・ビーガン北朝鮮政策特別代表、そして他との会談をすることを要求された。しかし、文在寅大統領とドナルド・トランプ大統領との直接会談はわずか30分だった。それも27分が記者団とのやり取りで、2人で話したのは通訳を交えて3分で終わった。これはトランプ大統領が韓国の大統領との対等の会談を拒絶したに等しい。駐韓米軍の撤退は本気かもしれない。意外に早い時期に実行されるかもしれない。韓国は非常に危険な段階にきている。

ソウルが「朝鮮人民軍」に無血開城させられる

どれだけ時間が残されているのだろうか。３年か？　北朝鮮は大量の核兵器を所有し、かつ米国東海岸のいくつかの都市をも壊滅可能なＩＣＢＭを所有する段階に到る。そのような事態となれば、米国は駐韓米軍とその家族および外交官をきれいに撤退させる可能性が高い。なぜなら敵国のスポークスマンを自認してやまない大統領の国を守るために、米国は多数の国民の命を失うリスクを負わないからだ。朝鮮半島の未来は、韓国と北朝鮮の自立性と責任にゆだねられることになる。

韓国は世界歴史上どのような国も経験したことのない事態に直面させられる。北朝鮮は核兵器体系を完成し所有している。一方、韓国は核兵器がなく、加えて米国の核の傘がなくなろうとしている。

それでも、もし北朝鮮が通常兵器のみで韓国攻撃をするならば、韓国軍は近代化されているため独自の力で対応できるだろう。しかし、北は不利な通常兵器による脅迫や攻撃ではなく、核兵器により政治目的を達成する戦略を選ぶ。一発の核が原野に打ち込まれたとしても、韓国の通常兵器はまったく無力なものとなる。すなわち、北による核攻撃の脅迫だけで韓国は無抵抗となるだろう。

北朝鮮は前もって文在寅大統領に極秘通達をするだろう。内容は「人民軍が友好親善のためにソウルに向かうが、もしこれに軍事的攻撃をするなら、韓国が先制攻撃をしたと理解し、ソウルの一部、釜山市、大邱市等を核弾頭積載弾道弾ミサイルで破壊する。」と言うシンプルなものだ。北朝鮮の金正恩委員長は人民軍をソウルに進軍させはじめる。文大統領と青瓦台は何もできない。韓国軍に対して「攻撃を一切するな。命令に反するものは犯罪者として厳罰に処する。攻撃を許す将官たちは国家反逆罪で処罰する」と命令するしかなくなるであろう。

文大統領は国民に全新聞・テレビ総動員の緊急記者会見を行い「人民軍が友好親善のためにソウルに向かう。これは友好親善のためである。自主平和統一に向けて連邦制を実現するために韓国民を挙げて歓迎しよう。」と国民に訴えるだろう。

すでに、文在寅政権は韓国を北朝鮮に併合するための基盤をつくり上げているといわれる。大法院（韓国最高裁）の大法院長は文大統領の子飼いの人物をすえた。前大法院長は投獄されている。最高裁判事14名のうち8名は文大統領が選んだ左翼の法律家である。「司法の独立」は完全に失われている。行政（大統領と大統領府）と立法（議会）は文在寅大統領の独壇場になっている。

「国家情報院」は憲法を守り、北の工作員と革命勢力から国を保護する中枢であり、最後の砦である。しかし文大統領はその院長に親北で有名な丁海亀を任命した。さらに経験あるプロフェショナルな人たちを退職させて新人を採用し、国家情報院の機能を事実上崩壊させた。国家情報院にあった情報と人材を活用し、保守派の検察・警察リーダー、軍のリーダーたちの粛清がほぼ完成した。韓国では、潜伏していた北朝鮮の工作員の安全が保障され、活発に工作活動を行えるようになっている。半面、命がけで韓国にやってきた脱北者たちが、自分の生命の安全と韓国での未来の生活に不安を覚えている。

米国が風邪をひけば韓国は肺炎になるのだ。いつの間にか韓国の国民は自らの立たされている立場を忘れてしまったのではなかろうか？

１９５０年６月25日早朝、朝鮮民主主義人民共和国から大韓民国に向けて軍事侵攻がはじまった。韓国は軍事力をほとんど持たず、米軍もほとんどいない状況で、大規模な軍事的侵略が開始され朝鮮動乱がはじまった。一時は韓半島のほとんどが北朝鮮に占領された。その後国連軍が参戦したものの苦戦は続いたが、１９５０年９月15日、マッカーサーによりソウル近郊の仁川上陸作戦に成功し、戦局は一変した。

１９５３年７月27日に国連軍と中・朝連合軍が朝鮮戦争休戦協定に署名し、休戦協定に至るまでに、一つの民族が互いに殺し合い、そして４００万人以上が犠牲者となった。共産主義者たちによる未曽有の悲劇がもたらされたのは、わずか70年前のことだ。祖父、親族、父母、兄妹たちの涙と血の叫びはもうすでに忘れ去られてしまったのだろうか？

PART3

アメリカ合衆国はどこへ行くのか

（1）米国の土台が崩壊したのか？　第46代大統領選挙

米国史上、未曽有の大掛かりな違法選挙？

２０２０年11月３日、第46代大統領を選出するため全米での大統領選挙が行われた。その結果、現職ドナルド・トランプ大統領（共和党）は敗れ、民主党大統領候補者ジョー・バイデン氏が第46代大統領に選出された。２０２１年１月20日、新大統領が就任してバイデン政権が出発することとなった。

この大統領選挙は米国歴史上過去のない規模で行われた腐敗と違法行為が行われた可能性が大きく、両候補者陣営の激しい闘争とそれに対する隠蔽活動、裁判所への法的告発が行われた。

これらの深刻な闘争は、大統領選の当落を決定する六州（ペンシルバニア、ジョージア、ミシガン、ネバダ、アリゾナ、ウイスコンシン）で行われた。アリゾナとジョージア州は共和党知事であり、他の４州は民主党知事であった。

憲法違反、違法行為に挑戦した民主党選挙活動家たち

今回の大統領選挙でジョー・バイデン氏を擁立する民主党勢力は「無制限な郵便投票の実行」を実現するためにあらゆる政治的力を行使した。民主党全国委員会（Democratic National Committee）、ジョー・バイデン選挙対策本部、連邦上下両院民主党議員、民主党州知事、州両院議員、民主党有力活動員、民主党系各種労働組合、そして同調するマスメデイアが巧みに活動した。連邦憲法と州憲法の違反行為を恐れずに「無制限な郵便投票の実行」に向かい前進した。

郵便投票は各州の選挙法に規定された明確な手続きに従って行われる。各州の選挙法は州憲法に基づき州の立法府である州議会（上下両院）が決定する権限を持っている。州知事と行政府はその法に基づいて執行する権限を持つが、選挙法を変更することはできない。選挙法を改定する場合は州議会による立法手続きを経ねばならない。このことは合衆国連邦憲法と州憲法により定められている。

また、郵便投票は違法行為に利用されやすい為に、海外駐在の軍人、公務員そして企業人等に制限され、更にその不在者投票は本人確認を厳格に要求される。それは、当然のことである。主権者である国民が「自分の主権行使をゆだねる人」を選挙で選ぶのだから、その尊厳性を保護することは最重要なことである。

ところが、民主党勢力は「無制限な郵便投票の実行」をさせるべく、あらゆる勢力を動員してその政治力を行使した。大規模な違法行為を堂々と実行した目的は、アメリカ合衆国の行政権力を握る為であった。

目的を果たすための最も効果的な方法は「新型コロナウイルス感染症」の恐怖をあおり、国民を震撼させることであった。民主党州知事、同連邦議員とマスメディアが実行の先頭に立った。彼らは見事に足並みをそろえた。彼らの戦略目標は一貫していた。「無制限な郵便投票の実行」が「国民の人権を守る正当な政治政策」であると思えるように国民世論を操作することであった。「感染症対策と経済の生き残り」の両面を追求するトランプ政権の政策を〝科学を無視する無知な政策である〟と徹底攻撃をした。また、彼は〝新型コロナウイルスは武漢の国立細菌研究所からウイルスが漏れて感染拡大した〃ものと中国の責任を指摘した。しかし、民主党リーダーたちは中国政府の主張（武漢市場の動物からの感染）をそのまま受け入れ、〃感染の異常拡大はトランプ政権の誤ったコロナ対策がもたらした〃と主張した。そして彼らが主張し始めたのは〃感染拡大が猛威を振るう最中の大統領選挙は「無制限な郵便投票の実行」でなければならない〃というものだった。

米国は世界最大の感染者（累計３０，２５６，４９１人、ＷＨＯ―２０２１．３．28）をかかえ、またその死者（累計５４８，９３５人、同）も多かった。マスメディアもその脅威を繰り返し伝え続けた。国民は恐怖感に支配された。こうして、ジョー・バイデン選挙対策本部と民主党政治勢力は新型コロナパンデミックを大統領選挙の強力な〃政治的武器〃に変えるチャンスを得ることに成功した。〃感染拡大から国民を守る為の「無制限な郵便投票の実行」〃を実践するために全力を注いだ。それはあたかも、やがて中国から海を越えてコロナパンデミックが大統領選挙の助け手として米国にやってくるのを知っていたかのようであった。

各州での大統領選挙人を獲得するための選挙

第46代大統領選挙は全国統一選挙として、２０２０年11月3日に50州で行われた。各州で大統領候補者に投票された投票数の最も多い候補者が、その州に定められている大統領選挙人数のすべてを獲得する。50州それぞれの代表選挙人を獲得した総計が過半数を超えた場合、その大統領候補者が新大統領として選出される。その為、大統領選挙は各州が主人となり、連邦憲法と州憲法に基づく選挙法により執り行われる。米国は非常に厳格な三権分立の原則が法で定められている。「無制限な郵便投票の実行」を大統領選挙に適用するには州議会の上院と下院で新法として議決されなければならない。連邦議会にはその権限はない。

違法行為に突進した激戦六州

「無制限な郵便投票の実行」をするためには、それを合法化せねばならない。その為には州議会のそれぞれが上院と下院で議決により新法を成立させねばならない。しかし、今回の大統領選の勝敗を決定する可能性の最も高い激戦六州（前述）は例外なく両院の多数派は共和党が占めていた。州議会で法案を通そうとすれば共和党支配の両院で否決されるのは明らかであった。しかし、州知事は4人が民主党（ペンシルバニア、ミシガン、ネバダ、ウイスコンシン）であり2人が共和党（ジョージア、アリゾナ）である。議会を無視して、知事の行政権限を乱用すれば、合法性のない選挙を執行できた。ジョージア州の知事・州務長官は共和党員であるが買収？により民主党路線を強力に実行した。これらの行為は明確に合衆国憲法と州憲法、及び選挙法を無視する違法行為である。大胆にも彼らはそれを実行した。

彼らはそれでも充分な勝算があると確信していたようだ。時はコロナパンデミックの真っ只中であり、全米は緊急事態下にある。〝州民の生命を守る為に「新しい選挙の在り方」を知事の行政権限で選択した〟と主張すれば押し切れると考えたのだろう。全米のエリートメディアもその路線が正しいと合唱していた。激戦州の民主党知事及び民主党活動家リーダーは政治的空気とメディアの後押しに勇気づけられた。

圧倒的に豊かな政治資金は彼らを更に勇気づけ、秘密を守る為に結束させた。違法行為を黙認させ、秘密を守る為に膨大な資金が使われたはずである。事実、民主党が２０２０大統領選挙で集めた資金は天文学的だった。必要性を満たせたはずである。

アメリカ合衆国・連邦選挙委員会は２０２０年大統領選挙で集めた選挙資金について次のようにデータを公表している。

「民主党総計３，２００億円（Bloomberg １，０９６億円、ジョー・バイデン１，０５１億円、他１，０５３億円）

共和党総計７９２億円（ドナルド・トランプ７８９億円、他３億円）１ドル／１００円で換算した場合、民主党は共和党の約４倍の選挙資金を集め支出した。両党ともに集めた資金はほとんど全て支出された。」

連邦選挙委員会の公表データは民主党が圧倒的選挙資金を費やしたことになる。

Big Tech（グーグル、アップル、フェイスブック、アマゾン等）からは大口資金が投入されている（例…フェイスブックから３５０億円、激戦州に集中的に）。それに加えて、資金支出の詳細は分からないが、選挙活動の現場では巨大な資金が裏金の選挙資金として組織的に支出された可能性がある。

合法的選挙資金の裏には、それに比例する裏金が暗躍するものである。各種レベルの違法行為を実行するために黒い金が使われ、その違法行為を隠すためには更に大きな資金が使われる。民主党ジョー・バイデン大統領候補の選挙戦はあまりにも静かなものだった。本人の演説会場は野外の駐車場で行われたが、信じられないほどの少数者しか参加しなかった。当局は「コロナ感染症拡大を抑えるため」であると説明していた。部屋の中からネットの集会やテレビ宣伝に注力したようだ。一体、その莫大な選挙資金は何に使われたのだろうか?裏側の違法な戦略を実行するために莫大な資金を投入したとみるべきだろう。

勝利に酔って重大な秘密を暴露した

第46代大統領選挙でジョー・バイデン大統領の選出に勝利をした左翼運動に熱心なフリーライターが、大きな勝利に浮かれたからなのか自分たちの正体を暴露した。モーリ・ボール（Molly Boll）は英国誌『TIME』に21ページにわたる「2020年選挙を救った影の選挙運動の隠された歴史」と銘打った記事を提供した（2021年2月4日）。

このレポートは共和党トランプ陣営側でも大きな話題となった。選挙詐欺によって2020大統領選挙が民主党に奪われたことをこの記事が如実に示している。膨大な証拠に基づくトランプ陣営の主張に対して、全エリートメディアは〝その見解はトランプ陣営が流した政治的偽情報・謀略〟と主張し続け、さらにグーグル、アップル、フェイスブック、ツイッター、アマゾン等は、中華人民共和国とよく似た情報統制を行った。

モーリ・ボール（Molly Boll）のTIME誌のレポートを読んだトランプ陣営の人たちが「やはりトランプ大統領の主張は正しかった。」と声を上げた。

この左翼記者のレポートによると、大統領選挙戦略を背後で成功に導いた一人の戦略家がいたという。名はマイク・ポドホルツァー（Mike Podholzer）、彼は全米最大のアメリカ労働・工業組合連合会（AFL-CIO）会長の上級顧問である。マスメディアには表れないが、民主党内部では政治的技術を発展させてきた天才として何十年間も知られてきた人でもある。彼は大統領選のために極めて明確な政治戦略的枠組みを、各レベルの戦略家たちと話し合いながら作り上げた。彼の「対話による行動」の積み重ねは、１５０以上の全米の左翼組織を結束させ、その戦略的見解を行き渡らせ、民主党活動家やリベラルな共和党員をも巻き込み支持基盤を広げた運動のうねりができていった。

この論文では、共通した三つの重大な戦略目標の徹底的達成が促されたことが明示されている。なんと、それは違法行為の実行による民主党大統領の誕生であった。

①州の投票システムと投票法を変えさせること
②兵士のように訓練された多数の選挙職員と郵便投票をする何百万の人々を得ること
③ソーシャルメディアの各社が「全てがトランプ大統領側の陰謀である」と強い政治的態度で貫くように全米的な統一戦線を造ること

「①州の投票システムと投票法を変えさせること」これだけをとっても「連邦憲法と州憲法、また州の選挙法に違反する選挙行為を発動させせようとする」明確な行為である。

投票法やそのシステムを変える権限は州議会にあり、選挙を執行する州知事の行政府にはない。知事は選挙法を変更することはできない。実際、激戦6州では議会の議決をせずに、議会（州の立法府）を無視した。知事と州務長官の行政権限で「無制限に拡大した郵便投票」を実行した。議会は6州とも上下両院が共和党多数の故に法案が成立しないため、知事の権限のみで投票システムを変更し、投票法が変更されたかのように振る舞いながら選挙を執行したのである。TIMEに投稿したモーリ・ボール（Molly Boll）は〝民主党全国組織と州知事たちが違法行為であることを知りながら大統領選挙を実行した！〟と堂々と宣言したのである。

①の戦略は、その通りに実践され、実現された。ペンシルベニア州議会共和党議員らの決議案（２０２０年12月27日）に、それらが以下のように記されている。

「２０２０年大統領選挙では、ペンシルベニア選挙法を変更し、郵便投票、期日前投票、戸別訪問に関する不正行為が合法化された。それゆえ、我々はこの大統領選挙の結果を認定できない」

・9月17日、ペンシルベニア州最高裁判所は「不法かつ一方的に」郵便投票の受付期限を延長し、消印のない投票を適時投票とみなされることを規定し、署名確認のない投票の集計を認めた。

・10月23日、同・最高裁判所は、州務長官の申し立てにより、郵送投票用紙への署名は本人確認の必要がないと判決を下した。

・11月2日、州務長官は特定の郡（country）が郵送投票の不備を、政党や候補者に通知し、不備を是正するように勧告した。

驚くことに州知事、州務長官、州最高裁が合衆国憲法とペンシルベニア憲法、そして同州選挙法を無視したのだ。米国の歴史的伝統である「法の支配」が完全に失われた歴史的汚点となった。

大統領選挙に現れた民主党の国家的陰謀？

モーリ・ボール（Molly Boll）による英国誌 TIME の記事「２０２０年選挙を救った影の選挙運動の隠された歴史」で述べられた第2の戦略は何を意味していたのだろうか？　推察も含むが多分、筋金入りの民主党活動員多数を選挙職員として採用し、また州民のなるべく多数を郵便投票に振り替えるべく、受け入れの人的体制を整えた。これは選挙票の集票や開票の過程に民主党支配を生み出し、極めて政党色が強く偏向して透明性のない集票と開票状況を生み出した。

②の「郵送投票用紙への署名は本人確認の必要がない」戦略は民主党知事の行政権を活用し、集票と開票過程を支配しようとしているとさえ言える。事実、それらは実行された。

大統領選の勝敗を決した激戦州六州では異常に不透明な投票の集票と開票集計が行われた。ドナルド・トランプ大統領の個人的弁護士ルディ・ジュリアーニ（Rudy Giuliani）氏は投票の16日後（11月19日）に「疑う余地はない。これは大きな計画が背後にある。民主党支持基盤の強い10の大都市で、同じような不正行為があった。即ち国家的陰謀がある。」と述べた。彼はニューヨーク市長（１９９４・１～２００１・12）として、凶悪犯罪の撲滅及び市の治安改善に大きな成果を挙げた有能な政治家であり弁護士でもある。彼の優れた直感と政治家としての判断力は、「マイク・ポドホルツァー（Mike

Podholzer）が立てた戦略に基づく組織的行動力」と「法の支配を無視しても政治権力を得ようとする民主党のマグマのようなエネルギー」の存在を、この時すでに感じていたようだ。

激戦州6州では民主党側の政治戦略指導下で多くの選挙職員が行政府に雇われていた。その中にも、違法行為に直面しショックを受け正義感からトランプ側に訴える人が多数出てきた。彼らは、嘘に基づいた告発をしたならば自分が処罰されるという「宣誓供述書」を書いてまで、違法行為を告発した。宣誓供述書に基づく告発書は1，０００枚を優に超えている。「これだけの証拠があれば選挙詐欺裁判を勝訴させ、選挙結果を逆転させることが可能である」と、当初ジュリアーニ氏は考えていたようだ。「民主党支持基盤の強い10の大都市で、同じような不正行為があった。」とジュリアーニ氏が主張したが、その不正行為の中身がどのようなものだったのかを指摘したい。

モーリ・ボール（Molly Boll）による英国誌TIMEの記事で明らかにしたように、〝まるで軍の兵士たちのように訓練された多数の民主党側の選挙職員が、票の集票、開票、集計を支配した〞のである。このような状況が全米と特に激戦六州で想像以上に深刻な状態で出現していた。

選挙票の集票、票の開票と選挙票の集計は、民主・共和両党の監視員により厳重に監視され、透明性が確保されなければならない。民主共和の両党から同数の必要人数の監査員が参加し、自由に監査し続けられてこそ、それらの透明性と集計結果の尊厳が認められる。すなわち選挙の尊厳性が保たれる。

しかし、多くの大都市と地域の選挙票開票と集計場から共和党の監査員は締め出されてしまった。

このことはペンシルベニア州、ミシガン州、ジョージア州（いずれも大票田）であからさまに行われた。民主党側が違法行為（選挙詐欺）を隠すことができる状況にあった。その違法行為とは①各郡（County）で、何千・何万というトランプ票をバイデン票に入れ替えてしまうことである。また②特定の州で合法的に投票された投票用紙のみを集計するのではなく、他の非合法な偽造された偽投票用紙を集計して合法化してしまう行為である。

激戦6州のひとつ、ジョージア（Georgia）州

州都アトランタ（人口100万以上）のあるフルトン郡（County）で大掛かりな選挙詐欺現場を記録したビデオ（公的）が公開された（12月上旬）投票終了後の開票作業中のある日に、すべての開票と集計作業が夜10時半に停止され、そして監査人と選挙職員達が家に帰された後、見慣れた民主党の指導的選挙職員と他の数人の人物が現れた。テーブルクロスで覆われたテーブルの下に隠されていたいくつもの大きなケースを取り出し、詰め込まれていた膨大な投票用紙を出し、集計作業を始めた。作業は明け方まで続けられた。このビデオは開票集計場の24時間管理を当局から請け負った会社が保管していた公的な記録である。

その結果、数万票の詐欺票がバイデン票に加えられた。ジョージア州大統領選挙の結果はバイデン氏とトランプ氏の得票差は、それでも、わずか12，000票という接戦だった。選挙詐欺により勝敗が逆転された可能性が高い。しかし主流メディアはそれを完全に無視してニュースとして取り上げ

なかった。共和党の知事と州務長官は、民主党側の「トランプ陣営の政治的意図を持つビデオ記録」と主張する見解に同調し、断固たる態度でこの事件を無視した。

モリー・ヘミングウェイ（Mollie Hemingway）はオンラインマガジン The Federalist に法的問題となる票数のリストを掲載した。

重犯罪人（強盗・殺人）の投票数…2，560

未成年の投票数…66，247

州の選挙登録人名簿に存在しない人たちの投票数…2，423

ジョージア州で登録した後、他の州で登録している人達の投票数…4，296

国民住所移動の提出をしても、選挙登録をしなかった人の投票数…15，700

州内の他の郡（county）に移動しても、そこで選挙登録をしなかった人の投票数…40，279

選挙当日、もしくはそれ以前に既に死んだ人たちの投票が受け入れられた票数…10，315

問題票の総数…141，820

上記に平行して、ジョージア州は「40万票が無効になる可能性」という深刻な課題を抱えている。大統領選挙が終わって5カ月（2021．4．3）を経ても40万票以上の「選挙過程を記載する公式文書（chain of custody）」を提出できていない。この選挙票は不在者投票（郵便投票）によるものであり、法的義務を満たす書類を必要とする。この票の中身はバイデン票が大きく上回っているが、正当な選挙過程を記載した書類を提出できなければ、40万票が無効となる（シドニーパウウェル Sidney

Powell弁護士、元連邦検察官）。その場合、バイデン氏が間違いなく20万票以上を失うため、大統領選挙結果は逆転する。トランプ氏がジョージアの大統領選挙人のすべて16人を得る。そしてバイデン氏は16人を失い、両者に32人の差が生まれ、大統領選挙結果のバランスが大きく変わることになる。

全米規模のハッキングによる選挙詐欺？

「２０２０年の大統領選挙では、投票の開票と集計にはDominion社とHart Inter Civic社の投票集計機とが28州で採用された。この投票機は選挙詐欺の実行には実に都合の良いものだったのだろう。コンピューターを内蔵し、インターネットに接続できるこの機械の信頼性を調べるためにData Science社とBASED media社がデータ科学に基づき徹底的に調べた。その調査は全米３，０００の郡におよぶ分析だった。するとドミニオン社とハートインターシビック社の集計機を使った郡では、バイデン氏はトランプ氏に対して約5.6％の票が有利になる状況を両社の集計機により一貫して与えられていた〟ことが明らかにされた。この現象はどちらの党が支配的な郡であるかに拘わらず、前述の集計機を使用した郡に同様に観察された。」（The Gateway Pundit, ２０２１．０１．０２ By Jim Hoft）このような現象は、一貫して全米の全ドミニオン投票機を一括してコントロールする第三者がいなければ現れないはずである。

ドミニオン投票機について、パトリックバーン（Patric Byrne調査ジャーナリスト、電子商取引大手Overstock社創業者）氏が次のように指摘している。「全米50州のうち28州が２０２０年大統領選挙でドミニオン投票機をつかった。彼らが活用する75，000のサーバーシステムがマルウェア(malware) に汚染された。第三者が入り込み、票をコントロールできる。また投票所の管理者が票を思うままに操作できる。中国共産党が大規模に介入した恐れさえある。」

これは本当のことだろうか？　疑うこともできる。だが、この証言ついては簡単に実証された。

2020年12月30日、ジョージア州では連邦上院議員の二議席をめぐり決選投票が行われていた。もちろん、この選挙も大統領選と同様にドミニオン投票集計機が使われた。

著名な発明家ジョバン・プリッツァー氏は、選挙当日に州議会上院公聴会で議員を前にして、2020年の選挙結果の信用を完全に喪失させた。彼はジョージア州議会の立法府議員達に「今、ジョージアで投票している投票所のドミニオン集計システムに対し、簡単にハッキングを成功した」と報告した。彼は「ジョージア決選投票がインターネットに接続されている」ことを明確に確認した。彼は続けた。「絶対に起こってはならないことだが、我々は、今リアルタイムで双方向に伝達しあっていることを詳細に記録した。data を受け、また data を送っている。」〃 (The Gateway Pundit by Cristina Laila Decem30, 2020)

これは、その時に進行中だった選挙投票とその開票結果が、外部世界から実際に介入されていることを意味する。

シドニーパウェル (Sidney Powell 弁護士、元連邦検察官）氏はトランプ選対本部とは別に、独立の立場でジョージア州とペンシルベニア州に対し連邦地方裁判所に告訴した。その後、ジョージア州側の提出書類確認をリック・ハンソン弁護士が行った。彼は30年来の登録民主党員であり、米国オレゴン州の元選挙管理官（政策と運営）、そして元最高情報責任者（CIO　Chief Information Officer）の経験を持つ。

「州側の提出書類には、〝2020年大統領選挙で使用されたドミニオン投票機には、すべてのアクションをソフトウェアに記録する安全監査ログが無い〟と記されていた。私がそれを読んだときには大爆笑した。これは弁護の余地がありません。詐欺が発生しなかったことを証明できない。詐欺の疑いで追求される場合、この事実だけで選挙結果を無効にするのに十分なはずです。なぜならば、選挙詐欺が起こらなかったということを証明できないからだ。基本的に訴えられた側が証明する必要がある。」とハンソン氏は述べた。シドニーパウェル弁護士もそれに完全に同意して公表した。

さらにリック・ハンソン氏は「開票集計にあたり共和党側のオブザーバーを不在にさせたことは、選挙結果を覆すに足りる。共和党側の監査員は、最初の票カウントと二度目のカウント中も監査することを許可されませんでした。選挙当局はこれに対する防御はできない。本質的に選挙当局が共和党側に何かを隠そうとしたことを意味します。これらは弁護する方法はない。おそらく『証拠の優越』から『結果を疑う』という明白な（訴訟による）基準を満たすのに十分です」とも伝えた。

ジョージア州では全面的にドミニオン投票機（インターネットに接続でき、簡単にハッカーが侵入できる）を使い、また明らかに違法なずさんな郵便投票をおこなった。客観的に見れば、開いた口がふさがらないほどの状況となった。それでも州民の代表たる行政府は、その選挙結果のすべてを有効投票と断定し、「ジョー・バイデン氏が大統領選挙で勝利者である」と宣言した。これが選挙詐欺でなくて他の何であろうか？

選挙詐欺が大規模に行われたのはジョージア州だけではない。他の激戦州５州（ペンシルベニア、ミシガン、ネバダ、ウイスコンシン、アリゾナ）も、ジョージア州とほぼ同じ状況が展開されている。仮にジョージア（16）、ミシガン（16）、ペンシルベニア（20）の三州の選挙が違法とされれば、バイデン選挙人数が52人減少してトランプ側が52人増加する。勝者は逆転する。それだけに止まらず、28州で大規模にドミニオン投票機を使用し、かつ同様に法を無視した郵便投票を実行した。少なくとも、いくつかの州が激戦６州と同様の事態となっているはずだ。

アメリカ合衆国第46代大統領選挙は、歴史上初めてのスケールで全米規模のハッキングによる選挙詐欺が行われたと断定せざるを得ない。

（2）米国行政府の内部勢力によるクーデター？　それとも責任を放棄したのか？

アメリカ合衆国は法によって支配される

「法の支配」はアメリカ合衆国では特に重要な価値観である。「法」の意味には二つの領域が含まれている。一つは「自然法」であり、「神の意思」のことであり、独立宣言にその核心部分が述べられている。二つ目は、前者に基づき造られたアメリカ合衆国憲法（１７８７年）とそれに基づく諸法律である。

「法の支配」はこの二つの領域を中心に国家、社会、家庭、個人が存在しようとすることを意味する。米国は、英国との独立戦争の只中に「独立宣言」（1776年）をおこなった。独立宣言の中心的価値観のなかの一つである。それは17世紀英国の政治哲学者「ジョン・ロック」の思想を受け継いだものであり、当時の「建国の父たち」と合衆国を構成した13州のリーダーたちに共通の思想でもあった。重要な部分を引用したい。

「われわれは、以下の事実を自明のことと信じる。〝すべての人間は生まれながらにして平等であり、その創造主によって、生命、自由、および幸福の追求を含む不可侵の権利を与えられている〟。こうした〝権利を確保するため人々の間に政府が樹立され、政府は統治される者の合意に基づいて正当な権力を得る〟。」

独立宣言が提示する価値観は普遍的真理であり「自然法であり、神の意思である」とする。米国の建国以来の国是は「法（自然法、神の意思）の支配」の保持である。その目的は「国民の権利保護と発展」にある。アメリカ合衆国連邦政府は「司法権、立法権、行政権」を代表する連邦裁判所、連邦議会そして大統領により構成される。連邦裁判所はもちろん、連邦上下両院議会と大統領には、それぞれに「法の支配」を保護する責任と権限が憲法により与えられている。

ＦＢＩは「法の支配を守る責任」を負う

２０２０年11月９日、ウイリアム・バー（William Bar）司法長官によるメモが司法省全部門に通達された。「２０２０年大統領選挙で違法な選挙行為が行われた疑いのある状況に対しては、司法省の権限で調査する」ようにするため、50州の連邦検察官たち、司法省副司法長官たちの下にある刑事局、人権局、そして国家安全局、さらにＦＢＩ長官に正式に行われた指示である。

合衆国憲法では「行政権は大統領に任され」ている。大統領は「法の支配」を守るべく、選挙を合法的に実行し、その尊厳性を守る重大な責務を持つ。それは、自ら立候補する大統領選挙期間中も遂行するべき重要な責任である。大統領の行政権限を、代理して権限責任を実行するのが司法長官とその下の膨大な数の司法省検察官たちおよび職員たちである。

ＦＢＩによる「新型のクーデター」だったのか？　待ち構えていた〝反「法の支配」党〟

２０１７年１月20日、ドナルド・トランプ氏が新大統領に就任してホワイトハウスの主人になった時には、ワシントンの政治エリート集団が、手薬煉《てぐすね》を引いて待ち構えていた。彼らのほとんどは民主党員だが、一部には共和党実力者たちも含まれていた。トランプ大統領は政治家としての経験がなく、ワシントンの民主・共和両党エリート集団のなかには限られた人脈しかいなかった。政治エリート集団が、彼の大統領就任以前から「国民が行政権を託した新大統領を追放する」ために、準備をして待ち構えていたのである。そのための先頭に立ったのが司法省であった。司法省には前大統領バラク・

フセイン・オバマ（Barack Hussein Obama II）氏の影響が色濃く残っていた。特にＦＢＩはその前衛にあって、トランプ氏の「ロシア疑惑問題」を武器として活用したのであった。

「ロシア疑惑問題」の背景と事実は、連邦議会上院の司法委員会が２０２０年3月～10月に行った調査報告書が、司法委員長リンゼイ・グラハム（Lindsey Graham）氏により報告されている。

〝２０１６年大統領選挙に係るトランプ陣営のリーダー達が、選挙に影響を与えるための「ロシアとの共同謀議」をしたのかどうかを調べる最初の調査名は「Crossfire Hurricane」と呼ばれていた。

ＦＢＩのジェイムス・コミー長官と副長官アンドリュウ・マッカベは、それを実行することがとんでもない悪事と知っていながら許した。トランプキャンペーン陣営のカーター・ペイジに対する外国情報調査法の令状に司法長官サリー・イエイツ（Sally Yates）、ＦＢＩのジェイムス・コミー長官、そして副長官アンドリュウ・マッカベの三者がサインし、ＦＩＳＡ裁判所をだましてトランプキャンペーン陣営のカーター・ペイジに対する調査権を得た。こんな違法なことがアメリカ合衆国でおこった。二度と繰り返してはならない〟（概略）

「ロシア疑惑問題」はエリート左派官僚たちが作り上げた武器であり、その目的は政治的クーデターの達成であった。すなわちホワイトハウスからドナルド・トランプ新大統領を追放することにあった。アメリカ社会に〝反「法の支配」党〟が出現していたのだ。ＦＢＩは死んで、〝反「法の支配」党〟として生まれ変わっていた。

ＦＢＩによる米国民に対するスパイ活動は基本的に違法である。それは特殊な場合に限られ、外国情報監視法（Foreign Intelligence Surveillance Act of 1978）に基づき、裁判所の許可を得ねばならない。

２０１６年、大統領選が本格化する中で民主党エリート官僚達と一部の共和党エリートが、ロシアのスパイが提供した〝怪しい関係書類の情報〟を「トランプのロシアとの共謀疑惑」の追求に活用し、大統領選挙でトランプ候補を敗北させようとした。当時、ヒラリー・クリントン大統領選挙事務所と民主党全国委員会が私企業「Fusion GPS」に資金を投入して情報を整理させた。ＦＢＩは、極端に党派的で不正確なこの書類を使いＦＩＳＡ管轄裁判所をだまして、トランプキャンペーン・アドヴァイザー「カーター・ペイジ Carter Page」の調査権限を得た。ＦＢＩが極めて党派的なスパイ活動を始めたのである（２０１６年）。やがてトランプ新大統領が就任して後、ＦＢＩ長官ジェイムス・コミー（James Comey）は解任（２０１７年5月９日）された。あまりにもその指導が違法性と党派的偏向が強かったからである。明確な政治的意図によりＦＢＩをコントロールしていたのだ。２０１９年12月、前記の真相がＦＢＩ総括調査官により明らかにされた。その後、彼はFox Newsの取材で「自分が間違っていた」ことを表明した。

ＦＢＩが党派的に極めて偏向した情報でＦＩＳＡ裁判所をだまして調査許可を得て、スパイ活動をすることを黙認していたことの罪は大きい。大統領選の真っ只中に、民主党の意図を汲んだＦＢＩが、共和党大統領候補者に打撃を与えるために行動をしていたのだ。

〝反「法の支配」党〟の司令部と前衛

このトランプ氏への攻撃は新大統領に就任（2017年1月20日）してから、さらに本格化した。その始まりはオバマ政権の最後の閣僚会議（バイデン現大統領も参加していた）が行われたときに、オバマ大統領がおこなった指令であった。〝反「法の支配」党〟の司令部とはオバマ大統領と閣僚たちであり、前衛はFBIであった。

2020年5月13日、Richard Grenell国家情報長官が連邦議会の要請に基づき機密情報を公開した。

〝2017年1月5日、大統領執務室にオバマ大統領、ジョー・バイデン副大統領を始め閣僚たちが集まった。大統領は司法長官サリー・イエイツ（Sally Yates）と閣僚たちに「次期トランプ政権安全保障顧問マイケル・フリンとロシア大使キスリャクとの何回か行われた会談」についての情報を話した。さらにFBI長官ジェームス・コミィーと次期トランプ大統領に対してどのようにロシアスパイの「スティール・ファイル情報」を伝えるかを討議した。1月12日に「マイケル・フリンとロシア大使キスリャクとの何回か行われた会談」を公表すると決定された。同日にその情報がワシントンポストに漏洩され記事となった。これは違法行為である〟（概略）

明らかに「ロシア疑惑問題」の根にはオバマ大統領が深く関わっていた。次期大統領補佐官マイケル・フリンの電話は米国の情報機関に盗聴されており、オバマ大統領はその情報で司法省を指導してトランプ新政権に圧力をかけた。大統領がアメリカ国民の人権を侵害する違法行為を実行し、〝反「法の支配」党〟の司令官だったのだ。またジョー・バイデン副大統領もともに違法行為を犯した。

オバマ氏はロシア疑惑追及の根拠として活用されたロシアスパイ情報（クリストファー・スティールのファイル情報）をジェイムス・コミーＦＢＩ長官と活用するために閣僚会議で相談をしている。

オバマ大統領はＦＢＩを〝反「法の支配」党〟の前衛として育てていたのである。

ドナルド・トランプ氏が新大統領に就任するや否やＦＢＩのSteel Dossier（ロシアスパイ・スティールのファイル）の情報がエリートメディアに流された。「トランプ大統領は大統領選でロシアと共同謀議をした犯罪者である」というメディアの大規模な合唱連呼が始まった。

２０１７年5月9日、トランプ大統領はＦＢＩ長官ジェイムス・コミーを解任した。するとその直後にロッド・Ｊ・ローゼンスタイン副司法長官が、大統領の「司法妨害とロシア疑惑」を調査・追求をするべく、元ＦＢＩ長官ロバートモーラー（Robert Mueller）をスペシャルカンセルに任命し、独立的調査を発動させた。

このスペシャルカンセルチームの大規模な調査は1年8カ月間も継続し、大統領の行政を甚だしく妨害した。このチームは19人の実力ある検察官や弁護士たち（一人を除き、全て強い民主党支持者達）と40人の職員により構成されていた。この構成は民主党政治色があまりにも強いものだった。

25億円以上の資金を使い、調査のために罰則付きの呼び出し状（Subpoena）を2，８００も送り付け、５００の捜査令状が使用された。また５００回もの証言を得た。

1年10カ月の後（２０１９年3月24日）スペシャルカンセルチームは調査の結論を出さねばならな

くなった。司法長官ウイリアム・バー（William Barr）はスペシャルカンセルの調査結果を公表した。その結果は民主党とマスメディアを全く失望させるものだった。「ドナルド・トランプ氏と家族、および大統領選挙対策本部の幹部たちを含めて、自らの選挙を有利にするべくロシアと共謀した事実（証拠）はない。…司法妨害の嫌疑に証拠はなく、司法妨害はなかった。」というものであり、告発することは拒否された。まさに「ロシア疑惑」騒動は「大山鳴動して鼠一匹」であった。

そこに至る過程で、FBI副長官マッケイブ（Andrew McCabe）は情報漏洩と嘘により解任された。驚いたことに副司法長官ローゼンスタインとFBI副長官マッケイブは、トランプ大統領を大統領職から追放するために修正憲法25条を適用しようとする謀略を企てていた。これはクーデターである。その結果、副司法長官ローゼンスタインは退任に追い込まれた。他にFBI検察官と調査官トップが解任された。他に何人も検察官たちの違法行為が強く疑われており調査が続いている。

しかし、これらは退任や解任で済まされる犯罪ではないはずである。重大な犯罪行為として処罰されるべきだ。しかし、明確な処罰は下されてない。犯罪に対する法的扱いがダブルスタンダードになっている。一般人が同様の行為をしたら何十年かの懲役刑になるかもしれない。憲法が保障する「法の下の平等」は何処へ消えてしまったのだろうか？

2020年12月2日、ウイリアム・バー司法長官により連邦検察官John Durham氏がスペシャルカンセルに任命された。「ロシア疑惑」騒動の源を逆の立場から明らかにするべく本格捜査が始まったといえる。しかし、2021年1月20日、ジョー・バイデン新大統領が就任し、行政府と立法府（連邦議会上下両院）が民主党支配下となった。司法省の良心に基づく捜査は政治的圧力により曖昧にされることが心配されている。

良心的な米国民が知らないうちに〝反「法の支配」党〟の「司令部」と「前衛」が生まれていたのである。これらの一連の事実は、大統領に対する政治的反発や言論による攻撃ではない。行政権を持つ大統領からその一端をゆだねられたエリート官僚が、行政権を乱用して違法行為により大統領を破滅させようとしたのである。

〝主権者である国民から選挙で選ばれた大統領〟を、〝選挙で選ばれてない、そして行政権の一端を大統領に代わって担当する官僚〟が彼をホワイトハウスから追放しようとしたのである。アメリカ合衆国の憲法では立法権は連邦上下両院議員たちに委ねられ、司法権は連邦裁判判事たちと州裁判所判事たちに委ねられている。しかし、行政権は大統領一人に委ねられているのだ。この事件は米国史上、かつてないほどの異常な事件である。

正体を現した〝反「法の支配」党〟

しかし、このままでは終わらなかった。民主党が多数派を占める連邦下院議会が「大統領の司法妨害とウクライナに対する大統領権力の乱用」を追求し、怪しい議会運営により大統領の弾劾裁判の執行を議決（２０１９年12月18日）した。米国民の約半分から支持をされ、また憲法で行政権のすべてをゆだねられている大統領の弾劾裁判を行うか否かを決定する重大な議決であるはずだった。にも拘わらず民主党が推薦した議会証人たちの証言は「〜と言ったそうだ」や「〜と間接的に聞いた」というような証拠には程遠い、個人的感情や憎しみに基づく証言があまりにも多かった。その進行状況は中国や北朝鮮の人民裁判とよく似ていた。

もし上院も多数派が民主党であれば弾劾裁判が実行されたであろう。その様は正に中共の人民裁判そのものとなったはずである。しかし、上院の多数派は共和党であり、上院のみが弾劾裁判を行う権限を持つ。さすがに上院は確たる証拠もなしに有罪判決を出さなかった。幸いにして大統領の弾劾は否決されて無罪決着（2020年2月5日）となった。

皮肉なことに、その日に武漢ウイルス感染者第一号が現れた。連邦議会が無意味な弾劾裁判に振り回されていた最中に、強力な感染症がすでに米国大都市部で感染爆発を起こしていたのだ。

こうして「民主党勢力の大部分と共和党の一部エリート」（〝反「法の支配」党〟）によるドナルド・トランプ攻撃は二度にわたって完全に失敗した。一方、トランプ政権は短期間に国民の支持を固めて政治基盤を安定させてしまった。新大統領として就任早々から外交・安全保障（親中路線の廃棄と対中敵対路線への転換、北朝鮮政策）、経済政策（規制の撤廃と大胆な減税実行）は目に見える大きな結果をもたらし始めた。またトランプ大統領が共和党の連邦上下両院議員たちをまとめて結束させ始めた。トランプを嫌い、そして憎む一部の共和党エリート議員と党員は、それに脅威を感じ、民主党エリート集団、共和党エリートの一部、そしてエリートメディアと方向が一致して〝反「法の支配」統一戦線〟が造られた。

反トランプ勢力の派手なトランプ攻撃に蛮勇を取り戻した勢力がいた。それは司法省下のFBIと諸部門に生き残っている膨大な数の左翼エリート官僚達である。司法省・FBIと諸部門のトップ官僚の中にも面従腹背の輩が多数いるのだった。

彼らは三度目のクーデター・チャンスが巡って来るのを待っていた。しかし、2019年は、2020年大統領選挙に向けてトランプ大統領に圧倒的有利な政治状況が展開されていた。ところが、2020年に入り、中国が彼らに大統領選挙を逆転するチャンスを与えた。武漢ウイルスによる感染症が米国に入り猛威を振るい始めたのだ。2019年12月中旬には〝中国武漢で感染症が深刻な状態になっている情報〟を深刻に訴える一人の共和党下院議員がいたが、米国議会は無視した。彼らは意味も証拠もない弾劾裁判に集中して、国民の命を守ろうとしなかった。繰り返すが、弾劾裁判が終わった2月1日には、すでに大都市圏で感染爆発が始まっていたのである。

するとエリートメディア、民主党政治リーダーは必要以上にその脅威を主張し、国民に恐怖感をあおった。彼らは感染爆発の責任のすべてをトランプ大統領にかぶせ、自分たちの責任であることを隠した。「大統領が非科学的で感染症対策を誤ったために感染爆発が起こった」と攻撃をした。

武漢ウイルスの感染拡大は自由の国アメリカで最も大きな打撃を与えた。トランプ大統領が積み上げた外交・安全保障分野と、そして経済成長の実績がかき消されてしまった。トランプ大統領は、アメリカ合衆国の行政トップとして追われる立場に立たされた。逆にジョー・バイデン大統領候補には最高のチャンスが巡ってきた。民主党全国委員会、各州選挙運動組織、そしてバイデン選挙陣営はメディアのプロパガンダを背景に動いた。武漢ウイルスの感染を口実にして、郵便投票の法的規制を緩め、2020年大統領選挙に対して、あらゆる違法行為が可能な状態を作り上げたのだ。特にスイングステイトに膨大な資金を投入した。またインターネットに接続可能で外部から侵入できるDominion社の投票開票機を使うように陰に陽に政治指導をおこなった。また、激戦州の選挙管理職員は訓練された軍隊として動けるように人的配置を準備した。大掛かりな選挙詐欺のシステムが大規模に完成していた。

遂に成功した〝反「法の支配」党〟のクーデター

11月3日の大統領選挙投票日と開票過程では、当然、過去にはなかった大規模な選挙詐欺が行われた。

当然、司法長官と司法省全体が、激戦州（ペンシルベニア、ジョージア、ミシガン、ネバダ、アリゾナ、ウイスコンシン）を注目し、そこに関心を集中するのは当然であった。特に大統領選挙の勝敗を決する5つの激戦州では、競争が過熱するため違法行為が行われる可能性が高い。政党を超えて厳しくチェックし、悪質なケースについては詳細に調べて告発せねばならない。それは司法省の当然の義務である。

前述されたように、2020年大統領選挙の激戦州現場では露骨に多種の違法行為が行われた。多くの脅迫行為や紛争すらも起こっていた。「法の支配」を維持するべく、国内を対象とする情報活動を行うＦＢＩ（Christopher Wray 長官）が、選挙現場の違法行為について、他のどんな機関やマスメディアよりも把握するのが当然であった。いや、そうでなければならなかった。

しかし、不思議なことに司法省を構成するＦＢＩを始めとする各機関は全くといってよいほど動きがなかった。調査追求するべき問題が山のようにありながらも、それに触れようともしなかった。ドナルド・トランプ大統領はその事実に驚き、そして嘆いた。「現場で調査をしているという情報を全く聞かない」と指摘した。ＦＢＩは合衆国憲法と州憲法を犯してまでも、違法な選挙活動が行われていても黙り続けていたのだ。

驚いたことに、11月３日の投票が終了し、票の集計が終わった後でさえも、彼らは全く動かなかった。これは、意図的にサボタージュをしたといえる。ウイリアム・バー司法長官の公式指示がＦＢＩにより無視された。支持が無視されても、それを放置したのはウイリアム・バー司法長官がＦＢＩの態度を受け入れた証拠である。彼は言った「大統領選挙では広範囲に広がった違法行為は行われなかった」（ＡＰ通信社インタビュー・２０２０年12月２日）。全米のメディアのニュースは「今回の大統領選挙には選挙詐欺行為は全く行われなかった」を繰り返した。司法長官の発言はエリートメディアのプロパガンダを公認することになった。

司法省全体が、「法の支配」を守るという行政府の重要責任を放棄する事態に至った。そして、「司法省とＦＢＩが何もしない」行為を実行した。「何もしないで無視する」ことによりクーデターを実行したのだ。２０２０年大統領選挙は発展途上国並みの違法行為を野放しにしたまま展開されることになった。

その結果、〝反「法の支配」党〟のクーデターが成功し、彼らがその正体を現した。その姿は中国共産党が作り上げた種々の機関や社会組織とよく似ているように見える。人民解放軍は中国国民の軍ではなく、中国共産党の軍である。米国国民には想像もできないことと思うが、次に彼らが狙うのは「連邦軍を民主党の軍にする」ことであろう。そのための行動がすでに始まっている。

民主党の上下両院議員の多くと、共和党一部議員も含めて、政治家たち、エリートメディア、そして情報技術産業における最大で最も支配力のある、アマゾン、アップル、グーグル、フェイスブック、マイクロソフトのビッグ・テック（Big Tech）が「アメリカ国民のため」ではなく、自分たちの「政治権力と利益拡大」をひたすら追求することに明け暮れている。

彼らは中国共産党の体質と非常に似てきている。両者の目的は「力（power）と富の拡大」である。アメリカ合衆国の民主主義は根本的危機をかかえているといえる。「アメリカの最大の敵」は「アメリカの内」にある。彼らは、アメリカの未来を「独裁」もしくは「紛争とカオス（chaos）」に導くだろう。

危機に瀕したアメリカに未来があるとすれば、建国の父たちが示した「建国の精神」に帰り、「神とアメリカ国民のために果敢に生きる」以外に道はない。

（3）〝反「法の支配」党〟によるクーデター

米国各界のエリート集団は「選挙詐欺の可能性」を完全排除した

２０２１年１月６日、合衆国連邦議会両院合同会義が開かれた。連邦議会上院のプレジデント・ペンス副大統領が主役となり執り行われる極めて重大なそれであった。各州で選出されたすべての大統領選挙人数が公認され、トランプ、バイデン両者が獲得した選挙人総数が最終確定される。その結果、過半数を超えて、より多数票を得たジョー・バイデン候補が第46代大統領として選出された。

しかし、この決定行為のプロセスは憲法の根本にかかわる重大な問題を残した。

選挙は詐欺や違法行為がつきもの

選挙は、どこの国でも詐欺や違法行為がつきものであるが、それゆえに司法機関等は特に注意深く事の推移を見つめ、法により与えられた権限を行使して、不法行為を最小限に抑えなければならない。それにより民主主義国家は選挙の尊厳性を保つことが可能となる。選挙の尊厳性を失えば、法の支配は失われる。そして暴力がのさばり混沌が支配するか、または狂暴な独裁権力が支配する国となる。

２０２０年の大統領選挙の勝敗を決する激戦区の６州では、過去に経験したこともない大掛かりな違法選挙や詐欺が行われたことがトランプ選挙陣営、各州共和党議員や活動員と弁護士たちからも指摘され、膨大な証拠が提示されてきている。すでに、11月３日の投票が終了する前後に大きな騒ぎとなっていた。それに基づき各州裁判所には70数例の告発がなされたが、州裁判所はただの一つも取り上げることもせずに棄却した。証拠不十分との理由で棄却され、公判はなく、原告は証拠提示もできずに無視された。

テキサス州が合衆国最高裁に告訴し、それに続いて17州が告訴した。「ジョージア、ミシガン、ペンシルベニア、ウイスコンシンの4州は、それぞれの州選挙法に違反して法律を変えた。また選挙を実行する過程では米国憲法に違反し、深刻な違法行為を行った。結果として米国各州の有権者が不平等な対応を受けた」と提訴した。

しかし公判は全く行われずに、これも棄却された（2020年12月11日）。理由は「提訴州は提訴された4州とは利害関係がない。ゆえに提訴する立場にない」とのことだった。極めておかしな判断だ。最高裁のこの判断が、今や、テキサス州を始めとするすべての州民の経済と治安に対して、きわめて大きな打撃をもたらしている。大統領選挙の不正行為は米国50州の利害関係に直結しないはずがない。

例えば、バイデン大統領の不法入国者政策により「メキシコ国境からの違法入国者が激増」した。国境の壁を撤去して、違法入国者を無制限に受け入れることを宣言していたからである。

ジョー・バイデン新大統領就任後5カ月にもならないのに、違法入国者の拘束が4月だけでも17万8千人（税関・国境警備局）におよんだ。20年ぶりの激増である。しかも、単独で保護された子供が1万7千人に達する。拘束者たちは劣悪な収容所で生活している。これは子供に対する人権問題でもある。2021年は不法入国の拘束者が約200万人に達する見通しだ。6月に入り、カマラ・

ハリス副大統領がメキシコからガテマラを訪ねた際に、テレビ演説で「米国に来てはいけない。」と何度も繰り返して訴えて失笑を買った。民主党政権にとってさえも手に負えない事態になりつつある。最高裁判所が「テキサスを始めとする提訴州は利害関係がない」として棄却した判断はあまりにも幼稚な、いや傲慢な判断であったと言わざるを得ない。あきれ果てたことに、連邦最高裁が苦し紛れの弁明をしたのだろう。本音は最高裁が重大な政治判断に関わることを恐れたのであろうか?

それにしても有権者7000万人以上の支持者を背景として、幾多の違法行為の証拠を提示しながら告発したもののすべてが無価値であるかのように簡単に棄却された。この対応は、選挙詐欺が全くあり得ないことを前提としている。主権者たる国民を無視した、あまりにも傲慢な態度であるといえる。最高裁を始めとする各州裁判所判事たちは主権者ではない。国民に仕える公務員である。その逆転は許されないことだ。

バイデン陣営、民主党全国委員会、各州地元民主党およびエリートメディア（Big Tech 等ソーシャルメディアを含む）は「歴史上最も公正で完璧な選挙だった」というプロパガンダを徹底的に展開した。現職のトランプ大統領によるツイッターやフェイスブックでの主張「米国史上最大の違法選挙である」を「陰謀論」と結論付け、現職大統領のアカウントまでもが永久閉鎖された。トランプ大統領の支持者たちもフェイスブック、ツイッターのアカウントを閉鎖され、ユーチューブの映像を除去された。この現象は米国から世界にも拡大された。彼らはソーシャルメディアから追放されたのだ。トランプ陣営の主張を排除するために「陰謀論」というレッテルを張った。驚いたことに、その様は毛沢東の陰謀により中国で起こった文化大革命運動（１９６６年から１９７６年）を彷彿とさせ、その米国版のようであった。彼らは自分達が知っている黒い秘密を隠すために扇動して、全米の大都市があたかもヒステリック状態のようであった。

不思議なことに、司法省のＦＢＩは違法選挙の実態を真剣に調査しようとはしなかった。司法省全体、特にＦＢＩはバー司法長官の精神をそのまま反映させていた。ABC News のワシントン主任記者ジョナサン・カール（Jonathan Karl）は、トランプ政権末期時に、バー司法長官に直接インタビューした内容を中心に「11月の裏切り」という題名で出版しようとしている。

ウイリアム・バー司法長官は次のように語った。

〝もし選挙詐欺の証拠があったとしても、それを抑える動機は持たなかった。私が疑いを持つようなものは何もなかった。それ自体が雄牛の糞だった。「全国的規模でトランプ票がバイデン票に転換されるように、投票機が操作されていた」という主張の正体をすでに暴いていた。我々は最初から捜査が全く無意味なものであることを理解していた。〟

〝上院多数党（共和党）リーダー、ミッチ・マッコーネルから自分（バー司法長官）に「トランプの選挙詐欺の主張」を攻撃するように何度も繰り返して要求する電話があった。彼は「君がトランプを説得する以外に誰もできない。」と言った。私は「それはよくわかる。適度な時に実行しようとしている。」と答えた。〟

連邦議会上院（立法府）のトップと、行政府で大統領を代理する職務の長である司法長官が共同謀議により大統領を組み伏せようとしていた。「行政権」は合衆国憲法第Ⅱ条により、「大統領一人」に委ねられている。ウイリアム・バー司法長官の行為はアメリカ国民を裏切る違憲行為である。このようなことが黙認され、指摘もされていないところに現在の米国の病巣は深刻であり、尋常でないことを如実に示している。

「アメリカ合衆国最大の敵」は政権中枢にいた

２０２１年１月６日、合衆国連邦議会両院合同会義が上院のプレジデント、ミカエル・リチャード・ペンス（Michael Richard Pence）が主役となり執り行われた。各州で選出されたトランプ、バイデン両者が獲得した大統領選挙人の総数が最終確定されて、新大統領が決定された。

この両院合同会議は慎重なプロセスを経ねばならない。各州の選挙人の選出のプロセスに不正があると考えた場合には、一人以上の上院議員と下院議員が「不正が行われた大統領選挙人の資格」に対して、両院合同会議全員の前で異議を申し立て、その理由を十分に説明することができる。異議を申し立てる議員の申請は上院５名以上、そして下院１００名以上に達していた。

１８７６年の大統領選挙問題

２０２０年大統領選挙で激戦州六州に発生した大規模な選挙詐欺のような事態は、米国憲政史上極めてまれな事件（初めて）だが、１８７６年の大統領選挙に於いてよく似た事態が発生したことがあった。その時に、このような事態を解決するための法的前例がつくられた。三州（フロリダ、ルイジアナ、サウスカロライナ）で大掛かりな選挙詐欺が行われ、共和党と民主党の紛争が生じた。三州の議会共和党と民主党がそれぞれ異なる大統領選挙人認証書を連邦議会に提出した。

共和党大統領候補はラザフォード・ヘイズ、民主党候補はサミュエル・ティルデンであり最終的に一票差で共和党ラザフォード大統領が選出された。新しく作られたいくつかの問題解決方式は、合州国憲法に沿ったプロセスを厳密に選択していた。

上院プレジデントによる連邦議会両院合同会議では、問題を起こした三州の二重に出された大統領選挙人についての「可・否」は決定しなかった。その代わり、連邦上院議員5人、同下院議員5人、そして最高裁判事5人を選んで「選挙委員会 The Election Commission」を結成した。正確な事実を把握するために「召喚状 subpoena」（出頭の拒否や、嘘の証言には罰則が適用される、証拠の提出を命じることが可能）を出す権限が与えられ、徹底的に事件の調査を実行できるようにした。「選挙委員会」と連邦議会両院は判決を出さずに調査情報と証拠を詳しく三州の議会両院に伝えた。「二重に提出された大統領選挙人のどちらを選択するのか、あるいはすべての選挙人を否定するか」はそれぞれの三州の議会が議決をして決定した。その結果、州議会の決定に基づき大統領選挙人が選ばれ、彼らの投票により新大統領が選出された。

このプロセスは重要である。「各州で選ばれる大統領選挙人は連邦議員や連邦政府機関および関連する組織で働くものであってはならない」と合衆国憲法第Ⅱ条が規定している。また彼らは「各州上下両院議会の指導に基づき選ばれねばならない」とも規定されている。大統領選挙人の選出は州議会が行うものであり、連邦議会が行うべきではないため、上記のように規定されていると容易に理解できる。

1876年大統領選挙で起こった三州の巨大な選挙汚職事件は、憲法にそった形で一応解決された。一般的に三権のトップである大統領、連邦議会、最高裁判事には何を行うにしても「憲法に沿った法手続き（Due Process）に従う」ことが要求される。司法、立法、行政の三権はそれぞれが大きな憲法的義務を負っている。それに反する行為、議決、判決は違法であり無効となる。なぜならば、合衆国憲法は国の最高法（Supreme Law of Land）であり、それを守ることによりアメリカ合衆国の統一と発展が保たれてきたからである。

現職共和党上院議員達の宣言

オクラホマ（Oklahoma）州選出のジェイムス・ランクホード（James Lankford）上院議員がFox News Channel's〝Justice〟に出演し、Jeanine Pirro判事と対談した。ほとんどすべての話は〝1月6日の連邦議会両院合同会議で異議を申し立てる上院議員たち（Ted Cruzと約10人）の意図〟についてであった。

〝1876年の大統領選挙で、三州ではあらゆる大規模な選挙詐欺が行われた。この時に問題解決のために造られたのが選挙委員会（The Election Commission）であった。それは連邦上院議員5人、同下院議員5人、そして連邦最高裁判事5人で構成され、三州の大掛かりな選挙詐欺の実態を調べた。今やそれを振り返り研究できる。この機構を推薦する。我々はそれが良い計画だと思う。明らかに何百万人ものアメリカ人達は通常ある選挙詐欺問題と並行して重大問題が背後にあると考えている。たくさんの裁判所が事件の告発を受け付けた。各州はそれを確認した。より多くの事実が未だ出てきつつある。直ちにすべての事実を明らかにできるやり方が正しいと思う。大統領就任の前に事実を調べて明らかにして全ての州（特に6州）にそれらを伝え、各州が大統領選挙人の選出に対し態度を決定できるようにすることが正しいやり方である。

我々は10日間で調査を完了したい。これを10日間監査と呼んでいる。1月16日までに終わる。20日の大統領就任日に充分間に合う。

合衆国憲法によれば、我々の政府組織においては、全ての州が大統領選挙人団を通して大統領を選ぶようになっている。２０２１年1月6日の連邦議会合同会議が（州が選挙人団を決定する権限を）乗っ取ろうとすることはあり得ない。合衆国連邦議員は、この大掛かりな選挙詐欺問題を解決するためのより良い計画を設計することで、連邦憲法に沿うことにより責任を果たし、課題解決の権限をその州に返そうとするのが当然だ。そして全州に言う。「もし、各州が送ってきた人たちを評価し直すのか、または変えたいなら、当然どの州でもそうできる。しかし、どの州も自分達の州議会でその決断ができねばならない。」

アメリカ合衆国連邦議会の唯一の責任はそのプロセスを監督し、それが正確に果たされているかどうかを確認することである。州（問題の州を含めて）こそが実際に大統領選挙人を決定できる」〟と述べた。

上院プレジデントと連邦議会両院が「合衆国憲法」を〝侵害〟した？

アメリカ議会は1月6日の両院議会合同会議に向けて、いくつかの規則や手続きを定める決議案を採択した。この決議案は共和党上院リーダーであるミッチ・マッコーネルにより提案され、下院議長ナンシー・ペロシが合意して、可決は上下両院による口頭でおこなわれた。

採択された手続きには、いくつかの問題州の選挙人票に異議を申し立てることや、その後の憲法上重要なステップについては一切含まれていなかった。しかし、〝大掛かりな選挙詐欺が多くの証拠の提示により疑われている6州の大統領選挙人選出〟に関して、異議を申し立てる１００人以上の共和党下院議員とテッド・クルーズ氏を始めとする共和党上院議員11人が、これらの州の投票監査をする〝監査委員会〟を設置するようにすでに議会には要請をしてあった。

議員たちは各州の大統領選挙人の投票結果に異議を申し立て2時間の討議をすることはできた。しかしその後直ちに上院と下院に分かれ、議決によりそれらすべての州の選挙人が公認されることが決定された。上院プレジデントのマイク・ペンス（副大統領）により選挙結果が公認され、「ジョウ・バイデン氏が第46代大統領として当選した」と宣言された。

これは奇怪なことであった。ミッチ・マッコーネル上院共和党リーダーは両院合同会議の手続きと規則を〝当該州には大掛かりな選挙詐欺は全くなかった〟との立場から、ナンシー・ペロシ下院議長（民主党）に提案し、且つ合意をしていたことになる。

ミッチ・マッコーネル上院議員は、大統領選挙（２０２０年11月３日）直後からトランプの選挙陣営が主張していた「ペンシルベニア、ジョージア、他４州で大掛かりな選挙詐欺が行われた」との主張を無視していた。共和党上院議員がトランプ大統領の主張を支持し応援しないように圧力をかけることまでした。上院議員のみならず、大統領行政権の中枢である司法長官ウイリアム・バーに対してさえも、「大掛かりな選挙詐欺が行われたという主張は馬鹿げている。攻撃してやめさせるように！」と何度も働きかけていた。司法長官はその見解に深く同調し「それはよくわかる。適度な時に実行しようとしている。」と答えた。

ウイリアム・バーは２０２０年12月１日に記者会見を開いた。「司法省は２０２０年の選挙結果を翻すような大きく広がる詐欺を明らかにできていない。…ＦＢＩは個々の選挙詐欺を訴える人たちに従って調査をしてきた。しかし、選挙結果を翻すものは未だに現れてこない。」と主張した。彼は12月25日に司法長官を辞任した。

彼らは調査の始めから、証拠を無視することを決めていた。民主党やマスメディアの主張（２０２０年大統領選挙は最も公正だった。大掛かりな選挙詐欺の主張はトランプの陰謀である）に服従することにしていたのだ。共和党のトップエリートたちはトランプ大統領を葬るために民主党と共同戦略の下で動いていた。

1月6日の両院合同会議には大きな疑問を持たざるを得ない。副大統領であり、上院プレジデントであるマイク・ペンス氏の責任と権限、そして行動の事実についての憲法上の疑念である。この会議で、上院プレジデントとして最も重大な権限と責任を持つ人は彼であった。彼の責任は、「連邦両院議会が問題州の大統領選挙人を決定するのではなく、各州議会が憲法に基づく権限を行使して決定するように導くことであった。合衆国憲法は「両院議会と上院プレジデントが、州議会に代わり大統領選挙人を決定する権限を認めていない」のである。

ペンス副大統領は合同会議で、〝問題6州で選出されたという大統領選挙人〟に対して、異議を申し立てた「100人以上の共和党下院議員」と「テッド・クルーズ氏を始めとする共和党上院議員11人」の提案を尊重し、あくまでも憲法にそった解決法を追求するべきであった。彼らが提案した「連邦上院議員5人、同下院議員5人、そして連邦最高裁判事5人による選挙委員会」が10日間の監査を徹底的に実行すれば、それがどのような内容であったとしても選挙の正当性や尊厳性を国民の心にもたらすことができた。トランプ・バイデン両候補には、選挙票に照らせば、それぞれに7，000万人、8，000万人以上といわれる支持者（主権者）が連なっている。両院合同会議で作った「選挙委員会」や「連邦議会」が、調査の結果に基づいて「選挙人選出の正・不正」の判断をしてはならない。「各州議会が議決するための判断の根拠を10日間の調査により提供する」のが両院合同会議の憲法的な責任である。このようなプロセスへの流れを指導することが「マイク・ペンス連邦議会上院プレジデント」の憲法的責任であった。

しかし、このようなプロセスと方向は全く無視された。異議を唱えた議員たちの訴えと2時間の議論は認められたが、それが終わると、上院と下院で一州ごとに議決をして正当な大統領選挙人として決定した。最終的に上院プレジデントのマイク・ペンス氏がそれらを公認して、大統領選挙人の獲得投票数306票を得たジョー・バイデン大統領候補の勝利を最終公認した。

実行された行動プロセスは上院プレジデントの承認が前提にあって行えたものである。マイク・ペンス氏の反対があれば実行できなかったはずである。合衆国副大統領と連邦議会上下両院が連携してアメリカ合衆国憲法を無視した違法行為を実行したことになる。

ミッチ・マッコーネル上院トップリーダーが民主党極左と言われるナンシー・ペロシ連邦下院議長と共謀したことのみが、反憲法的決定の原因ではなかった。驚いたことに、マイク・ペンス副大統領が同意して指導していたのだ。中華人民共和国の共産主義と対決し、自由と「法の支配」の下に平和秩序を世界に勝ち取るべきアメリカ合衆国であるが、その最大の敵はその心臓の中に隠れていたのである。

(4) 今後、米国に何が起こるのか?

独裁者は暴動を偽造して独裁体制を完成する

このような戦術は、共産主義運動が歴史的に実行してきたものである。

事件は2021年1月6日に首都中枢の連邦議会議事堂ビル施設内で起こされた。そして、それを大事件に仕立て上げた。連邦議会議事堂内で起こった大事件であれば、当局が強権を行使して自由や人権を侵害しても国民が黙認するだろうからだ。

1月6日は連邦議事堂の議場内で大統領選挙人票の公的承認を検討し、バイデン新大統領がその場で誕生するか否かが決定される重大な日であった。また同時にトランプ大統領とその支持者たちが連邦議事堂の対岸広場で大集会を開催していた。やがてトランプ支持者の何十万人かの参加者の一部が議事堂内に侵入したという（しかし、侵入ではない。DC警察官が人々を議事堂内に入れ2時29分頃に親トランプ勢力が議事堂内を急襲し占拠したとされている。この時の紛争で2人の女性と1人の男性が死亡した。1人の女性はアシュリー・バビット（Ashli Babbitt、35歳）さんであると報じた。首を警察官に撃たれて死に至った。警察官は告発されず、名も発表されていない。しかし7月10日時点で情報調査筋からその警察官の名が漏れてきた。民主党上院トップ、チャック・シューマー（Chuck Schumer）議員の私設セキュリティの1人であるという。

司法当局がダブルスタンダードで法権力の行使をしているとも思える。2020年5月、ミネソタ州・ミネアポリスで1人のアフリカ系アメリカ人（ジョージ・フロイド氏）が警察官によって殺された。主犯者と思われる警察官の名は直ちに公表された。しかし、白人女性のトランプ・サポーターが、しかも何の武器も持たずに、議事堂警備の警察官に促されて建物の中に入った結果、首を討たれその場で死に至った。捜査当局は犯人の名を隠しており、彼は告発もされていない。警察官が身の危険を守るために仕方なく射殺したのだろうか？状況調査の情報も一切の説明がない。この二つの事件は、ともに民主党首長が統治する地域で起こっている。底知れない暗闇が背後にある匂いがする。

もう1人の犠牲者の女性はアフリカ系アメリカ人・ローザン・ボイランド（Rossanne Boyland）さんだった。彼女は警察の圧迫で人々が折り重なって倒れ、その下敷きになった。隣にいたもう1人のトランプのサポーターであるアフリカ系アメリカ人・フイリップ・アンダーソン（Philip Anderson）氏もその下敷きになった。彼はローザンさんが死ぬときに手を握っていた。やがて彼も意識を失ったが、彼は死なずに済んだ。しかし、事の次第を社会に訴えることができなかった。彼のオンラインアカウントと声はテック・ジャイアンツ（Tech Giants）により全て停止されてしまった。（The Gate Way Pundit 2021, 7, 18）

同日には532人もが逮捕され、投獄されている。もうすでに6カ月におよぶ。その中には議事堂に入らず、周辺を歩いていた家族5人が全員逮捕され、投獄されているという例もある。彼らは未だに裁判もなく拘束され、孤立させられている。告発内容も全てが明らかにされていない。当局にはビデオ記録等が存在するはずだが、一切公表されていない。ある個人が撮影した映像だけが状況を示している。

非常に不思議なことがある。この暴動をあおり、破壊活動をしたのはトランプ・サポーターではない。Antifa（極左）や他の極左、また Neo-Nazi Ukrainians たちであった。ワシントン・タイムズ社は2人の Antifa を詳しく写真認証により情報を提供した。一人はスターリン主義者を称するための入れ墨をしている。多数の暴力行使者が先頭にたって破壊活動を行ったが、彼らは誰も死ななかったようだ。亡くなったのは、善良なトランプ・サポーターである。暴力を扇動していた人たちは、何処が危険であり、事態がどのように進展するかを知っていたのではないだろうか。警察の動きを前もって知らされていた。だから、彼らは危険な場所から早めに逃げ去っていたのだ。何も知らないトランプ・サポーターたちが犠牲者となった。

中国共産党の政治手法を「バイデン民主党政権」が相続している？

1月6日の事件はトランプ勢力を貶めるために仕掛けられた罠の可能性が高い。事の成り行きが、中国共産党が「香港の民主化運動」を「国家安全保障法」の成立へと誘導して、徹底弾圧により閉じ込めてしまった過程とよく似ている。中国共産党政権は民主化運動のデモ隊の中に、共産党員を忍び込ませ、彼らにより破壊活動を計画的に実行させた。そして民主化運動のデモ隊が、激しい暴力活動へと暴走をしたかのような嘘の事実を作り上げた。中国共産党は、最終的に「国家安全保障法」を根拠にして、民主化運動を破壊した。米国の政府機関の中に、中国のスパイと化した職員や民主党政治リーダーが多くいるといわれている。

1月6日の事件はすべてが秘密にされている。背後でアメリカ人に対する多くの人権侵害が行われていると考えるべきだ。アメリカ市民に対する「法による保護の平等」や「自由、生命、そして財産をしかるべき法のプロセスによらないで侵害することは許されない」という米国憲法の原則に照らして、近未来に厳しい追及がなされる時がくるだろう。

果たして、6カ月以上も継続する530人以上に対する説明のない拘束は、果たして法と憲法に基づく追求に耐えられるのだろうか？　追求に耐えられないために、バイデン政権と当局は未だに公に法的理由の説明をしようとしないのではないか？　このまま長引けば深刻な人権問題にも発展する。曖昧にすれば46代大統領ジョー・バイデン民主党政権は中華人民共和国と同様な政権であると米国民が判定するだろう。被拘束者たちは解放されたのちに、政府に対し集団訴訟を起こす可能性が高い。いずれにせよ、これは大きな政治問題を引き起こすことになるだろう。こんな恐ろしいことが起こっていながらもメディアにより事の深刻さが報道されていない。現在の米国の政治が深刻な段階に至っていることを示している。

しかし、連邦議会民主党やメディアはこの事件を「2001年9月11日事件（アメリカ同時多発テロ）以上の米国民主主義の危機」と称し、トランプ大統領の責任を追及し始めた。

「米国民主主義歴史上最大の危機」という演出

民主党とメディアは、2021年1月6日の事件は、「アメリカ合衆国に歴史始まって以来の民主主義の危機」をもたらしたと宣伝した。〝トランプ氏は「2020年大統領選挙の勝利は、選挙詐欺により民主党バイデン候補に盗まれた」と主張〟してきたが、〝その主張はトランプ氏による陰謀論にすぎない。〟と声をそろえた。1月6日の暴動は「トランプ陰謀論の目的地」であるとして、今度は、ドナルド・トランプ氏の政治家としての生命を完全に奪うことに焦点を当て始めた。

1月20日の46代大統領就任式は極めて危険な状況になると断定し、2万5，000人以上の州兵が動員され、狭いワシントンＤＣの連邦議会議事堂を中心とする各所に配置された。イラン駐留の米軍が2，500名(2021年4月)であり、駐韓米軍が28，500人（2010年）であるから不必要で、且つ大袈裟な数であることは明白である。ホワイトハウスや議事堂は有刺鉄線で取り囲まれた。米国史上初めての、物々しい、国民には理解しがたい新大統領就任式となった。州兵による警備は、後に規模が縮小されたが、そのまま4月までも継続された。25，000名の州兵を狭い首都に配置して米国民主主義の最大の危機を演出したのだ。そして、トランプ前大統領が危険な政治家であることを国民に印象付けた。トランプ氏の支持者はテロリストであるとのメディアのニュースが全米を覆った。

「最大の敵を破壊」するための極左統一戦線

トランプ氏が、未だ現職大統領であった時に、ソーシャルメディアが大統領の言論の自由を侵害した。すなわちすべてのアカウントが完全封鎖された。

極左に通ずるソーシャルメディアの支配者たちは（Big Techs・GAFA)、「最大の敵は、ドナルド・トランプ45代大統領である」として戦略目標を定め、破壊しようとする攻撃を始めた。

同時に、トランプ大統領を支える信奉者たちの口を封ずることも開始した。まず、1月13日に、トランプ大統領が使い続けてきたTwitterのアカウントを一方的に永久停止した。さらにFacebookやインスタグラム（Instagram）のアカウントも停止された。トランプ大統領は少しの間Parlerを活用したが、Parlerが Google Play Storeから除去され、さらにAmazon Web ServicesがParlerのホスティングサービスを停止した。この攻撃は全米規模のトランプ・サポーターに拡大され、さらに世界にまで拡大された。日本のトランプ氏のサポーターたちのソーシャルメディアまでも使用が排除された。ソーシャルメディアを持つBig Techsはトランプ攻撃の統一戦線の中核として、すでに２０２０年大統領選挙以前から結束していたのだった。

彼らは主流メディアも含めて自分たちが作り上げた、広い反トランプ統一戦線が成功したと思い込んだであろう。

しかし、国民は彼らが考えるほど馬鹿ではない。アメリカの国民は、情報を扱う理性集団や巨大な情報量を支配する勢力にも勝る、知恵を持つ「良心」の主人であった。多くの国民はソーシャルメディアや主流メディアの態度の本質にある傲慢と嘘で塗られた醜い心を感じ、その本質を見抜いていた。国民はメディアの主張の反対方向を選ぶことが正しいと悟り始めたのだ。

その方向を見るとトランプが存在し、誠実に真実を報道しようとする地方の小さなメディアや、政治的利害を超えて国民のために貢献しようと不動の信念で戦う政治リーダーたちが彼を取り囲んでいた。アメリカ国民は、やがて腐敗した知的エリートの文化を突き破り、建国の父達が残した素晴らしい文化を再現するだろう。

最近の信頼できる世論調査の結果を紹介したい。ここ2回の米国大統領選挙とその他の世論調査で最も正確であったのが「ラスムセン RASMUSSEN」による調査結果であると私は確信している。

２０２１年7月9日のラスムセン・レポートに面白い結果が記されている。

〝米国の選挙の投票者は58％が「メディアは人民の真の敵である」に同意する。全体の20％弱は「非常に強くその考えに同意する」と答えた。反対に、36％が「その考えに同意しない」としており、全体の「8.3％がそれに強く反対する」となっている。〟

米国で実際の投票活動を実行すると思われる人たちは、圧倒的に「フェイクニュースは問題である」と考えており、そして過半数はトランプ大統領の主張「メディアは人民の敵になっている」に同意している。アメリカ国民の底流は、エリートメディアやソーシャルメディア支配者たちの認識とは大きく異なる方向へ流れ始めた。そして、その規模が急速に拡大しつつある。

二度目のトランプ大統領弾劾裁判

この裁判の目的は45代大統領ドナルド・トランプ氏の政治生命を完全に絶つことだった。

連邦議会両院民主党は、45代大統領を三度に渡り弾劾訴追を成功させて、大統領の座から追放しようと試みてきた。連邦民主党両院議員、法務省・FBIと他の隠れた勢力による法的謀略による攻撃は、彼の大統領就任直後から始まり、2年半も続いた。「ロシアとの共同謀議により大統領選挙に当選した」という疑いをかけ、大統領をホワイトハウスから追放しようとした。エリートメディアはその意図に１００％といえるほど同調した。しかし、これらのすべては失敗した。告発ばかりが先立ち、正確な根拠と証拠に欠けていたため、結果的には惨めな追求で終わった。「明日にも大統領が弾劾に追い詰められる」というニュースがマスメディアで幾度となく踊ったが、彼らが期待する強力な証拠は何も出てこなかった。最終的にはいつも「無罪」となって、下院による「弾劾裁判発議」の議決には到達できずに終わった。

「反・〝法の支配〟党」は「神と人間の良心」を否定する。それゆえに、倫理や道徳そして法を尊重する精神が欠如する。当然、政治的立場や権力を利用して多くの犯罪行為を犯すことになる。今や、彼らが勢力を拡大してアメリカ社会の表面に現れてきた。彼らは、今やアメリカの一部エリート層、高級官僚などによる見えない国家支配を意味するところの「ディープステイト（Deep State）」と呼ばれるようになった。そして、国家支配のために犯した悪行を隠すことが政治活動の最重要課題となっている。

その典型的な行動がトランプ大統領に対する二度目の弾劾訴追の試みとなって現れた。２０２１年1月14日、アメリカ連邦議会下院は、多数党の民主党が主導して「トランプ大統領弾劾決議案」を可決した。告発内容は「１月６日、議事堂襲撃事件の反乱を扇動した」というものであった。上院での弾劾裁判の判決は2月13日に「無罪判決」が出された。57人（民主党50人、共和党7人）が有罪を支持したが、成立するためには3分の2（67人）が必要で、遠くおよばず結果として無罪となった。そもそも、大統領の弾劾裁判は、連邦議会上院で行われるが最高裁長官（John Roberts）が裁判長であるべきだが、本人がそれを受けなかった。なぜならすでに大統領ではない国民の一人に対しての弾劾裁判は憲法上あり得ないからだ。裁判長は上院議長代行議員（民主党）が担当した。ハーバード・ロースクール名誉教授アラン・ダーショウィッツ（Alan Dershowitz）氏は、この件で最も本質的問題を指摘した。

「この裁判は合衆国憲法に違反している。前大統領に対して上院は裁判を行う司法権を持たない。告発ばかりがなされ、証拠の提示が行われていない。結果としてこの弾劾裁判は単なる〝Show Trial(見世物裁判)〟となった。連邦両院議会はトランプの弾劾裁判において自分を〝法の上〟に立てた。」

何故民主党はこのような弾劾裁判に固執したのだろうか？

国民の「良心」が憲法を無視して行われた裁判を見つめており、次の中間選挙では必ず審判を受ける。マスメディアに対する国民の意識調査について、前に取り上げたが、Rasmussen Report は「エリートマスメディアの認識は一般国民と大きな乖離があり。58％の国民が彼らを人民の敵としてみている」ことを示している。２０２２年の中間選挙は民主党とメディアにとり手厳しい結果となることが予測できる。

しかし、第46代ジョー・バイデン大統領と上下両院過半数を制した民主党には、２０２２年11月の中間選挙を勝つために、手段を択ばずに達成せねばならない政治的課題があった。それは「前大統領トランプ氏が公職に帰る道を完全に閉ざす」ことであり、「民主党政権が、トランプ氏の政治活動に対して司法省・ＦＢＩ等による強権行使の法的根拠を造る」ことであった。弾劾裁判の勝利によりそれを達成できると考えたと思われる。

彼らは2020年大統領選挙で行われた巨大な選挙詐欺の事実を隠さねばならない事情を抱えている。この犯罪が明らかになれば現在の民主党は崩壊する。なぜなら、あまりにも大規模で、そして醜いあからさまな選挙詐欺が行われたことと、背後に中国共産党が深く関わっており、国家反逆罪に問われるであろうからだ。少なくとも〝反・法の支配思想〟に基づくディープステイトは一掃されるだろう。

歴史上最大の選挙詐欺を明らかにして、合衆国憲法に基づく選挙の尊厳性を回復する国民運動を成功させ得る人物は、前トランプ大統領以外に存在しないことを彼らは知っている。彼を〝恐ろしいリーダー〟として認識している。それゆえ、合衆国憲法に違反しても弾劾裁判に突進したのだ。

2020年大統領選挙で問題が噴出したが、隠され無視されてしまった。しかし、今や事実が明らかになりつつある。アリゾナ州では州議会が選挙の厳格な監査を実行し7月中に完了した。バイデン氏勝利の嘘が暴露され、トランプ氏勝利へと翻されようとしている。8月には公に発表され、全米がショックを受けるだろう。ジョージア州、ペンシルベニア州そしてミシガン州でも同様の動きが始まっている。バイデン大統領や司法長官が政治的圧力を掛けても止められない状況になりつつある。全米50州に「2020大統領選挙の監査実行」による「選挙の尊厳性回復運動」が拡大されてゆく動きが始まっているのだ。

(5) 失われるのか？　米国「司法権」の尊厳性

米国最高裁が「法の支配」を率先して軽んじた

２０２０年大統領選挙では、特にスイングステイトといわれる激戦区で発生した選挙詐欺や違法選挙問題に対して数十の法的訴えがなされた。合衆国最高裁はそれらのすべてを棄却して、政治問題に極力拘わらないかのような態度をとった。しかし、実際にはその選択は最も政治的一方に偏る立場に、自らを立たせてしまった。また、１７７６年の独立宣言以来、三権（司法権・立法権・行政権）の土台としてきた政治哲学「法の支配」を、こともあろうに米国最高裁が率先して軽んじた。

少なくとも米国有権者の半分は大きなショックを受けただろう。時間の経過とともに隠された事実が明らかにされると同時に、最高裁判事たちの無責任な態度は明らかにされ、国民に告発され、その権威が揺らぎ始める時が以外に早く来るのではないだろうか。

それにより、米国は「法の支配が失われた混沌時代」を迎えるのか、それとも逆に、危機感の中で行政権と立法権において「法の支配」が蘇り、南北戦争の終結後の米国のような新しい時代を迎えるのだろうか？　その運命は米国民の選択のみにより決定される。

〝覆われているもので現れないものはなく、隠されているもので知られないものはない。〟

テキサス州が声を上げた

２０２０年12月8日、テキサス州ケン・パクストン司法長官（共和党）が4州（ジョージア、ミシガン、ペンシルベニア、ウイスコンシン）を最高裁に提訴した。提訴の内容の概略は、以下のものである。

〝この4州は武漢ウイルスの世界的流行に乗じて大統領選挙手続きを不当に変更し、選挙結果をゆがめた。それは州法と連邦法に違反し、州憲法と連邦憲法にも違反している。テキサスとあらゆる州の投票の公正を汚した。4州の大統領選挙人62名を除外することを要求する〟

テキサスの提訴に賛同して17州と、さらに連邦下院議員（共和党）の106人（約2分の1）がそれに加わった。

しかし、同年12月11日、連邦最高裁はその審理を簡単に却下した。提訴の根拠である証拠を示す書類を吟味、検討することもなく、却下したのだった。却下理由は以下のような簡単な表現に留まっている。

〝テキサスの提訴は合衆国憲法第3条に対応されてないために棄却される。他の州で行われる選挙の方法が裁判にふさわしくテキサス州との利害関係を持っていることを説明していない〟（翻訳責任：著者）

〝異議ありの論文〟を3人の連邦最高裁判事が異例の発表

２０２１年2月22日、合衆国最高裁が２０２０年11月大統領選挙で発生している選挙詐欺と違法選挙等の提訴を何も吟味せずに全て棄却した。最高裁が下し続けてきた決定に対して、最高裁クラレンス・トーマス（Clarence Thomas）判事は、「我々の仲間である国民は、よりよく、またもっと期待を持てるように取り扱われてしかるべきだ。」と異議を唱えた。下級裁判所の下した決定を最高裁で見直すことをリベラルな判事たちが反対した。しかし、驚いたことにトランプ大統領に選ばれたブレット・カバノー判事とコーニー・バレット判事がリベラルな判事の決定に同意して、下級裁判所の判決見直しを否決してきた。最高裁での審議がなされるためには4人以上が賛成票を投じなければならないが、3人の賛成に留まり、全ての提訴が棄却された。

大統領選挙（2020，11，03）前後に発生した下級裁判所の判決の中で特に重要なものが4つあり、中でも2つは特に取り上げて審議せねばならないものであった。3人の異論を唱える判事たちが、稀にしかない方法を選択して、「最小限でも、二つの判決ケースは最高裁が審議するべきである」と意見書でその主張を宣言した。3人はクラレンス・トーマス判事、サミュエル・アリート（Samuel Alito）判事、ネイル・ゴーサッチ（Neil Gorsuch）である。(Joel. B. Pollak、Breitbart 22 Feb 2021)

以下にトーマス判事の「意見書の概略」を示したい。

〝合衆国憲法は、連邦の選挙の在り方を決定する権限をそれぞれの州議会に与えている。しかし、2020年大統領選挙の前後にはいくつもの州で、行政高官や官僚が選挙のルールを決定する権威を州議会の代わりに自分の上に置いた。その結果、通常にあり得ない多数の反対請願とこれらの変化に反論するための緊急申請を受け取った。

ペンシルベニアの州議会は郵便投票を受け付けるための最終時間を投票日の夜8時と明確に設定していた。ところが、それに不満なペンシルベニア最高裁が、郵便投票受付の最終時間を3日間延長させた。これに対する提訴を審議することを連邦最高裁が棄却した。この審議拒否は不可解である。

郵便投票は伝統的に不在になる理由をしっかり書いた投票者に限定されている。直近の選挙ではペンシルベニア州での郵便投票の比率は4％だけであった。しかし、2020年には急上昇して38％まで急上昇した。

問題なのは選挙の管理者達が長い間同意してきたことがある。それは、郵便投票はリスクが大きく、選挙詐欺が圧倒的に多く認められている。郵便投票の増加とともに選挙詐欺が広い地域で数多く発生する。その中で裁判所は、「選挙の信頼性の生死に迫る疑問」に決着をつけることが要請される。しかし、合衆国最高裁判所はこれらの提訴に係る審議を全て棄却してしまった。〟（翻訳責任：著者）

サミュエル・アリート最高裁判事とネイル・ゴーサッチ判事はクラレンス・トーマス判事の意見書に同意を示して、自分たちの見解も加えた。
「この法的審議を再調査するべきである。これらに対する最高裁判決は重要で、何度でも繰り返される憲法上の疑問を示した。それは下級裁判所を二つに引き裂いた。」（Joel. B. Pollak、Breitbart 22 Feb 2021）
最高裁の中に、「法の支配」と憲法を保護しようとする保守派と、マスメディアや世論の動きで判決を下す極左的判事たちの対決が表面化するという重大な問題が発生したのである。隠されていたものが、いよいよ顕在化しようとしている。連邦最高裁に反〝法の支配〟党の判事たち（最高裁長官ジョン・ロバーツ John Roberts と5人の判事）が、突如正体を現した。そして連邦最高裁は憲法を無視する判決をあからさまに実行したのである。

今回の一連の最高裁の判決は、下級裁判所を真っ二つに分裂させた。今後、全州の裁判所で同様の事態が繰り返されることとなる。特に、行政権に係る重要判決で、米国に極左政権が生まれるのに都合の良い決定が繰り返されるだろう。全米各州で権力の乱用が行われても、裁判所は提訴の棄却を繰り返して、政治的・法的な混沌のみが継続することになるだろう。

それは解決しようのない米国の分裂をもたらす、と同時に、時間の経過とともに米国民の連邦最高裁への信頼が、やがて怒りや敵意へと変わっていくことになるだろう。

テキサス州共和党委員長が声明書

２０２１年12月11日、テキサス州が挑戦した提訴を連邦最高裁が棄却した。それに対しテキサス州共和党委員長が声明書を発表した。その内容は、今回の最高裁決定がもたらす米国の未来を予言するかのようなものだった。

アメリカ合衆国が二つの連合体に分裂する。一つは「法の支配と憲法」の堅持を重大視する連合州に対して、他方は無視または攻撃する州連合のようなものであるという。

〝連邦最高裁は17の州と106人の国会議員がともに参加するテキサスの訴訟提訴を無造作に放り投げて、判決を下した。下された判決の意味は「一つの州が憲法に反する行動ができる。そして自分の州議会が定めた選挙法をも違反できる。」ということである。

法の下にとどまる他の州にダメージを与えながら、罪深い州がなんの処罰も災いもなくともよいとする。この判決は「州は合衆国憲法に違反することができる。その責任は負う必要はない」と言う前例を打ち立てることになる。

この決定は我々の立憲共和国の未来に願うこととは程遠い結果をもたらすだろう。多分、法の下にとどまろうとする州はともに団結し、憲法のもとの州連合をかたちづくるべきだ。テキサス州のGOP（共和党 Grand Old party）はいつでも「憲法と法の支配」のために立ち上がる。たとえ他のすべてがそうしないとしても！〟

2020年12月11日　テキサス州共和党委員長　Allen West

連邦最高裁内部からの告発

テキサス州の州議会議員マット・パトリック氏は、大統領選挙人の議会会議で、ある最高裁判事のスタッフ（匿名）が提供した以下のような情報を伝えた。

〝電話会議は安全でないので、判事たちはいつものように密閉された部屋で会った。

テキサス州の訴訟を受理するかどうかを審議するために、判事たちは閉ざされた部屋に入った。通常はたいへん静かに会議は行われる。この時は廊下の奥まで怒鳴り声が聞こえてきた。テキサス州の訴訟を議論し始めた時には、壁越しにも怒鳴り声が聴こえた。

トーマス判事とアリート判事が２０００年大統領選挙の『ブッシュ対ゴア』の訴訟を引用すると、ロバーツ長官は『その訴訟はどうでもいい。その時には暴動はなかった』と話した。長官と他のリベラル系の判事らは、正しい判断を下せば何が起こるかを恐れていた。ロバーツ最高裁長官は、『この訴訟を受理したら、お前が暴動の責任を負うのか?』と怒鳴っていた。〞（The Epoch Times 12月20日）というものであった。

マット・パトリック氏はこの時の大統領選挙人の議会会議で「残念ながら、これは道徳的臆病だ。連邦最高裁は『何が正しいか、何が間違っているか』を決める最後の砦を担う責任がある。彼らはその責任を果たさなかった。」と指摘した。

最高裁の判事たちの過半数は自らの責任を放棄していた。暴動に対して過剰に恐れているかのように発言しているが、明らかに真意は自分の政治的意図を実現しようとしていた。

『この訴訟を受理したら、お前が暴動の責任を負うのか?』という言葉に全てが現れている。最高裁長官や判事の言葉としては、あまりにも惨めで恥ずかしい発言である。

合衆国憲法によれば、最高裁には治安の維持に対する責任や権限は全くない。治安維持の責任と権限は、合衆国大統領の行政権および50州知事の行政権に属する。最高裁長官が感情的に判事たちを服従させようとして脅迫したものであり、政治的にも極めて偏向した言葉を発したといえる。

その意味は「2020年に全米で起こった暴動（アンティファやBLM運動による）はトランプ大統領の行政が原因で広がったものであり、彼の選挙を有利に導くであろうテキサス州と17州および106人の連邦議員による提訴は絶対に拒否せねばならない。暴動の脅威に対してあなた方は服従せよ」というものであり、保守派判事たちを脅迫したつもりなのだろう。

アメリカ合衆国最高裁が教えてくれたこと

2020年大統領選挙の大規模詐欺疑惑とそれに対する裁判闘争が、テキサス州と17州および106人の連邦議員による最高裁への提訴となった。提訴は軽んじられたかのように棄却された。しかし、これを契機に最高裁内部からの告発で重大なことが一つ明白になった。

「最高裁は、判事9人中に保守派判事が6人を占める。『最高裁判決は保守派に有利になされるだろう』と言われていたが、それは大きな誤りである。『米国独立宣言に基づいて〟法の支配〟と〟合衆国憲法〟を解釈し、憲法を運用する最高裁判事』は多く見ても3人のみである。」という事実が明らかになった。連邦最高裁判事たちは反〟法の支配〟党に握られている。最高裁判決は米国の建国の父たちの価値観を否定する立場から多くの判決がなされるだろう。共和党保守政権が生まれないように、民主党極左に有利な、極めて政治的に偏向した最高裁判決が連続するだろう。

アメリカ合衆国は「法の支配」を捨てた僭主性国家に移行するかもしれない重大な転換期にある。末期の民主主義社会では「法の支配を捨て、自由を放縦と取り換え、価値観を全く相対化してニヒリズムに陥った国民が、嘘と幻想的魅惑にだまされ、僭主支配の未来を選択する」可能性が高い。アメリカのカリフォルニア州やニューヨーク州等では、すでに大都市部にそれに近い現象が起きているといえる。僭主は「ひとたび支配権を確立すれば、自由を抑圧し、自分のための専制支配を確立してゆく」のである。

(6) アメリカ合衆国の分断とは、その真の意味

合衆国の分断とは

２０２０年大統領選挙の前後、そして最近まで「米国の分断」が深刻な問題として論じられていた。その原因はトランプ大統領の人格的欠陥（白人至上主義）と対決型の外交政策にあるとメディアが大騒ぎをしていた。そして、「分断を克服する新大統領」としてジョー・バイデン氏はメディアから迎え入れられた。就任後、半年を過ぎた２０２１年８月現在、彼らはその期待を失ったようだ。

バイデン政権の下では国内の分断はますます複雑化し、外交面では中東の紛争勃発と中国共産党習近平政権の圧力に押しつぶされそうである。彼らが主張していた「米国の分断」はメディアと民主党極左が作り出したものであり、国際紛争は弱腰と無責任外交がもたらしたものであることが暴露されつつある。今後、内外の混乱は解決できずにますます深刻化するだろう。

アメリカ国民への爆弾発言

２０２１年7月15日、共和党重鎮、元連邦下院議長ニュート・ギングリッチ（Newt Gingrich）氏はFox News Hannity Showに出演し、アメリカ国民に向けて爆弾発言をした。

「過激な民主党が南北戦争以来の最大の脅威である」と宣言したのだ。

彼は民主党のエリート主義者の行動が、腐敗をもたらし、また彼らが共産主義者であるということの深刻な現実を参加者達と分かちあった。要旨を以下に記す。

「１８００年代に民主党員達は内戦（南北戦争）を起こす原因を作った。すなわち、彼らは奴隷制度を維持し続けるために連邦から脱退をした。共和党大統領エイブラハム・リンカーンは、これを全く認めずに、それを脅かしたことで戦争が始まった。現在の民主党は、再びその時の民主党のような状況にある。民主党がやろうとしていることは事実に立脚せず、単なる物語である。ニュート・ギングリッチ氏は『国民にショックを与えようとしている』と主張する前大統領に同意している。

現在の民主党のエリート主義と共産主義者としての行動は、自由を生き残らせることに対する、南北戦争以来の最大の脅威となっている。民主党員は米国の共和制を脅かしている。

脅威は完全に民主党によるものである。南北戦争以来、米国内で最大の自由に対する脅威である。それは我々が負ければ、死ぬ運命の脅威である。彼らはその方法を得たなら、盗む必要のあるものはすべて盗む。我々とアメリカ人を支配するために、試すべきことは何でもやる。そして過激な彼らの価値観をアメリカ人に押し付ける。」（Gateway Pundit July,15,2021 by Joe Hoft より引用）

ギングリッチ氏は民主党政権トップを告発した。ジョー・バイデン大統領、カマラ・ハリス副大統領、ナンシー・ペロシ連邦下院議長、チャック・シューマー連邦上院多数派リーダーが米国連邦軍と行政・立法組織の全体の腐敗を進行させていると指摘した。また彼らは以下のことを強く進展させていると告発し、米国民に警告した。

＊民主党は党派的目的を果たすために連邦政府の力（行政機関）を使うことを固く決意している。

＊犯罪勢力を強化して、警察力を弱体化することを固く決意している。

＊米軍の中に《Wokeness 運動》を持ち込み、軍を破壊しようと固く決意している。（Wokeness 運動：社会的不公正、人種差別、性差別を解決する意識啓蒙と行動を促す。）

＊アメリカ国民を「検閲」するために、少数の富裕層テック・ジャイアンツ（Tech Giants）を味方にして、司法省を使うことを固く決意している。

（文責・著者）

ニュート・ギングリッチ（Newt Gingrich）
1943年生まれ　エモリー大学　デユレーン大学（ヨーロッパ史　博士号）
1974～8年　ウェストジョージア大学助教授
1979～99年　20年間　下院議員
1995～99年　連邦議会・第58代下院議長。民主党が42年間も連続して下院多数派として主導したが、1995年の中間選挙で42年ぶりに下院共和党が多数派となり主導権を回復した。「アメリカとの契約」運動により共和党の再建により国民の支持を得た立役者。

アメリカンエンタープライズ研究所シニアフェロー・スタンフォード大学フーバー研究所客員研究員・Fox News アナリスト、コメンテイター

南北戦争（1861年〜65年）の本質とは

何故、ニュート・ギングリッチ氏は「過激になった民主党が、南北戦争以来の最大の脅威となっている」と主張したのだろうか？

1800年代に、民主党員達が内戦（南北戦争）を起こす原因を作った。やがて彼らは利益を得るために奴隷制度を維持し続けようとして南部諸州連合（11州）を造り、アメリカ合衆国から事実上の脱退をした。1860年、アブラハム・リンカーンが大統領選に勝利して、共和党初代大統領として登場した。当時の民主党は巨大な基盤であったが、共和党は少数党であった。

リンカーン大統領は〝法の支配〟の下の〝一つのアメリカ合衆国〟を守ろうとした。そのためには〝奴隷制の廃止〟を実行せねばならなかった。〝奴隷制の維持〟は〝法の支配〟が許すはずもない犯罪行為であった。リンカーンは、もし妥協すれば米国は自己矛盾のゆえに必ず崩壊するという信念を持っていた。

「すべての人間は平等につくられている。創造主によって生存、自由、そして幸福の追求を含む、

侵すべからざる権利を与えられている。…」～米国独立宣言（1776，7，4）～。

アメリカ独立宣言は英国植民地のアメリカ13州代表53人がフィラデルフィアで大英帝国との戦争（1775，4，19～1783，9，3）の只中で宣言したものである。


アメリカ独立宣言を根として、幹としてのアメリカ合衆国憲法が造られた。アメリカ国民の良心は、「奴隷制は神と国家に対する犯罪行為」として判決を下さざるを得ないものだった。

民主党は政治的には大勢力であったが、奴隷制への親派が多く、南部を懐柔することにより合衆国の統一を維持しようとした。政治的利益のために建国以来の〝法の支配〟を事実上破棄し、奴隷制という犯罪行為を認めていた。

アブラハム・リンカーン大統領は、民主党勢力が願いとする南部の独立を認めず、絶対的に妥協しなかった。こうして70万人以上の若者が犠牲となった南北戦争が始まった。

南北戦争（1861年～65年）は奴隷を解放するための戦争であったが、同時に、アメリカ合衆国が「分裂して崩壊する」か、それとも「国家として生き残れる」かの運命をかけたものでもあった。

それは、「法の支配」の下の国家を守ろうとする側と「法の支配」を破棄してしまった民主党、および南部諸州の政治勢力との戦争であった。

極左民主党（Democratic Party）が再び〝法の支配〟の破壊を始めた

２０２０年大統領選挙の最中に、隠されていた事実が鮮明に表れた。しかし、それを深刻にとらえた人たちは、日本での米国政治の専門家といわれる人々の中にはほとんどいなかった。

ニュート・ギングリッチ氏は、ジョー・バイデン大統領、カマラ・ハリス副大統領をはじめとする民主党行政府、そして民主党が支配する立法府のナンシー・ペロシ連邦下院議長、チャック・シューマー上院多数派リーダーたちが〝法の支配〟を維持するシステムの全体を破壊し始めたと指摘している。彼が告発し、米国民に警告した、前述の＊印の４項目を具体的に確認してみたい。

＊民主党は党派的目的を果たすために連邦政府の力（行政機関）を使うことを固く決意している。その目的は、２０２０年大統領選挙で行われた選挙詐欺を、永遠に闇の中に隠すことである。違法行為が白日の下にさらされれば自分たちが自滅するからである。

現在、アリゾナでは州議会の権限でマリコパ郡（投票数２１０万票、州投票総数の３分の２）の監査を終えた（２０２１年７月中旬）。州議会が指導する監査は州裁判所判決を根拠に進行された。調査の完璧を期して、最終結果が近いうちに発表される。トランプ対バイデン獲得票差は州全体で約１万２０００票差であった。しかし、アリゾナ上院議員ウェンディ・ロジャース氏によると、「郵便記録の全くない郵便投票の７４，０００票が正当票として数えられていたことが監査により明確になった」と述べた。これらは法的に無効票であり、これだけでも選挙結果は完全に逆転する。

しかし、他にもっと大きな不正の実態がすでに解明されている。マリコパ郡選挙執行責任者たちは、もろもろの違法行為でアリゾナ州議会から刑事告訴をされる立場に立たされている。このようなアリゾナ州選挙結果の議会による監査がモデルとなって、少なくともスイングステイト（ジョージア、ペンシルベニア、ミシガン、ウイスコンシン）に厳格な監査をしようとする動きが急速に広がりつつある。「選挙は〝法の支配〟を維持するために最も重要なものであり、国民の信頼によりその尊厳性が保障される」との観点から監査要求が高まっており、全米に広がる勢いがある。

この事実に、大きな脅威を感じているジョー・バイデン政権は、各州に圧力をかけ始めた。２０２１年7月28日、連邦司法長官メリック・ガーランド（Merrick Garland）は、選挙結果の監査を行う州に対し警告をするガイドラインを発行するところまで踏み込んできた。

「２０２０年大統領選挙結果を選挙後に監査を行う場合、連邦法に衝突してはならない。我々はこれについて密接に追いかけるだろう」と司法省高官が述べた。

これは州議会に対する強迫に等しい。信じられないことである。

「大統領選挙と連邦議会選挙は、各州議会が議決した法に基づいて実行される」と合衆国憲法と各州の憲法に定められている。州議会の議決は憲法に基づいて、連邦法に優先される。連邦司法長官がこれに介入したならば、明らかに「合衆国憲法と州憲法」に違反する。「司法省が〝法の支配〟を破壊する」という犯罪行為の証拠を自ら提示することになる。

このことは、国民が司法長官を「国家反逆罪」、または「内乱罪」の重罪で提訴するという重大な事態に発展する可能性がある。そうなれば当然、大統領の弾劾発議と弾劾裁判に直結するのではないだろうか。

＊犯罪勢力を強化して、警察力を弱体化することを固く決意している。

２０２０年5月、米ミネソタ州で黒人男性ジョージ・フロイドが白人警官に殺された事件を機に、全米で過激な暴動が拡大された。反人種差別運動がすぐに暴動に変わった。次に政治運動も連動した。暴動はミネソタ州ミネアポリスから始まり全米に広がった。特に民主党支配の州や大都市で暴動が大きくなった。ところが、警察が犯罪者を取り締まらないようにと政治圧力がかかった。ワシントンの市長ミューリエル・バウザー（Muriel Bowser）は「すでに手に負えなくなった暴動の取り締まりのために軍を送ろうとする」トランプ大統領の提案を断った。

ミネソタ州ミネアポリスから始まり、イリノイ州（シカゴ市）、ニューヨーク市、ジョージア州、シアトル市、アトランタ市、そしてサンフランシスコ等では、「殺人、略奪、放火、破壊活動」が放置された。損害額は２０００億円以上と分析されている。

シカゴ市では米国独立記念日（7月4日）を迎える週末に77人が銃で撃たれ、7歳の女の子を含む14人が殺された。２０２０年の独立記念日を迎える前の6週間に、6市で６００人が殺された。（ケビン・マックロウ Kevin McCullough FoxNews America's Newsroom コメンテイター ２０２０・７）

民主党市長の地方都市にも暴動が広がった。これらの暴動の背後に、全米を渡り歩きながら暴動を扇動し、指導するプロフェッショナルな組織（Antifa、BLM）が存在した。不思議なことは、未だトランプ政権下であった時だがＦＢＩは全く動かなかった。ＦＢＩ組織上層が意図的にそうしたようだ。大統領選挙の選挙詐欺でも動かなかったのと同様の理由だろう。

あきれたことに、このような都市では、警察を弱体化させるために警察予算を激しくカットして暴動を歓迎する政策を選択している。目的は明白である。暴動による恐怖により司法、立法、そして行政のリーダーを脅迫し、一方、国民大衆に対しては警察力による強権政治の到来を希求するよう誘導することである。

経済や社会秩序のカオスがもたらす不安と恐怖から独裁政権が生まれる。米国での暴動の拡大とその放置は、自由の破壊による社会主義革命とマルキストによる共産党独裁政権を造る途上の準備段階である。ジョー・バイデン政権とラディカルな民主党は、強権発動をすることにより社会主義独裁体制を造る時を狙っている。

＊米軍の中に《クリティカル・レイス・セオリーを基礎とするWokeness運動》を持ち込み、連邦軍を破壊しようと固く決意している。

２０２１年6月23日、連邦下院軍事委員会が開催された。国防長官ロイド・オースティン（Lloyd James Austin III）と統合参謀本部議長マーク・ミリー（Mark Milley）将軍が、最近、連邦軍の中で始められた教育内容「クリティカル・レイス・セオリー（Critical Race Theory）」についての質問を受けた。

共和党議員達が何度も「ペンタゴンが過激主義へ焦点を当てているようだ。過激主義と過激主義者とは何か？　過激主義と過激主義者の定義をせずに軍の中に過激主義者の根があると、取り去るために探している。ペンタゴンの意味する過激主義とは何か？」と質問をしていた。

下院軍事委員会のマット・ガエッツ（Matt Gaetz）氏が「空軍中佐マッテウ・ローメイアー氏は軍で広がっているクリティカル・レイス・セオリーについて危険性を感じて、警告を発し、オースチン司法長官がその思想を支持しているのかどうかを訪ねた。それゆえに、彼は宇宙軍の指揮官の立場から追放された。」と指摘した。共和党下院議員ビッキー・ハーツラー（Vicky Hartzler）氏は司法長官に質問をした。「司法長官、いったい、国防総省は〝過激主義〟をどのように定義するのか。」「過激主義について軍で一日中教育をするのに、定義もなくどうしてできるのか？」

司法長官の解答はしどろもどろとなり、意味をなさない解答となった。正直に解答ができなかったのである。重要部分を意図的に隠してしまったのだ。

クリティカル・レイス・セオリー（Critical Race Theory）

連邦上院議員トム・コットン（Tom・Cotton）氏が、２０２１年3月に「米軍でクリティカル・レイス・セオリーを教えることを禁ずる法案」の提案を公表した。トムコットン連邦上院議員はこの人種思想は以下のことを教えようしていると述べた。

「人種が人間の最も重要な本質的特徴である。アメリカは邪悪な差別をする場所である。アメリカの人種主義は、すべての組織や機関そして生活の基準を作り上げている。白人たちは差別し特権的生活を指導している。そして、有色人種は差別され、アメリカで不利な立場で操作されてきた」

また彼は「この考えは左翼集団や大学の教室等で人気がある。また左翼新聞や主流メディアで評価され活用されている。突如として現れたこのイデオロギーは我々の生活の考え方に入ろうとしている。しかし、標準的アメリカ人には全く不人気である。

この思想はイスラエルとハマスとの戦いを背景にして突如力を増してきた。極左民主党連邦下院議員のアレクサンドリア・オカシオコルテツを始めとする何人かの主張が大きな影響をもたらしている。彼らは、個人重視はせずに世界全体を、人間の集団としてとらえる。〝差別する側（イスラエル）〟と〝差別される側（パレスチナ人達とハマス）〟の矛盾による対立と闘争としてみる。彼女はBLMをハマス（パレスチナテロリストたち）になぞらえている。BLM（Black Lives Matter）組織は明確にマルキストであり反ユダヤ主義の組織である。この思想はマルクス主義に基づく。

それは軍の内部に争いの種を蒔き、軍を破壊させる。軍にとってこれほど危険なものはない」と指摘している。The America Cr ＩＳＩＳ June28, ２０２０ By Elizabeth Vaughn)

クリティカル・レイス・セオリーは少し変形させたマルクス主義そのものである。「階級闘争」の代用に「人種間の矛盾（奴隷制や白人の支配）」、「労働が人間の本質」の代わりに「人種（Race）が人の本質」、そして両者ともに「矛盾（対立する二者の統一と闘争）、闘争が普遍的であり永遠的」と言う存在論を真理としている。共産主義哲学をアメリカ歴史や世界に適用し活用している。

米軍の中に「クリティカル・レイス・セオリーを基礎とするWokeness運動」が広がれば、やがて米軍は完全に弱体化する。核戦争の緊急事態時に、核のボタンを操作するリーダーたちが大統領の指令に反対して反乱を起こすようになるかもしれない。その時に米国の核抑止力はゼロとなる。反乱兵士達により原子力空母や原子力潜水艦が占拠される事態になるだろう。全米軍のオペレーションシステムが、軍内部の勢力により、一瞬に破壊されることも考えられる。

米軍内部では、手の打ちようのない状況にむかって腐敗状況が進んでゆくだろう。世界に歴史上最大の悲劇と害悪をもたらした共産主義哲学により米軍が汚染されることを、法的手段で防御せねばならない。行政権による深刻な過ちの進行を、立法権を持つ連邦議会両院が止めねばならない。しかし、米国民は賢明である。すでにこのような事態を知りつつある。２０２２年11月の中間選挙が大きな変化をもたらすだろう。

バイデン大統領が指名したロイド・オースティン国防長官が「クリティカル・レイス・セオリーを基礎とするWokeness運動」を米軍の中に進めてゆこうとしている目的は何か？

これは深刻な質問である。米軍を破壊しようとしていないとすれば考えられる解答が一つある。それは「米軍を、法の支配とアメリカ合衆国憲法の下の軍から、民主党の軍へと変容させようとしている」と考えられることだ。中国の人民解放軍と同じ立場にしようとしているのか？　人民解放軍は国家と国民のための軍ではない。中国共産党に属しており、共産党を保護するための軍である。

普遍的価値観である〝法の支配〟を否定することは、とてつもなく恐ろしい犯罪につながる。かつて、160年前に〝法の支配〟に敵対して、奴隷制度を容認しようとしたことが南北戦争の原因になったことを、今こそ深く胸に刻まなければならない時である。

＊アメリカ国民を「検閲」するために、少数の富裕層テック・ジャイアンツ（Tech Giants）を味方にして、司法省を使うことを固く決意している。

2021年7月16日、アメリカ大統領報道官ジエン・サキ（Jen・Psaki）は「誤った情報を掲載するアメリカ人はすべてのプラットフォームから使用を禁止されるべきである。」と伝えた。彼女は前日の記者会見で「我々は誤った情報の調査を増強してきた。それを外科手術トップのオフィスが追跡している。我々は偽情報を広げると思われる疑わしい投稿にFacebookに向けて旗（印）をつけている。」と言った。（Gateway Pundit July16,2021 by Cristina Laila）

ジエン・サキ報道官の言葉は、ニュート・ギングリッチ氏の指摘である「バイデン政権はアメリカ国民を『検閲』するために、テック・ジャイアンツ（Tech Giants）と、司法省を使うことを決断している」が、図星である事を示している。

ただし、一日後には少し中身を和らげた。「もし誤った情報を掲載した場合、一つのプラットフォームは停止されないで、それ以外のものが停止される。」と伝えた。

前述したように、2021年1月6日の議事堂の争乱事件の後、ハイテク大手が「さらなる暴力を扇動する危険がある」として、トランプ大統領と支持者らのアカウントを停止することをやってのけた。彼らは言論の自由の尊さを全く認識していないことを自ら証明した。このような事態の中で、テスラとスペースXの最高経営責任者（CEO）イーロン・マスク（Elon Musk）氏が1月11日、ハイテク大手が今や「言論の自由の事実上の裁定者だ」と述べた。またツイッターで、ある記事に返答し「言論の自由の事実上の裁定者となっている西海岸のハイテク企業に大きな不満を抱く人は多いだろう」と述べた。

ツイッターがトランプ大統領のアカウントを停止する前日に、ミシェル・オバマ氏（前ファーストレデイ）は「トランプ氏のプラットフォーム使用を永久に禁止する」ようにハイテク大手に対して公式に呼びかけた。彼女は公式声明で「今こそシリコンバレーの企業は、この恐るべき行動を阻止するときだ。今以上の行動をとり、この男をプラットフォームから永久に追放し、国の指導者が彼らの技術を使って暴動を煽るのを防ぐためのポリシーを造るべきだ」と述べた。（大紀元日本ウエブ2021，1，13）

ミシェル・オバマ氏が語り掛けた内容はジョー・バイデン大統領と夫のバラクオバマ氏を代理してハイテク大手と主流マスメデイアに協力を要請したものである。彼らが直接語りかけると未だ現職のトランプ大統領の法的制裁を受けるので、ミシェル・オバマ氏に語らせたものだ。

目的は次の４つであろう。

①トランプ前大統領の政治生命を完全に奪うこと

②全米のトランプ・サポーターの発言と行動を抑える
③バイデン政権、ハイテク大手、と主流メディアの同盟締結
④言論統制システムにより２０２０年選挙詐欺の証拠を消す

(7) アメリカ合衆国は何処へ？
「法の支配」の下の共和党と民主党へ？

すでに述べたように、米国は再び「南北戦争」に突入した。思想と政治的戦争が始まっている。それが明確になったのが２０２０年大統領選挙の過程とその結果であった。反「法の支配」党は Deep State として隠れていたが、彼らは戦いの準備は終えていて大統領選挙という戦場で明確に正体を現した。

米国の開拓時代から育まれ蓄積された「法の支配」の価値観は、米国民主主義の伝統として１６２０年「メイフラワー盟約」、１７７６年「アメリカ独立宣言」、そして１７８８年「アメリカ合衆国憲法」の発効によりほぼ完成した。

しかし、１８００年代に「法の支配」を拒否する政治勢力が拡大し、民主党と南部諸州が黒人奴隷制度を肯定して独立を求めた。伝統的価値観を拒否し、欲望を満たすための米国を造ろうとしたのだ。共和党大統領アブラハム・リンカーンは全く妥協を受けいれず、南北戦争（American Civil War 1861～65）が起こった。

南北戦争とよく似た対決が２０２０年に現在のアメリカ合衆国で再び発生した。しかし、大統領選挙での選挙詐欺を処理しようとした、「法の支配」を尊重する人々は、現実には自分たちが既に包囲されていることを発見した。

頼りにした最高裁と連邦裁判所と州裁判所、連邦議会上下両院民主党、同共和党エリート議員たち、州知事と州議会議員たち、大統領府を構成する司法省（ＦＢＩを含む）、ハイテク企業グループ、エリートマスメディア等が反「法の支配」党に浸透され、支配されようとしている事実を知った。２０２０年の大統領選挙で発生した選挙詐欺問題は力で抑え込まれ、選挙は敗北した。連邦上下両院共和党のエリート議員たちさえもが反「法の支配」党員となっていた。アメリカ国民を裏切ったのだ。

しかし、戦いの準備は敗北の真っ只中で始まった。

米国民が目覚めれば行政権と司法権を取り返せる。国民に最も近いのは立法権を持つ連邦上下両院議会である。国民の50％以上は２０２０年選挙で大掛かりな選挙詐欺が存在したことを認識している。選挙の尊厳性を回復することは国民主権を保護することである。６州のスイングステイト（激戦州）のみならず、50州で議会（共和・民主）両党による厳格な選挙監査を実行する呼びかけは、大きな政治的アジェンダとなる。それは腐敗した地方政治を蘇らせる。すでにアリゾナ州は、全米各州の模範となり得る州議会による厳格な法定監査が終わった。結果を公表するときが近い。ジョージア州もそれが始まる。ペンシルベニア州も法廷監査をせざるを得なくなりつつある。国民が仰天する選挙詐欺の実態が明らかになろうとしている。

しかし、共和党が自らを再建することが最優先の重要課題である。共和党は大統領選の敗北以後大きく変わりつつある。その地方組織は２０２０年選挙詐欺を容認した連邦上下両院議員を次の選挙では排除する方針を固めており、前大統領トランプ氏の２０２４年再立候補を期待している。また政治的利益のための党でなく、国民のための党になることを探っている。その第一歩が選挙の尊厳性の回復であり、そのために州議会によって２０２０年選挙の厳格な法定監査が行われているのである。

この動きに勢いがついてくれば、「法の支配」を尊重する民主党リーダーたちが合流して、超党派の運動となり、それを通じて両党がともに健全な政党に回復する動きとなるだろう。

2022年11月、中間選挙が運命を決める

２０２２年11月に中間選挙が行われる。この中間選挙は、米国の今後の運命を決定づけるだろう。〝米国民主主義の伝統である「法の支配」の下に米国が帰る〟か、それとも〝反「法の支配」党による独裁専制による支配に向かって歩みだす〟かの分かれ道に立っている。

次回の中間選挙では共和党が、連邦議会上下両院の支配を取り戻す可能性は高い。これまで中間選挙がマスメディアに全米レベルで取り上げられることはほとんどなかった。しかし、次の中間選挙は非常に重要である。連邦議会は上院や下院（特に両院?）を支配する政党が、政策課題を決定して、思いのままにできる。多数政党が、議会の重要委員会の委員長を決めることができるからだ。大統領の所属政党が両院を支配しているかどうかが、彼の政策遂行能力を決定する。選挙結果によっては米

国の方向性と未来に大きな影響を与えるのだ。

上院議員は任期が6年であり、2年ごとに3分の1議席が改選される。2022年には33名が改選される。下院議員は2年ごとに435議席のすべてが改選される。同時に何十名かの州知事、何百人かの市長、何千人もの州議会議員が選出される。州議会議員選挙も非常に重要である。米国の圧倒的多数の法律は、連邦議会ではなく州議会で議決されるからだ。

米国選挙民はバランスと均衡を好む傾向が強いといわれる。大統領が民主党であれば、中間選挙は連邦上下両院を共和党が勝利する傾向がある。また大統領が共和党ならばその逆になる。2014年バラクオバマ民主党政権の中間選挙は上下両院議会が共和党に支配された。

2018年のドナルド・トランプ共和党政権下での中間選挙は下院議会が民主党支配下になった。2020年大統領選挙と同時に行われた連邦上下両院選挙では、民主党が両院を支配した。

2022年の中間選挙は、連邦上下両院を共和党が支配する可能性が充分にあるとされる。中間選挙の勝利により、共和党が連邦議会上下両院の支配を回復すれば、共和党と連邦上下両院は新しい段階に入ると思われる。

第一に連邦議会上下両院と、全米相当数の州議会両院が、協力体制をとりながら2020年大統領選挙の監査を拡大し、選挙詐欺と違法選挙の実態を明らかにするだろう。

連邦議会、州議会がそれぞれ特別委員会を造り、調査権を発動し、強制権を持つ調査が開始される。その時には、大統領、大統領府、大統領選挙全国委員会幹部、連邦上下両院議員、州知事、州両院議会議員そして各レベル選挙管理委員会に至るまでの調査事項が詳細に国民に明らかにされる。大統領の弾劾告訴にふさわしい決定的事実が明らかにされるだろう。

アリゾナ州議会が大統領選挙の法廷監査を行うことに、主流メディアはもちろん、現司法長官メリック・ガーランドは脅しをかけて反対した。合衆国憲法と州憲法がともに連邦選挙の執行と調査権限は完全に州議会にある事を認めている。司法長官が法廷監査の妨害をすれば刑法で処罰されることになる。

Rasmussen Reports（２０２1年6月23日）では「全国レベルの電話とオンライン調査によれば、過半数（56％）の人たちはアリゾナ州のような法廷監査を〝選挙詐欺がなかったことを確認するためにも必要であると支持をした。」と発表した。２０２０年大統領選挙票に対する法定監査の支持者の比率が増大しつつある。主流メディア報道と逆の意識を国民は所有している。アメリカ市民たちの良心がすでに事実を知っている。

第二に、明確で膨大な「大統領選挙不正」の証拠を提示し、「選挙期間前後にＦＢＩ、および司法省の中で、誰がどのように調査をしたのか、報告書を提示させ、連邦議会と州議会の特別委員会で問い詰めて、結果を国民に全て報告する」必要がある。

特に何故、またどのような根拠に基づき「選挙詐欺だという訴えの中に、選挙の動向に大きな影響を与える証拠は全くない」と当時の司法長官が宣言したのか明らかにせねばならない。行動に違法行為があったならば、ＦＢＩおよび司法省職員は犯罪にふさわしい処罰を受けねばならない。すべての官僚たちはその対象となるべきだ。なぜならば反「法の支配」党員は優秀といわれる官僚上層部に多いからだ。

そのために、議会に特別委員会を設置することになるだろう。そしてそれは常設委員会となるだろう。解決するべきこの課題は根が深く、広範囲にわたるからである。短期間では終わらない仕事となる。

アメリカ国民は、主流メディアや反「法の支配」党に騙されているだけなのであろうか？　彼らは、そんなに弱く愚かであろうか？　アメリカ合衆国独立戦争（１７７５〜83年）では、当時の圧倒的大国である大英帝国の正規軍に対し、農民たちが銃をとりアメリカ人の「法の支配」を勝ち取るために8年間も戦い、そして勝利を収めた。その90年後、南北戦争（１８６１〜65年）でも「法の支配」の勝利のために若者たちが志願兵となり立ち上がり、70万人以上といわれる犠牲者を出しながらも戦い抜いて、「神の下の一つの国」としてアメリカ合衆国を守り抜いた。アメリカはいざとなると恐るべきエネルギーを爆発させる。このまま、反「法の支配」党よって米国が崩壊してゆくとは思えないのである。

もし、２０２２年の中間選挙で共和党保守が破れ、民主党が両院を支配したなら、「２０２０年大統領選挙詐欺の事実と証拠は、連邦政府の権力行使により永遠に闇に葬られ、言論の自由や信教の自由もあからさまに弾圧される」ようになるだろう。私有財産制も大きな制限が始まる。

正当な主張こそ、左翼メディアに検閲されて、行政府や司法権に封じ込められる。にもかかわらず三権の支配者たちは「言論の自由や信教の自由」を今まで以上に高らかに唱えるだろう。あたかも中華人民共和国のようになる。

米国は、嘘が支配する「嘘の下の国」へと変貌が始まるだろう。やがて国家の頂点から最下層まで嘘が支配する中国や北朝鮮のような国へと、アメリカは変貌してゆくだろう。

「法の支配」を葬ろうとすることは！

結論から述べれば、「法の支配」を葬ろうとすることは、中国共産党と兄弟になることを意味する。

当然、彼らは中華人民共和国に強い親近感を持ち、より深い友好関係を造り、利益を分かち合い、そして共通の敵に対し統一戦線を造ると思われる。アメリカ合衆国は、やがて過去とは全く異なる外交・安全保障政策へと転換するだろう。今や日本は、その時のために急いで準備を完了せねばならない。

何故、法の支配を葬る人は共産主義者の兄弟になるのだろうか？

それは、「法の支配」を破壊することが人間の最も重要な本質である〝良心〟を殺してしまうからである。理性は失われ、人を殺すことに良心の呵責さえもなくなってしまうほどに冷酷な人間に変貌する。

「法の支配」の「法」の意味には二つの領域が含まれている。一つは「自然法（神の意思）」のことであり、それはアメリカ独立宣言（１７７６年）に核心部分が述べられている。二つ目は合衆国憲法と各州憲法、およびその下にある諸法をいう。宗教的・政治哲学的に使われる時には「法」は「神の意思たる自然法」の意味を表現する。

「われわれは、以下の事実を自明のことと信じる。〝すべての人間は生まれながらにして平等であり、その創造主によって、生命、自由、および幸福の追求を含む不可侵の権利を与えられている〟。こうした〝権利を確保するため人々の間に政府が樹立され、政府は統治される者の合意に基づいて正当な権力を得る〟」

この、〝人間に与えられた不可侵の人権〟は〝神の意思〟（自然法）により与えられたものであるとする。

〝「法の支配」を葬る〟とは、〝神の意思（自然法）〟の存在を否定して、自分の意識と生活から完全に消してしまうことである。

「法の支配」を破壊する意思を固めている人は、「人間は存在させられたのではなく、すべての存在とともに偶然に存在している。普遍的価値は存在しえない。真理、善悪、人としてのあるべき姿等は存在しない。すべての倫理や道徳は人の幻想である。どんな違法行為も悪ではない。法律はその社会や支配者の都合で作ったものだ。悪は存在しない。違法行為は罪や悪とは無関係である。殺人でさえも罪悪ではない。より良い社会を造るためには殺人も仕方がない。」という人生を歩むことになる。

彼らにすれば「生命と自由、そして幸福を追求する不可侵の権利」は創造主たる神が与えたものではなく、社会が人為的に与えたものであり、不可侵の権利は存在しない。自分たちの政治思想的反対者には「生命、自由、幸福を追求する不可侵の権利を認めない。その実行は悪ではない。悪は存在しない」と信じて疑わない。

反「法の支配」党がディープステイトとして浸透しつつある米国社会で、米国史上最大の選挙詐欺が行われることは当然である。彼らはそれを犯罪とは思わない。暴露されて、処罰される段階になっても、自らを処罰する者たちを呪うことだろう。彼らは権力や富を得るために可能な手段があれば、それを採用して何でも行う。方法や手段の善悪を択ばない。彼らは、「法の支配」を殺すと同時に、自らの「良心」を殺しているのだ。

彼らは、トランプ氏や保守的政治運動を直ちに暴力と結びつけて攻撃する。しかし、現実には彼ら仲間同志で殺し合い頻繁に殺人事件が起こる時がくるだろう。そして彼らは自分の責任を政敵になすりつける。

「法の支配」を完全に否定すれば、良心の呵責もなく冷酷に人を殺せる人となる。そしてそのような人たちの大集団を造る。共産主義国での大量殺戮は自分の良心を殺した集団（共産党）による犯罪である。

中国共産党と米国の反「法の支配」党は兄弟である

中国共産党は今も変わらずマルクス主義政党である。共産主義国は例外なく経済が崩壊し、カール・マルクスの資本論を放棄した。誤った経済理論であるため当然のことだが、労働価値説を採用して経済政策を実行した国家は、破綻して極貧国家となった。中国共産党は建前上、資本論を完全に否定できないので、鄧小平の造語「社会主義市場経済」を新政策とした（1992年秋）。それは、共産党が政治支配をする市場経済社会であり、中途半端な市場経済理論に基づくものだった。さらに米国に接近して、西側の市場経済を利用して経済崩壊を免れて発展してきた。

また、マルクスの解いた史的唯物論（人類歴史は階級闘争の歴史である。歴史は必然的に労働者階級の暴力革命により共産主義社会に到達する）による共産主義の歴史観は歴史的事実ではなく、学術的に誤りであることが明白になった。社会主義革命は先進資本主義経済国には一つも起こらずに、遅れたロシアや中国のような農業国家に起こった。しかも労働者による革命ではなく、農民や軍人兵士によるクーデターであった。

マルクス主義の経済理論と歴史論の誤謬と矛盾が、共産主義者達を追い詰めた。しかし、彼らは現在マルクス主義の哲学を隠れ蓑にしている。カール・マルクスは19世紀の哲学者の一人であったが、経済学や歴史学については全くの素人だった。

マルクス主義の哲学は「弁証法的唯物論」といわれている。この哲学思想は現在でも世界のいたるところに生き残り、人類に大きな被害を与えている。日本、韓国、台湾そして米国にも生きている。中国は矛盾の哲学に加えて、孫氏の兵法を適用して外交・安全保障政策を対外的に実行している。北朝鮮でもそれを変形させて活用しているが、その哲学の本質は変わらない。

マルクス主義哲学の核心とは何だろうか。それは「『神は存在しない』という『絶対的な信仰』」である。「神が存在しない」という確信を「神」としている。そして神の存在を前提とする価値観を全て排斥し、その存在を許さない。それは、素朴な唯物論や無神論とは異なっており、「戦闘的無神論」

として特徴づけられる。

戦闘的無神論は「神の存在、普遍的真理や価値観の存在」を絶対的に否定する。中華人民共和国が共産主義国家である以上、当然戦闘的無神論を破棄することはあり得ない。

２０１３年３月14日、習近平が中国共産党国家主席に就任した直後からこの傾向をさらに強化した。マルクス主義哲学（戦闘的無神論）の特徴は以下のようにまとめられる。

・神の存在は幻想であり、宗教は詐欺であり犯罪行為である。
・すべての倫理、道徳、普遍的価値観は幻想であり、存在しない。
・「善悪の概念」は歴史的な支配階級や宗教が作り上げたものである。
・家庭の道徳倫理的価値観を否定し破壊せよ。家庭も階級闘争の一部である。
・反共産主義者への殺戮は罪悪ではない。
・共産主義理想実現のためには組織的大量殺戮（ジェノサイド）も無慈悲に行う。

これらの特徴は習近平政権により、さらに明瞭になってきた。

２０１３年３月に習近平が国家主席に就任した直後に、共産党宣伝機関を通して政権内部にインターネットを通して伝えられた。「七不講」（７つの口にしてはならないテーマ）についてである。

①普遍的価値　②報道の自由　③市民社会　④市民の権利　⑤党の歴史的錯誤　⑥特権貴族的資産階級　⑦司法の独立

彼が国民に「七不講」で〝国民が口にしてはならない〟としたものは、共産党の恥部に関することであり、他は全て普遍的価値であり、それは「法の支配」に係る事である。普遍的価値とは「法の支配」を構成する重要な価値観を意味している。自由、生命、そして幸福を追求する権利であり、それを保護し、そして保証するために司法、立法、行政の三権分立とチェック・アンド・バランスがもたらす「国民の、国民による、国民のための政府」等のことである。

「七不講」のほとんどは「法の支配」に対する攻撃といえる。「共産主義社会に到達するためには、反対する人たちを殺しても罪悪ではない」と良心を殺して呵責なく、冷徹に1億人も殺してきた。今もなおウイグル人、チベット人、そして法輪功《ほうりんこう》（中国の気功集団。吉林省出身の李洪志氏が1992年に創始、実践者や学習者が弾圧前には1億人を超えた）の人たちを殺し続けている。中国共産党は健康人を処刑し、内臓器官を摘出し、臓器移植を世界の富裕者に売る。このようなことは〝人〟にはできない。闘争的無神論は人間を悪魔に作り変える力を持つのだ。

かくして、中華人民共和国とは「徹底して『法の支配』を破壊した国」として完成したのである。それに対して、米国の反「法の支配」党のディ―プステイト勢力は「法の支配」を破壊する途上にある。米国にも悪魔が現れ、徘徊を始めた。〝中国共産党〟は米国の〝反「法の支配」党〟の兄であり、両者は人類にとって極めて危険な兄弟である。

アメリカ合衆国は何処へ？

米国の今後を約10年程度のスパンで見て、どのように進むのかの見通しを立ててみたい。

米国は、以下の三つの形態のどれか、または複合型へと進展してゆく可能性が考えられる･･。
1．「法の支配」の回復と伝統的アメリカ民主主義への回帰
2．戦闘的無神論者による専制的独裁国家に急激に向かい始める
3．米国の分裂（「法の支配」連合国と、反「法の支配」党連合国）

1．「法の支配」の回復と伝統的アメリカ民主主義への回帰

２０２０年大統領選挙期間中にドナルド・トランプ大統領は「MAGA」のスローガンを赤い帽子に表示して国民運動を展開した。「MAGA」（Make America Great Again：アメリカをもう一度偉大にしよう！）はレーガン大統領の使用したスローガン（１９８０年）を自分の国民運動に相続したものだ。トランプ大統領の主張の要点は「米国は救う価値のある偉大な国、再建（Rebuilding）が選ぶべき道」である。「建国の父達とその価値観を守り、子供達の教育を守れ。マスメディアによる文化を破壊するキャンセルカルチャー運動に勝つ」というものだ。

ジョー・バイデン現大統領のスローガンは「アメリカを再建したくない。概観や中身も一変（Transform）させたい」というものだった。まさに彼は、反「法の支配」党員である。ニュート・ギングリッチ氏は、「歴史上の大統領候補の中でも、最も反アメリカ的な人である。」と指摘している。キャンセルカルチャー運動を支持し、暴徒が建国の父の銅像を汚しても一度として諫めたことがない。過激派左翼Antifaやマルクス主義者が指導するBLM（Black lives Matter）運動が全米で起こした

暴動に対して、ひたすら沈黙した。バイデン大統領が指名したロイド・オースティン国防長官が米軍内部で「クリティカル・レイス・セオリー」の教育運動を始めたことは、現政権の本音を現している。

現大統領は正体がマルキストであるのに、自分の政治的立場の保護のために仲間の連邦議員や民主党員達をさえもだましてきたといえる。これらは今後ますます明らかになり、米国民により連邦両院議員の中間選挙により審判されるだろう。

共和党は前大統領トランプ氏が非常に強い指導体制を固めつつある。次の中間選挙の立候補者達は先を争って彼の公認を得ようとしている。トランプ氏は2020年選挙の尊厳と正当性を守るために、全ての選挙票の法的監査を各州で行うことを中間選挙の主要な課題（Agenda）として掲げようとしている。「アリゾナ州や…州に続け！」がスローガンになるだろう。

共和党議員の大多数は、この方針に同意している。民主党議員候補者達は各州で苦しい立場に立たされるだろう。「選挙の法的監査を反対するのは、隠さなければならない違法行為があるからだ」と選挙民から疑われる。「犯罪行為がないことを証明する」には法廷監査を行う以外に方法がない。

選挙詐欺と違法行為の実態と証拠は、全米の連邦両院議員選挙、多数の知事選、そして何千人という全米各州議会両院議員選挙で明らかにされる。主流メディアは2020年選挙の時のような力はない。国民の58%は「主流メディアは真に国民の敵」として認識するようになっているからだ（Rasmussen Reports 2021，7，9）。

「2020年選挙の正当性と尊厳を確認する」運動は、民主・共和両党の超党派的なものになるだろう。各州議会による「選挙票の法廷監査」を行うことが、中間選挙の主要な課題として広く広がる。民主党議員達は極左に支配された黒い背景を持つ民主党指導層に失望し、反発して、分裂する可能性がある。すでにそれはアリゾナ州やジョージア州で起こりつつある現象だ。アリゾナ州の選挙法への法廷監査の資金集めで最大の貢献者は、〃２０２０大統領選挙でジョー・バイデンに投票した民主党員〃であった。彼は全体の3分の1を寄付した。このような動きがますます拡大するだろう。国民の良心は理性や情報を超えた知恵をもつ。２０２２年中間選挙が、国民による審判となり「法の支配」の回復と「伝統的アメリカ民主主義への回帰」へと急旋回させる。

その後2年間をかけて、憲法と法の手続きに従い、連邦両院議会と州の両院議会の法的処置により、反「法の支配」党は急激に力を喪失してゆくだろう。そして２０２４年の大統領選挙を迎える。

2．戦闘的無神論者による専制的独裁国家に急激に向かい始める

「法の支配」の価値観が廃棄処分されて、米国が戦闘的無神論者による支配をうけて中国化する。２０２２年中間選挙で民主党が勝利をして、連邦上院と下院で過半数の議席を得て両院を支配する。そしてジョー・バイデン大統領が、強力な行政権を行使できる情勢が生まれた場合に充分起こり得る米国の未来の見通しである。

２０２１年7月15日、共和党重鎮、元連邦下院議長ニュート・ギングリッチ（Newt Gingrich）がFox News Hannity Show に出演し、「過激な民主党が南北戦争以来の最大の脅威である」と、アメ

リカ国民に向けて爆弾発言をした。この内容は前述したがその詳細を記す。

彼は過激な民主党の行動が、腐敗をもたらし、また彼らが共産主義者であるということの深刻な現実を以下の4つの重要ポイントとして指摘した。これらの4つの分野に上下両院民主党指導部「立法府」とジョー・バイデン大統領「行政府」は手をまわし、着実に目的に向かい進展させている。

①民主党は党派的目的を果たすために連邦政府の力（行政機関）を使うことを固く決意している。

司法省とFBIにより選挙票の法廷監査をする州議会を脅迫、BigTechsによる個人情報の検閲、メディアに情報提供をすることにより共和党系議員の名誉棄損、左派が支配する連邦・州裁判所の活用による州議会の選挙票・法廷監査への妨害、等々を強める。

②犯罪勢力を強化して、警察力を弱体化することを固く決意している。

暴力集団の活動を放置して、破壊活動を強化する。さらに地方で保守系政治リーダーのテロリストたちによる暗殺が起これば極めて危険な段階に入ったことを示す。

③米軍の中に《Wokeness運動》を持ち込み、軍を破壊しようと固く決意している。

クリティカル・レイス・セオリー教育による「軍に編入される新兵たち」への思想教育工作の進展、思想教育によりマルキストが運用できる別の軍を内部に造る、軍の将軍たちの身辺情報の収集と名誉棄損による軍組織の弱体化（軍内部の矛盾の極大化）。

④アメリカ国民を「検閲」するために、少数の富裕層テック・ジャイアンツ（Tech Giants）を味方にして、司法省を使うことを固く決意している。

２０２２年11月の中間選挙前に、連邦両院議会で新法（最高裁判事9名を増員、新判事6名を追加して、計15名とする）を議決し、大統領が新判事を指名して、連邦議会上院が承認する。こうして、言論の自由に関するすべての裁判で勝利できる体制を造る。連邦最高裁判事達と下級連邦裁判事の身辺情報を調査し、弱点を把握して脅迫し服従させる。検閲はTech Giantsと左翼主流メディア記者たちが行い、ＦＢＩがそれを活用する。最高裁を脅迫して、反「法の支配」党による言論統制の体制を達成できる。アメリカ国民の誰であれ「検閲」に従わせることができる。

3．アメリカ合衆国の分裂（「法の支配」連合州と反「法の支配」党連合州）

「法の支配」の価値観が三権（司法、立法府、行政府）内部で破壊され、アメリカ合衆国が戦闘的無神論者による専制的独裁国家に向かい始める時に、全米の50州がその流れに身をゆだねるだろうか？　アメリカ人達は「法の支配」の下にあるアメリカ民主主義がいかに優れた政治形態であるかを自覚し、誇りをもっている。必ず逆の流れが起こり、「法の支配」を取り戻そうとするであろう。彼らは国家が豊かで巨大である事を誇っているのではなく、「自然法」すなわち「神の意思」の下にある事に「希望と誇り」をもっているのである。

アメリカ独立宣言は「政府が独立宣言の目的にとり破壊的となるときは『人民の権利』として『新しい政府を設立できる』ことを宣言している。

「如何なる形態の政府であれ、これらの目的にとり破壊的となるときは、改変ないし廃止し、最も人民の安全と幸福をもたらすにふさわしい諸原理に基盤を置き、またそのような形で権限を組織するような、新しい政府を設立することが人民の権利である」

（アメリカ独立宣言　１７７６年）

「これらの（独立宣言が示している）目的にとり破壊的となる」の「これらの目的」とは何か、それは以下のとおりである。

「以下の真実を自明なものとみなす。すべての人は平等に作られ、その創造主によって、生命、自由、そして幸福の追求を含む、奪うことのできない一定の権利を与えられている。これらの権利を確保するために、人々の間に政府が設けられ、その正当な権限は非統治者の同意に由来する」

（アメリカ独立宣言　１７７６年）

２０２０年12月8日、テキサス州ケン・パクストン司法長官（共和党）が4州（ジョージア、ミシガン、ペンシルベニア、ウイスコンシン）を連邦最高裁に提訴した。

これに賛同して他の17州とさらに連邦下院議員（共和党）の１０６人（約2分の１）がその提訴を強く支持して加わったが、連邦最高裁はその審理を却下した。

審理の却下理由は簡単な表現のみだった。「提訴が、合衆国憲法3条に対応する裁判にふさわしい内容になっていない。」と言うものだった。この判決に対しテキサス州は知事と州議会を始めとして激しく反応した。

州共和党委員長アレン・ウエスト氏は直ちに声明書を発表した。それは、連邦最高裁が下した極めて簡単な判決が、米国の近未来に何をもたらすかを見通したものであった。

「連邦最高裁の判決の意味は『州は単独で州憲法に反することができる。また州議会が定めた選挙法も違反できる。さらに州が合衆国憲法にも違反できる。その責任を負う必要は無い。』と言うものであり、前例を打ち立てた。法の下にとどまろうとする州はともに団結し、合衆国憲法と各州憲法のもとに州連合を形作るべきだ。テキサス州だけであったとしてもGOPは「憲法と法の支配」のために立ち上がる…」

この声明文は長い間、連邦最高裁を見つめてきて「やはり、そうだったのか」という、落胆に怒りを込めての訴えである。〝最高裁は「法の支配」と憲法の保護を軽視して、その拡大解釈をどこまでもすすめて、法の支配と憲法を破壊しようとしている〟と断じたようだ。この最高裁判決は最高裁内部からも重大な懸念として訴えられた。

2021年2月22日、合衆国最高裁が2020年大統領選挙で発生している選挙詐欺と違法選挙等に対する提訴を何も吟味せずに全て棄却した。その直後に〝異議ありの論文〟を3人の保守派連邦最高裁判事が発表した。このようなことは極めて異例のことであるという。

「合衆国憲法は、連邦の選挙の在り方を決定する権限をそれぞれの州議会に与えている。しかし、2020年大統領選挙の前後にはいくつもの州で、行政高官や官僚が選挙のルールを決定する権威を州議会の代わりに自分の上に置いた。その結果、通常にあり得ない多数の反対請願とこれらの変化に反論するための緊急申請を受け取った。

ペンシルベニアの州議会は郵便投票を受け付けるための最終時間を投票日（11月3日）の夜8時と明確に設定していた。ところが、それに不満なペンシルベニア最高裁が、郵便投票受付の最終時間を3日間延長させた。これに対する提訴を審議することを連邦最高裁が棄却した。この審議拒否は不可解である…」（連邦最高裁クラーレンス・トマス判事）

言わんとすることは極めて明白である。最高裁判決が「法の支配」と合衆国憲法と州憲法を否定し、主権者たる国民の選挙権を傷つけたことに対する批判である。

保守系判事である他の2人（アリート最高裁判事とゴーサッチ判事）はトーマス判事の意見書に同意を示して、自分たちの見解も加えた。

「この法的審議を再調査するべきである。これらに対する最高裁判決は重要で、何度でも繰り返される憲法上の疑問を示した。それは下級裁判所を二つに引き裂いた…」

最高裁をはじめとして下級裁判所まで二つに引き裂かれ始めた。当然50州は二つに分かれ始まる。「法の支配」の下の州と、反「法の支配」党の州との対立が激しくなる。２０２０年大統領選後、最高裁に提訴をする時には、「法の支配」を強く尊重するテキサス州とともに提訴したのは17州だった。

さて、「法の支配の下」か「反『法の支配』党の下」かを選ばねばならないとしたら、この時の他の残りの州はどちらを選ぶだろうか？　テキサス州と17州側だろうか？　自分たちの州憲法を持ち、自由の下で、強い自治を行使してきた各州が、州の権利を否定し中央集権的独裁体制に至る運命を選択するだろうか？　3分の2以上の州が「法の支配」の下の州であることを選ぶだろう。南北戦争の時のように。

PART4

ロシアと中国

（1）ロシア連邦とその未来

資源の呪い

ロシア共和国はソビエト連邦の崩壊（1991年12月）以後にロシア連邦となり、独立国家共同体（CIS）を構成する一国となった。人口は1.4億人、国土の広さは世界第一位、鉱物資源がきわめて豊富である。ロシア共和国として共産党独裁を破棄してもうすでに25年以上経過した。しかし、相変わらず、国民はきわめて貧しい経済状態を脱出できないでいる。非常に豊かな鉱物資源、そしてエネルギー資源を所有していながらである。

1993年にイギリスの経済学者リチャード・アウティが「資源の呪いという命題（resource curse thesis）」を提示した。

ロシア共和国はこの命題が当てはまる。つまり、「一般的には天然資源が豊富な国が経済的に豊かになると思いやすい。しかし、現実には逆の傾向がある。天然資源を経済の成長のために活用できず、むしろ資源の貧しい国が、より経済発展をする傾向」があるという。

リチャード・アウティは以下の原因を指摘する。

①資源に依存し、他の産業が育たない。
②資源確保のため過度な開発が進み、土地が荒廃する。
③資源確保をめぐる内戦や政治腐敗が進行する。
④資源の富が宗主国に吸収される。

しかし、ロシアは元来、豊かな創造性に満ちており科学技術を駆使して近代的経済国家として発展する充分な文化の土壌を持った国である。発達した基礎科学を持ち、ロシア正教を基盤とする文化、倫理観、公共性、そして強い愛国心にあふれていたといえる。

リチャード・アウティの「資源の呪いという命題」が現在のロシア共和国に当てはまるといえるだろう。しかし、彼が指摘した４つの「命題を引き起こす原因」はロシア共和国の現状には当てはまらないのではないか。

彼の指摘と異なる別の原因があるだろう。それは共産主義イデオロギーによる支配が残した残骸としての文化が現在も生きていることである。

１９１７年の10月革命でロシアが共産化された後、国民の創造性が抑圧され、自発的にそれを発揮しにくい社会となった。共産主義イデオロギー（マルクス・レーニン主義）のみが絶対視される時代が70年も続いた。その間、自然科学さえも共産主義に服従させられ、嘘と誤謬に満ちた文化が形成された。豊かな創造性に満ちたロシア文化は徹底した闘争的無神論（マルクス・レーニン主義）により切断され、そして根絶された。

その後、ソビエト連邦では１９８５年にミカエル・ゴルバチョフが共産党書記長に選出された。彼は混迷するソ連政治の未来を拓くべく「ペレストロイカ」を実行しようと試みた。それはソ連型社会主義の枠内での自由化・民主化を実現しようとするものだった。しかし、当然のことながら共産党独裁の下で市民生活を自由化・民主化することは不可能だった。１９９１年12月、ゴルバチョフ書記長をはじめ共産党幹部たちは、自ら共産党独裁体制を放棄してソビエト連邦は自己崩壊した。その後、独立国家共同体（ＣＩＳ）を構成する一国であるロシア共和国として生まれ変わった。

しかし、共産主義イデオロギーによる価値観は国民の心に広く深く浸透して生き続けており、政治構造や経済システムが変わっても本質は変わらなかった。無神論の共産主義イデオロギーが、70年の間に徹底した「神の死」を前提とした「力」を信奉する文化を打ち立てていたのだ。キリスト教に基づく道徳や家庭倫理を憎み、無視する共産主義文化は、今も生き延びている。しかも、ほとんどの人がそれに気づいてさえいないようだ。

共産主義イデオロギーの残骸と強権主義

ロシアには共産主義の弊害が根深く残り、自由と倫理観の上に開花する人間本性による創造活動が抑圧されているため、科学技術の成長が阻害されて経済の発展が困難になっている。ロシアが輸出できるものは、豊かに産出される原油と天然ガス、および武器である。

ロシアは高度な武器技術を所有している。共産主義政権によって豊かな創造性に満ちたロシア人の能力は武器の開発に注がれた。その結果、中華人民共和国も武器技術においてはロシアに依存しているほどである。ロシアにとって、武器の輸出が国の収入に大きな比率を占めてきたので、ロシア経済は引き続いて武器輸出を無視することはできない。

力を信奉するイデオロギーが宗教となって深く浸透しているロシア共和国は異常な軍事行動へと突

き動かされた。２０１４年3月、プーチン指導のロシアは、圧倒的軍事力を背景にウクライナのクリミア併合を強行した。さらにウクライナ東部をも併合するかのような政治的かつ軍事的圧力をかけた。その結果、国際社会から孤立し、さらに欧米による大規模な対ロシア経済制裁を受けることになった。それはロシアにさらなる経済の後退をもたらした。現在もロシア経済は成長が止まり、不況に陥ったままである。

また、ロシア経済はあまりにも高い比率でエネルギー資源の輸出に依存してきた。現在、世界の原油市場は需給バランスが崩れ、価格の下落が激しい。加えて、地球温暖化と気候変動が深刻な課題となりつつあるが、その原因は主に人間による化石燃料の使用にあると言われている。それとともに温暖化ガス排出の規制が厳しくなっている。特に石油エネルギーは、それほど遠くない将来に安全な原発、水素エネルギーや他の循環型自然エネルギーに代替されはじめるだろう。

ロシア共和国の未来を洞察する時、現状のままでは未来の見通しは暗いと言わざるを得ない。まさにロシア共和国は「資源の呪い」にとりつかれている。しかし、その原因は「資源」にあるのではなく、ロシアの共産主義国時代から〝あらゆるロシア国民〟の心に残留し続ける価値観にある。そして、ロシア自身の歴史的に強権的な政治的風土にもその原因はあるだろう。

地政学的な事情と未来の見通しの暗さを考慮すれば、ヨーロッパに近いロシア連邦が中国に比較されるような力を東アジアや西太平洋で行使するようになる可能性は小さいと考えられる。

東アジアの政治・経済・軍事の問題の中心は現在の中華人民共和国であり、その脅威を克服できればロシアは自動的にアジア諸国に調和する流れに乗ってくると考えられる。そこで中国に焦点を絞り、いくつかのことを検討したい。

すなわち、「中華人民共和国とは何か」「共産主義は70年を超えられない！」「中華人民共和国は自ら消滅する」等のことについて論じてみたい。

（2）中華人民共和国とその未来

中華人民共和国とは何か

現在の中華人民共和国は共産主義国家であり、その本質は1949年10月1日に建国されて以来まったく変わっていない。

ソビエト連邦では1985年にミカエル・ゴルバチョフが共産党書記長に選出された。彼は混迷するソ連政治の未来を拓くべく「ペレストロイカ」を実行しようと試みた。それはソ連型社会主義の枠内での自由化・民主化を実現しようとするものだった。しかし、当然のことながら共産党独裁の下で市民生活を自由化・民主化することは不可能だった。1991年12月にゴルバチョフ書記長をはじめ共産党幹部たちは自ら共産党独裁体制を放棄してソビエト連邦は自己崩壊した。

しかし、同時期に、一方の中国はソビエトと反対の道を歩みはじめた。共産党の独裁体制を保ち、8，500万と言われる中国共産党員によって全中国11・2億人（1989年）を支配する為に、体制を再建する道を選んだ。

かねてから改革開放路線に積極的で、自由化路線を選択しようとしていた胡耀邦総書記は長老左派により失脚させられ、天安門事件が起こる直前（1989年4月）に死んだ。それを機に、自由化を求める青年・学生達が天安門広場に集結し、100万人規模のデモと集会が行われた。政治体制の変革を求める波は全土に広がるかに見えたが、鄧小平中央軍事委員会主席が人民解放軍を動員し、3，500名もの若者たちの生命を無慈悲に奪い、自由と民主主義を求める運動を鎮圧してしまった（天安門事件1989年6月）。

中国共産党の公式発表では、「事件による死者は319人」とされ、ソ連共産党政治局の報告では、「3，000人の抗議者が殺された」としている。その後、趙紫陽総書記も失脚し軟禁された。やがて、江沢民が国家主席となり中国共産党保守派が指導権を握った。こうして共産党独裁が中国にそのまま存続し、8，500万人の共産党員は特権階級となりその基盤を安定させた。

マルクス・レーニン主義と毛沢東思想は手厚く保護され、国民はその信奉を強要され続けてきた。中華人民共和国は再び共産主義に先祖帰りしたのである。現在も、中華人民共和国は建国時とその本質はまったく変わっていない。

1990年代はじめに中国は鄧小平の指導の下に「社会主義市場経済」と自称する路線を歩みはじめた。市場経済を通じて社会主義の目標に到達するべく、西側の自由経済市場を利用しようというものであった。この戦略は中華人民共和国に有利な環境を造成した。米国をはじめとする西側のマスコミ、経済人、そして政治リーダーたちは「中国が共産主義を放棄した。そして本質的に変化を成し遂げた」と20年以上もの間、勝手に信じ込んだ。

その理解と判断はまったくの過ちであった。中国は経済と政治を分離し、経済の領域でのみ自由化を進めながら経済を発展させつつも、政治的には自由を認めないで共産主義と共産党独裁を堅持するものだった。きわめて安く豊富な労働力を提供できる経済市場として「社会主義市場経済」は大成功を納めたと言えよう。

中国は「世界の工場」となり、世界からの資本投資を受け入れて大発展を遂げ、中国の工場で生産された安価な商品は世界に輸出された。中国は経済が発展するとともに、それに比例して軍事力をひたすら拡大させた。１９９０年以後、前年比10％以上の軍事費増加を25年間も継続してきた。２０１５年の国防費は公式発表16兆９千億円（実際は約２倍）にもなり米国国防予算に迫っている（日本の6.8倍）。歴史上例を見ないほどのスピード軍拡だ。

人民解放軍が大規模になり、かつ近代化が達成されるとともに中国の国際社会に対する傍若無人な行動が目立ってきている。２０１０年ころからそれは特に顕著となった。日米に対する対決姿勢、国際法の無視、他国の領土・領海・領空への侵犯、公海を自国の領海化、経済市場への政治的介入等が激しくなりつつある。中国は相変わらず共産主義による共産党独裁国家である。共産主義の本質は単なる「独裁政治体制」や「計画経済システム」ではない。徹底した「狂信的な無神論信仰」と「共産主義哲学」が共産主義の本質を特徴づけている。

社会正義を実現するという名目で行う冷酷な圧迫、人間の尊厳をまったく認めない暴政、目的を実現するためにどんな手段に訴えても頓着しない冷酷さがもたらす大量殺戮、そして怨恨、憎悪、復讐を理想実現の手段と定めている事実も、すべてが「共産主義が神を否定し、人間を非人間化した」ところから来ている。

中国は、今や経済力（蓄積された資本）と自由市場の活用により、米国をはじめとする自由民主主義世界に深く浸透し、大きな政治的影響力を行使している。その最終的目的は、「米国をはじめとする世界のあらゆる諸国が中国に跪く朝貢国家となり、中国共産党の色に染まる」ことである。鉄のカーテンで自ら自由世界との関係を絶っていた崩壊前のソ連と共産主義諸国のほうが、現在の中国よりもはるかに対応が簡単だったと言える。

ソビエト社会主義共和国連邦は１９２２年に設立され１９９１年12月25日に崩壊した。ちょうど70年が満たされようとする時、突如崩壊し、世界は驚いた。

「共産主義国家は70年を超えられない」のだろうか？

中華人民共和国は１９４９年10月１日に設立されている。２０１９年10月１日で70年間が満たされた。果たして、これから中国はどうなっていくのだろうか。

中国の強い側面…共産主義イデオロギーの政治的運用に成功

１９９０年代の中国は「共産主義イデオロギー」と「非イデオロギー的な政治・経済の政策運用」を柔軟に融合して実行してきた。共産党独裁国家として共産主義イデオロギーに忠実であり、国民の自由を抑圧してきた。その一方、共産主義が厳しく禁じた私有財産の所有に対しては柔軟であり、土地の私有は許さないが、貨幣や金融資産等の私有を許可した。また「社会主義市場経済」という新しいイデオロギー経済政策を発明（鄧小平1992年南巡講話）した。

それにより日本や欧米の金融資本や企業に安価な労働力と土地を提供し、自由な企業活動を保障し「中国に自由経済市場を造る」と見せかけることに成功した。この政策は成功し世界から膨大な金融資本と投資を中国に呼び込んだ。日本をはじめとする欧米諸国などは中国との貿易の拡大により、中国経済発展の恩恵を受けた。しかし、その反面、米国をはじめとする自由主義諸国と中国との経済・政治関係は、切ることができないほどの深い関係にまで発展した。

かつて、ソ連を中心とする共産圏と西側諸国との関係は、経済的政治的に深く分断されていた。しかし、それとはかけ離れた両者の関係が造られた。

加えて中華人民共和国は、世界の多くの知識人、マスメディア、経済界のリーダーたち、そして政治的リーダーたちに「中国は、当時のソビエト連邦と同様、共産主義を捨て、自由主義世界の仲間入りをした」と誤解させることに成功した。その結果、自由世界の蓄積された資本と経済力を利用してソビエト連邦以上の国力を持った共産主義独裁国家として変貌できたのである。今や中華人民共和国は、世界経済全体を揺さぶるに充分な実力を持つにいたった。

中華人民共和国の経済は、1990年代後半に入り急速な成長がはじまり、世界の工場となる道を駆けのぼった。2010年には日本のGDPを抜き世界第二位となった。2020年代には中国の経済規模（GDP）が米国を上回るのではないかとさえ言われるようになっている。

経済の発展と並行して、人民解放軍の近代化とその規模の拡大による軍事力強化が最優先された。今や、国境を接する総ての国々を中国の軍事的支配圏にしてしまいかねない勢いである。中華人民共和国の本質は、もっとも好戦的で、攻撃的かつ侵略的であり、周辺国は決して信じてはならない国である。

共産主義中国は建国以後わずか65年間に韓国、米国、インド、ベトナム、ソ連、台湾と戦争および軍事紛争を起こし、東トルキスタン（新疆ウイグル自治区）とチベットを併合し、大量殺戮と強圧支配を繰り返してきた。

現在では南シナ海、東シナ海にある他国の領土・領海を「歴史的に自国の領土・領海である」と主張し、その行動は非常に暴力的、攻撃的になってきている。

前述したように、南シナ海ではほぼ全域（九段線内）を自国の領海と称し軍事施設を建設し、領土を拡大している。このことに反発したフィリピンは国際社会に訴え、常設仲裁裁判所にも訴えてきた。2016年7月12日、オランダ・ハーグにある常設仲裁裁判所は中国の主張と行動に「法的根拠はない」と判断を下した。本来この裁判所は法的拘束力があるが、しかし、執行力がない。習近平主席は「中国の領土主権と海洋権益は、仲裁の判断の影響は受けない」と断言し、国際法を無視した。戴秉国・前国務委員はワシントンの講演で「仲裁裁判所の判決はただの紙くずである」と国際法をあからさまに侮辱した。当時のバラク・オバマ大統領と米国マスメディアは辱められたことさえも気づかなかったようだ。

さらに、中国共産党の事実上の機関紙・環球時報は「武力対決に備えるべきである」と、全国民に中央政府の意思として伝えた。このことは中華人民共和国が「国連安全保障理事会の常任理事国でありながらも『国際法をまったく無視する無法者』として行動する」という信念を国民の意思として宣言したのだ。

中華人民共和国はもっとも戦争に適した国家

「独裁者による全体主義国家はもっとも戦争を行うのに適した体制であり、民主主義国家は戦争にもっとも不向きである」（『Why England Slept』John F・Kennedy）

ジョンF・ケネディは第二次大戦開始後まもなくのころ（１９４０年）、ヒトラーのナチスドイツを民主主義国の英国と比較し、その本質を上記のように指摘した。

彼が指摘したナチスドイツと英国との比較は、現在の中華人民共和国と日本とを比較する時により的確にあてはまるだろう。なぜなら現在の中国は、ナチスドイツよりも極端な独裁国家であるのみならず、国家の支配層が「孫子の兵法」をはじめとする戦略的伝統思想と共産主義哲学で徹底的に思想武装しているからである。

中国（漢民族）は歴史的に「孫子の兵法」等の戦略的伝統思想に絶対的確信を持っている。米国の代表的な戦略研究家エドワード・ルトワックは現在の中国の本質をこのように指摘している。

「中国は孫氏の時代から今に至るまで、古典に書かれた戦略の知恵が優れているとかたくなに信じている。『欺瞞』とそれにより可能になる『策略』と『奇襲攻撃』への過剰なまでの信奉がある。」というのである。

これは事実である。中華人民共和国の建国以来、国内においては幾度となく「欺瞞、策略、奇襲攻撃」を実行し絶えることなき権力闘争と殺戮が繰り返された。周辺諸国とも軍事的紛争の連続であった。米国に次ぐ経済力のみならず軍事力を所有するまでになった中国に対し、今や米国国防総省の常識は「極東地域の米軍と同盟国は中国による大規模な奇襲攻撃に対処できねばならない」というものとなっている。なぜなら、現在の中国は孫子の兵法等のいくつかの古典にある戦略的伝統思想に対し絶対的自信を持ち、かつ実践しているからである。

「中華人民共和国が先制攻撃をする可能性」を高くしているもう一つの理由は共産主義哲学への信仰である。中国共産党の巨人・毛沢東は「矛盾論」の哲学により現在の中国でも巨大な影響力を維持している。「矛盾論」は彼により1937年8月に発表された。毛沢東はレーニンの矛盾の哲学を中国革命の理論として適用した。

「総ての存在は例外なく矛盾を内包して変化や運動をして存在している。矛盾とは支配と被支配の関係にある対立物が一方において必要としあい（統一）、また闘争している状態をいう。統一とは互いに必要とし合う関係であり、闘争は排除し合う関係である。統一は一時的、特殊的なものであり、闘争が永続的、かつ普遍的である。やがて発展の過程で矛盾による対立物の支配と被支配の関係が逆転し、矛盾を内包する存在が新しい質へと転化する」

この矛盾の哲学は8，000万人の中国共産党員およびエリート官僚たちの頭脳と思考を支配している。この共産主義哲学は、漢民族が誇る古典に書かれた戦略の知恵と共通したものであり、彼らの優越性の根拠となり、ますます強い確信を与えている。欺瞞と策略、そして奇襲攻撃による「支配と被支配の逆転」、その結果としての「新しい質への転化」は、「発展のための必然性であり宇宙的な普遍的真理である」という哲学信仰への根拠となっている。そして、「新しい質への転化としての中国の夢、すなわち『中国による世界支配』は必ず実現する」という未来への希望と情熱を与えている。中華人民共和国の行動は中国共産党が信仰する矛盾論を現実化するものである。

かつて中国共産党とソ連は中国革命のためにこの哲学を実践し、中国革命を成功に導いた。中国共産党が中華民国の張学良率いる国民党軍に追い詰められ1936年に延安に到着した時に、人民解放軍はわずか6，000人にまで激減し、壊滅寸前であった。その時、中華民国東北軍司令官・張学良に謀略を仕掛け、中華民国軍事委員会委員長・蒋介石を西安に呼び込み、人民解放軍の捕虜にした。毛沢東は蒋介石を殺せる立場にあったにもかかわらず、ジョセフ・スターリンの命令により彼を生かし、国共合策（協力）を交換条件として受け入れさせた。

こうして中華民国政府が中国共産党と手を組み、最大の敵である日本軍を打倒するために統一戦線を組むことに成功した。それ以後、毛沢東の八路軍はまったくといっていいほどに日本軍と戦わず戦力を温存した。そして蒋介石の政府軍を日本軍との闘いの先頭に立てて国民党軍を消耗させた。

日本が降伏した後、毛沢東率いる人民解放軍は次に国民党政府軍との戦争を開始した。ソ連の圧倒的援助のもとに国民党政府を大陸から台湾へと追放し、１９４９年に中華人民共和国を建国した。当時の米国政治リーダーたちは、共産主義哲学を知らなかった。国家と世界レベルで展開され、実行されている矛盾の哲学に基づく統一戦線戦略を見抜けなかった。まさか自分たちが最終の敵とされていることに気づかず、米国は70年以上もの間利用され続けてきた。「敵（日本）の敵（国民党軍・米国）は味方」という統一戦線戦略に騙されてきた。

経済成長により中国に依存する国が多くなった

２０１５年になると、中華人民共和国は、かつてのソ連も遠く及ばないほどの経済力を持つ共産党独裁国家として成長した。ソ連は鉄のカーテンにより、自らを自由諸国から隔離したが、中国は反対に自由世界に入り込みその経済力を活用し、自由主義国の科学技術を吸収してきた。その結果、共産主義中国と密接な経済関係を持つ国家群には、むしろ経済を中国に依存する国が多くなった。こうして中国共産党が世界に行使する政治的影響力は巨大なものとなった。

中国共産党は一方で、急成長する経済力の大半を「軍の近代化と拡大」に20年以上も投入し続けてきた。彼らは共産主義哲学の矛盾論と孫子の兵法に心酔し、欺瞞と策略、闘争と奇襲攻撃を「普遍的かつ永遠的真理」として確信し、世界支配の野望に燃えている。中国共産党トップまたは中央委員会政治局が望めば、なんでも国家の機密情報に指定でき、機密の漏洩者にはどんな重刑でも加えられる。

「戦争準備」を継続し、また秘密裡に「大規模な奇襲攻撃の準備と開始」をするのに、現在の中国ほど適した国家はないだろう。中国は戦争の初期には圧倒的に有利な立場にあるとみるべきであり、きわめて危険な国家なのだ。

中華人民共和国と中国共産党の強い側面を見れば、やがて崩壊するなどとは想像することもできない。それどころか今や近未来に中国が西太平洋から米国を追い出し、日本、韓国、台湾を呑み込んでしまいそうである。アジアの近未来は中国が支配する時代になるかのように見える。

特に２０１０年ころから中国は対外的強硬路線を取りはじめた。そして、２０１２年に習近平主席が就任した直後からは、ますます明確な強硬路線となった。２０１３年11月、中国共産党第18期中央委員会第３回全体会議「三中全会」では不気味な内容のコミュニケ（公式声明）が発表された。「戦争ができ、戦争をすれば勝利する強軍の目標を定め、中国の特色ある現代的な軍事力のシステムを構築する」

中華人民共和国は習近平政権のもとでますます巨額の国防費を投入した。また彼は、諸々の演説で、コミュニケの内容を人民解放軍の将軍と兵士たちに繰り返し伝えつつ、意気軒昂で好戦的な軍隊を養成した。

中国の弱い側面…共産党独裁の70年間に「行政の腐敗という癌」を育てた

現在の中国は強い側面ばかりではない、驚くような欠陥と弱点が、様々な側面で噴出している。中共政権が近未来に崩壊に至る可能性があることを示す根拠が充分にある。

中国共産党員は8，500万人以上いると言われる。彼らは、全人口約14億433万人（2020年推計）を支配する官僚であり特権階級である。彼らは「国民のために」存在しようとはしていない。「共産党による国民の支配」を目的としている。共産主義の哲学がそうさせている。

共産党リーダーたちから見れば「中国内の内部矛盾とは中国共産党とそれ以外の国民」である。「両者は支配と被支配の関係にあり、統一と闘争を継続している」と考える。前述したように、これは闘争と統一を繰り返し歴史は発展するという共産主義哲学の基本であり、矛盾論の実践である。支配と被支配の関係が逆転することを恐れて中国共産党による支配を確固たるものにしようと必死である。

内部矛盾は共産党の中にもあり、そのあらゆる階層にあると信じている。党のリーダーは権力（支配する位置）を求めて、謀略で他を貶めて闘争と殺人を繰り返してきた。「矛盾の哲学」を実践して訓練を重ねてきた。彼らは「謀略、闘争と破壊の専門家大集団」による巨大組織を育成した。

自分の利益、利権を拡大するべく、より強い権力者につながり、賄賂と謀略により出世街道を歩むことに専念した。

その結果、中国古来の孔子や孟子などによって培われた伝統的倫理観は根本的に破壊され精神文化は喪失し、すべての共産党官僚は国民に対するきわめて無責任な行政行為を長年積み重ねてきたのだ。それが癌の原発巣《げんぱつそう》となり、中国社会の種々の腐敗を産み育てることとなった。

「共産党員の汚職蔓延、官僚の市民に対する横暴、工場排水による土壌と飲料水汚染、飲料水の不足、川や湖の汚染、極端な大気汚染、言論の統制、報道機関への干渉、インターネット情報の管理統制、少数民族への弾圧、宗教弾圧、極端な経済的格差社会の出現」等々、挙げればきりがないほどであり、またその一つ一つの程度が今やきわめて深刻な段階に来ている。

国民の怒りは火山の地下に蓄えられたマグマとなっている。一つのきっかけが直ちに大衆の暴動へと発展していく。中国当局が「群体性事件」(集団的な社会衝突を表す、暴動や騒乱と同意語)と呼ぶ〝抗議活動〟の発生件数は２０１１年には年間20万件（当局発表）にのぼり、この10年間で約4倍になったという。暴動の発生件数やその規模は大きくなりつつある。特に弾圧される少数民族「チベット族や東トルキスタン（ウイグル自治区）」の人々の反抗は先鋭化しており、それへの弾圧は苛烈をきわめている。

中国共産党当局は、大衆市民のインターネットによる情報伝達、広がり、そして組織化を恐れており、徹底的に市民を管理統制しようとしている。

現在、中共政府が治安維持の名目で国民を統制して抑えるために使う経費（公共安全費）は国防費（約17兆円・２０１５年）を超える。「公共の安全の為」という名目で、国民大衆の自由と要求を力で抑えようと天文学的資金とエネルギーを投入している。中国共産党は国民を脅威・敵としているのだ。

強い経済が今や深刻な弱点となった

90年代から25年間も経済の急成長を続けてきた中共の強い経済力によって、中国に自国の経済を依存する国が多くなった一方で、２０１５年に入ると弱い側面が際立ちはじめた。建国70年まで4年を残すこの年から経済的矛盾が噴出する段階に入った。

ＧＤＰ成長は前年比10％超の成長を続けてきたが、中国経済を研究する多くの専門家や欧米の機関投資家たちは、２０１５年にはそれが終わり、完全に低成長時代に入ったと指摘している。中国政府は２０１４年のＧＤＰ実質成長率は7.4％増と発表したが、この数字を共産党員ですら信じていないと言われる。成長率7.4％は共産党中央委員会政治局の失敗を隠すための官制（共産党が捜査した）データである。しかし、おかしなことに日本ではマスメディアの多くがそれを鵜呑みにしている。現実の中共経済全体はもはやバブルが崩壊しており、解決しようのない深刻なデフレ状態に突入しているのだ。

「中国経済は『一度に崩壊するハードランディングとなる』か、それとも『成長の後退と経済の縮小というソフトランディングとなる』かのどちらかである」と経済動向の研究機関や経済学者が警告している。

ロンドンに本社を置く世界的なマクロ経済リサーチ会社（Lombard Street Research Limited・ＬＳＲ）のダイアナ・ショイレバ氏によると、２０１４年の中国実質ＧＤＰ成長率）は、1.7％に急落したとしている。中国問題の専門家として名高い石平氏（拓殖大学客員教授・評論家）は正確な中国分析を提供することで名高いが、ほぼ同様の見解である。

「２０１４年の中国経済はほんの少ししか成長していないか、あるいはまったく成長していないかのどちらかであろう。」（想像以上に減速している中国経済２０１５年の展望…２０１５年2月3日石平「WEDGE Infinity」）

２００8年、リーマン・ショックによって米国と欧州諸国は世界的金融危機に直面した。金融崩壊を克服するために膨大な通貨を市場に供給して深刻な危機を乗り越えた。市場に供給された低金利の米ドルとユーロドルは収益を求めて中国に流入した。中国は供給された資金を不動産市場（住宅、ビル、鉄道、港湾、空港、道路等の建設）に流入するように党の行政が誘導した。これによって中国の不動産市場は巨大なバブルを引き起こし、中国経済の驚くべき高成長を牽引した。中国経済のGDP成長は、不動産部門への投資が異常に大きな割合を占めていたのだ。遂に、２０１４年には不動産バブルの崩壊がはじまり、このような基本的な経済政策は行き詰まった。

２０１４年10月、米国のノーベル経済学賞受賞者ポール・クルーグマンが来日し各所で自説を披露した。（ポール・クルーグマンは１９８2年レーガン政権で大統領経済諮問委員会の上級エコノミスト、世界銀行およびEC委員会の経済コンサルタント、現在ニューヨーク・タイムズ紙のコラムニスト）10月31日に日立製作所により開催されたフォーラム「イノベーション（革新）」や他の講演会で注目すべきことを語った。クルーグマン氏がもっとも心配しているのが中国経済の行方であった。

「成長率の低下や債務の上昇など状況は深刻で、ここから数年の間、世界経済にとってリスクになる。中国のことを本当に心配している。当然、日本のみなさんはもっと心配しないといけない。

中国の抱える問題はイノベーションや技術ではなく、マクロ経済の問題だ。……消費や内需が弱く、巨額の貿易黒字や投資で景気を下支えしてきたが、もはや可能ではない。世界経済の緊張の源になっている。……中国の投資額は国内総生産（GDP）の48～49%というばかげた水準となっている。年率10%成長ならこれだけの投資を維持することも可能だが、成長率はどんどん下がっており、債務水準が上昇している。

（不動産バブルが崩壊した）1980年代後半の日本に似ているが、もっと悪いかもしれない。今後、中国は大きな調整が必要になってくるが、うまく着地できるか。深刻な状況になっており、心を痛めている。これから数年、世界経済にとって中国はリスクになる。」

中華人民共和国の金融システムが崩壊する

経済成長の大黒柱であり続けて来た不動産バブルが崩壊しようとしている。住宅市場の不況は深刻になっている。すでに2015年には中国の代表的な70大都市で住宅価格は前年6月以後10カ月も継続的に下落を続けている。投資目的で建設する住宅市場が極端な供給過剰状態に陥っているからだ。天文学的数の空家やマンションビル群がゴーストタウン（鬼城）と化している。

中国社会科学院の「住宅白書」が「2015年の中国住宅市場は全体的に衰退するだろう」との予測を行なった。国務院発展研究センターの李偉主任は人民日報（2014年12月29日）に寄稿した。「2015年は長年蓄積してきた不動産バブルが需要の萎縮によって破裂するかもしれない」と指摘した。

このことについて前出の石平氏は以下の如く指摘する。

「国家直属のシンクタンクの責任者が『不動産バブル破裂』の可能性を公然と認めたのは初めてのことだ。中国最高の頭脳たちの間では、不動産バブルがそろそろ崩壊してしまう、という共通認識がすでに定着している」

住宅の売買による価値総額はGDPの約20%以上を占めており、不動産バブルの崩壊は中国経済に大打撃をあたえることになる。中国のGDP成長率が前年比7%に達するどころか、0%かマイナス成長になるのは明らかである。

今や、膨大な不良債権が発生しており、中国の金融システムが崩壊する可能性が高くなっている。その行き着く結果は、急激な中国経済の収縮と長期にわたる深刻なデフレ時代の到来である。

住宅の市場価格低下は中国全体の金融システムを破壊する危険性が高い。中国の金融システムで大きな問題はシャドウバンキング（信託会社が影の銀行になっている）である。一般市民、地方行政府、人民解放軍までもが、ハイリターンを狙い信託会社が発行する信託商品を買う。シャドウバンキングの扱う資金は約400兆円にもなり、中国GDPの約40%になると言われる。中銀万国証券研究所によれば信託会社はその50%以上を不動産開発業に投ずる。不動産開発業者は30%というきわめて高い利率で信託会社から借りることになる。不動産がバブル高騰を続ける間は不動産業者が信託会社（シャドウバンク）へ返済することが可能である。バブルがはじけて不動産価格が急落をし、さらに過剰供給状態で売却できなくなれば、不動産開発業者の信託会社への返済はただちに不可能となる。そうなれば不動産業者と信託会社がともに倒産する。シャドウバンキングのシステム全体が同時に崩壊することになる。

不動産バブル崩壊は2011年ころからの中国政府の金融引き締めが直接の原因となった。中国は2000年代に入り、10年以上、中央銀行が「元」を大量に印刷し市場に供給するという激しい金融緩和政策をとってきた。過剰な供給通貨のかなりが不動産投資に流れ、不動産価格が高騰し続け、そしてバブルが拡大してきた。それに加えて、2009年以後には米国と欧州で発生した金融危機を克服するために、米国と欧州で徹底した金融緩和政策が行われ、その結果膨大なドルが中国市場に供給されるようになった。

米国と欧州の景気の低迷により行き場のない金融資本は投資先を求めて経済成長の著しい中国市場に流れ込んだ。これは貨幣の市場への流動性過剰をもたらし、インフレを発生させた。激しいインフレは庶民の生活を危機に陥れるため暴動へと発展する可能性があり、それがすでに地方ではじまったのだ。中国政府はインフレを抑えこむため、2011年には金融引き締めを実行した結果、不動産開発業者や信託投資会社への銀行からの融資は激減した。さらに、2013年秋には個人住宅ローンの貸し出しを停止した。こうして経済の悪循環がはじまった。

不動産物件の販売不振　↓　不動産開発業者の資金繰り難　↓　不動産物件の値下げ販売　↓　不動産市場の価格下落　↓　不動産バブルの崩壊

不動産バブルの崩壊はシャドウバンキングの崩壊を引き起こす。そして中国経済の急激な委縮と長期のデフレをもたらす。それは、相互依存性が高くなっている世界経済にも大きな打撃を与える。特に中国との貿易に大きく依存する国には大きな打撃となる。

中国では正規の銀行ではない信託投資会社（闇金融）に、高収益を求めて投資をした市民の割合が、人口の1割を超える都市もあるという。地方行政府も同様に高収益を得るために積極的に投資してきた。人民解放軍までもが深くかかわった。この崩壊は市民の財産の喪失、地方政府の財政崩壊をもたらし中国経済全体の内需の低下をもたらしている。

また不動産建設が止まったため、鉄鋼、セメント、建設資材等の中国の基幹産業を停滞させてしまった。それらの生産工場はもはや停止しつつあり、多くの労働者が働く職場を失いつつある。中国の国内総生産（GDP）が2014年に入り急激に低下した。

しかも、その成長の低下と経済の委縮はマスコミの報道とは異なり想像以上である。前記のポール・クルーグマン（ノーベル賞受賞経済学者、米国）が「世界経済にとって中国は大きなリスクになる。中国のことを本当に心配している。当然、日本のみなさんはもっと心配しないといけない。」と言っているのは上記のような理由によるのである。

中国共産党の内部矛盾が拡大し政治闘争が顕在化

生死をかけた権力闘争が「腐敗撲滅運動」の名のもとに際限なく広がっている。習近平国家主席が就任（2012年11月）以来、共産党史上最大規模の腐敗撲滅運動を展開している。共産党中央規律委員会に無制限の腐敗捜査権限を与え、自分の盟友「王岐山」をその主任にすえた。

摘発の矛先は、まず中国共産党政治局前常務委員である周永康と家族および彼の手下たちに向けられた。次に、人民解放軍のトップ幹部・軍事委員会前副主席、徐才厚（制服組のNo.2）ともう一人の軍事委員会前副主席の郭伯雄の身辺にも取り調べがおよんだ。周永康は無期懲役と党籍剥奪となり徐才厚は党籍剥奪となった。彼らの手下も多数、投獄と党籍剥奪となった。

2年間の経過を見る限り摘発された人たちの中に、習近平の人脈（太子党）は一人もいない。また胡錦濤の人脈・共産主義青年団もほとんどいない。摘発されているのは総て江沢民派の実力者たちである。このことは胡錦濤の支持があり、そして習近平が腐敗摘発をしていることを示している。すなわち腐敗摘発運動は江沢民とその一派（上海閥）を排除する為の政治権力闘争なのである。

習近平主席は江沢民派の後押しによって今の地位についた。江沢民は「習近平擁立」の勢いに乗じて、新しい政治局常務委員会に自派の大幹部を送り込んだ。その結果、中国共産党トップに君臨する「7名で構成される常務委員会」に江沢民派幹部が4名となり、習近平指導部が江沢民派によって思うように動けない形となっている。江沢民を排除したい習近平と、江沢民に邪魔をされた積年の恨みを持つ前主席・胡錦濤が手を組んだのだ。

習近平主席は江沢民とその一派を排除してもこの戦いを終えることはできない。次に胡錦濤勢力の一掃のための闘争に突入するだろう。

やがて胡錦濤が第二の江沢民となり習近平の動きを拘束するようになるからだ。胡錦濤が主席の位

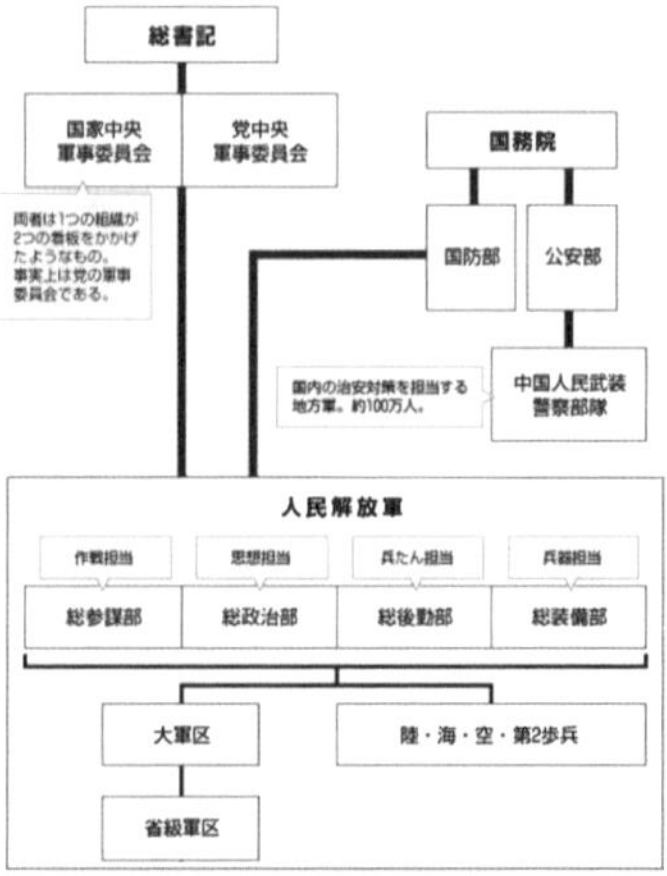

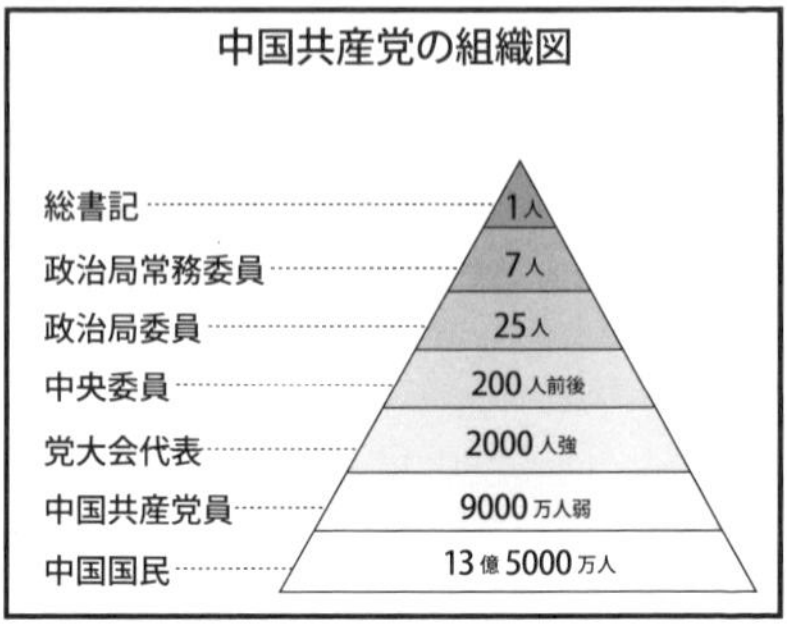

置を終える直前に、房峰輝を人民解放軍参謀総長（作戦を担当する最重要ポスト）に任命、さらに軍人の范長龍と許其亮を党の中央軍事委員会副主席に任命した。軍は前主席・胡錦濤人脈に握られている。さらに、胡錦濤派は共産党の政治局でも大きな勢力を擁する。中国共産党中央委員会・政治局委員は18名であるが、共青団派（胡錦濤派）の幹部が7名もいる。胡錦濤派軍人の2人（前記）を加えると、9名になり政治局委員の半数を超える。しかも彼らは若く、現時点で50代前半である人物が多く、政治局委員とその上の同常務委員には67歳以下という年齢制限が定着している。彼らは2017年開催の党大会後も政治局に残り、政治局常務委員の多くを占めることになるだろう。それゆえに、現在まで続けてきた習近平政権の「腐敗撲滅運動」はその攻撃の手を、遅かれ早かれ、胡錦濤派に向けるであろう。

習近平の完全独裁体制出現か？　それとも共産党組織の分裂による弱体化か？

2014年12月22日、中国の新華通信社は中央政界を震撼させる重大ニュースを発表した。胡錦濤前国家主席の側近の一人、令計画・人民政治協商会議副主席（党統一戦線部長兼任）について、「重大な規律違反の疑いがある」として調査を開始した。令計画は共産党内の主要派閥である共産主義青年団（共青団）派の中心人物として知られる。胡錦濤政権時代には政権の大番頭といわれる党中央弁公庁主任を5年間も務めた。彼の調査を開始したことは習近平の胡錦濤への挑戦がはじまったに等しく、またそれは習近平の太子党派と胡錦濤の共産主義青年団派との死闘の開始を意味する。

２０１５年4月、今度は胡錦濤政権時代の軍のトップであった郭伯雄・前中央軍事委員会副主席を汚職の疑いで拘束し、取り調べを開始した。すでに彼の息子とその妻が汚職の立件をされ、拘束されている。２０１４年、同時期に軍事委員会副主席を務めた徐才厚を拘束、取り調べがされた。もうすでに人民解放軍の将官級幹部30人が汚職容疑で立件されているが、１００人以上に拡大されると言われる。

徐才厚に続く郭伯雄の拘束と取り調べで、人民解放軍に衝撃が走っている。身の危険を感ずる者たちが結束しクーデターを起こしかねない。少なくとも人民解放軍と習近平政権（中国共産党）との間に、深刻な亀裂が入る。中央での軍と党との闘争が地方にも拡大することが考えられる。

一方、胡錦濤派は反習近平派（江沢民の太子党）の怒りを吸収し、共青団を中心に幅広い統一戦線を形成し、闘いを有利に導くだろうと予測できる。反習近平の統一戦線は軍部を中核にしてそれを共産党官僚へと拡大してゆくだろう。彼らは政治経済状況と8，５００万人もの共産党員の心の動きを見ながら機の熟する時を待っている。この戦いは時の経過とともに激しくなり、どちらかが倒れるまで続くことになる。

人民解放軍を掌握し皇帝になった習近平

２０１８年３月11日、習近平はきわめて大胆な施策を実行した。全国人民代表大会（日本の国会に相当する）が北京で開かれ、憲法の改正を承認させた。国家主席の任期制限を撤廃したのである。これにより国家主席は終身制が可能となった。また習近平の名前と政治理念が党規約に明記されることとした。総投票数２，９６４のうち、反対２票、棄権３票だった。この結果、彼は毛沢東に並ぶ権威を持つ中国共産党指導者となった。

何故歴代の総書記ができなかったことを、習近平は達成してしまったのか?

２０１８年の春に実行された大胆な施策に先立ち、彼の鬼門であった党（国家）中央軍事委員会を習近平直接統制下におくことに成功していたからであるといえる。

ここに至るまで、習近平は１００万人以上を汚職で処罰し、追放したといわれる。その処罰は彼の政敵（虎）とその人脈の党員に向けられ、彼らの内の多くは人生を事実上破壊され、家族は路頭に迷うことになった。「共産党中央規律委員会」には無制限の腐敗捜査権限を与えられた。その主任には彼の盟友「王岐山」をすえた。

習近平は自分に深い恨みを持つ巨大な敵を造った。彼の敵は、本来は彼に最も近い人、自らを後継者として育て、国家主席にまで道を開いてくれた江沢民であった。彼の勢力下の人たちが多数粛清された。また両者の対決を利用して支配力を強めようとする前国家主席胡錦涛とその勢力が、支配権を取り戻すチャンスを狙っていた。わずかな失策が原因で習近平が没落しても不思議ではなかった。

習近平は普通の人ではなかった。強運の持ち主だった。彼にとっては最大の鬼門であった人民解放軍を支配するというチャンスに恵まれた。

中華人民共和国は90年代から25年間も経済の急成長を続けてきた。不動産投資の過熱化が継続して、シャドウバンキングなるものが全土に現れた。銀行が扱う理財商品（ハイリスク・ハイリターンの金融商品）、委託融資（委託された資金を他の企業に貸し付ける）、信託融資等が中心的である。利率が高いが、もちろん元本保証はまったくない。２０１２年末には、既に合計約20．４兆元でＧＤＰの約39％に達していたという。２０１７年にはＧＤＰの83％にもなる。全土の地方政府は政府の統治資金を得るためシャドウバンキングに殺到した。人民解放軍の多くの将軍達は、国から支払われた軍の必要経費や部下達の給与を運用して、シャドウバンキングに投入して莫大な利益を得ていた。

しかし、２０１５年になると遂に中国の代表的な70大都市で住宅価格は10カ月も継続的下落を続けた。不動産開発業者は30％というきわめて高い利率で信託会社から借りている。シャドウバンキングによる不良債権の爆発的急増で、遂に金融システムは崩壊の危機に瀕するようになった。

人民解放軍の将軍たちが、軍の維持や、軍人たちの給料支払いができなくなり、反乱の危機に直面した。習近平は、中央政府から資金を投入して軍の混乱を解決し、交換条件に将軍たちに彼への忠誠を約束させた。軍のリーダーは習近平への忠誠と引き換えに、自分たちの地位の安定を得た。習近平国家主席は人民解放軍を政権力で支配することに成功した。

２０１５年11月、中央軍事委員会改革工作会議で人民解放軍の大規模な改革を宣言し、実行を開始した。７つの「軍区」を５つの「戦区」として再編し、陸海空を一体的に運用する統合作戦の指揮機構が戦区に造られた。旧「軍区」は歴史的に利権や地域ごとの有力者との結びつきが強く、独立的権力をも行使していた。しかし、改革により軍区ごとの権力は多くが分解され、中央軍事委員会が習近平党中央軍事委員会主席の独裁的指導に服することとなった。

過去の主席たちが軍区の反発を恐れて誰も手を出せなかったことを、習近平が成功させてしまった。こうしてこの政治的実績と人民解放軍の力を背景にして、習近平は憲法を改正し、終身主席に就任して遂に中国の皇帝になってしまった。

（３）沈む夕日…建国70周年を迎えた中華人民共和国
中華人民共和国が地平線の彼方に沈もうとしている

習近平の権力の掌握によって、中国経済の悪化に歯止めがかかったように見えたが、２０１８年に入り、中国経済の減速が目に付くようになってきた。中国経済に依存してきた国は、中国同様に経済状況が悪化しはじめた。ＥＵ諸国のなかで特に中国経済への依存が大きかったドイツとフランス、そしてアジアではオーストラリア、韓国、そして台湾経済に強くその影響が顕れた。

ドイツはＧＤＰの約半分が輸出により占められており、主要産業である自動車の３台に１台が中国に輸出されている。中国がくしゃみをすれば、ドイツは肺炎になるという人もいるほどで、米中経済戦争による中国経済の行方はドイツにとり深刻な課題となっている。

韓国は全貿易量の25％を中国に依存（ＧＤＰの11％）している。台湾は26％（ＧＤＰの16％）であり、より深刻である。オーストラリアは全貿易量の34％を中国に依存しているがＧＤＰに占める比率が３％であり、台湾や韓国ほどではなく比較的影響が小さい。ちなみに日本は全貿易量の19％を中国に頼るがＧＤＰに占める比率が３％であり、中国経済の縮小の影響が比較的少なくすみそうだ。それでも２０１８年末には日本の経済にマイナスの影響が大きく顕れている。中国経済が急激に縮小すれば、日本も大きな波をかぶらざるを得ないだろう。

中国経済の収縮に日本は準備をせねばならない。安易な消費税の引き上げは、日本の消費を減退させ、中国経済の縮小とのダブルパンチとなり、自殺的政策になる可能性がある。

中国経済の収縮がはじまった

中国では情報は共産党政府により全て統制されている。情報が公表される時には改ざんされたものだけであり、政府にとって不利なものは抹殺されている。それゆえ、中国政府の発表するあらゆる「経済データ」が信頼できるものではないことを前提に見なければならない。中国共産党政府は膨大な経済情報だけではなく、14億人の生活や行動まで統制下におこうとしている。

2018年には、習近平主席が「終身制の国家主席」となった。遂に毛沢東をも超えた権力者「皇帝」となったのだ。それだけにとどまらず全知全能の「神」になろうとしている。反対勢力を監視するために中国全土に監視カメラ1億7000万台が設置されている。この巨大な監視システムは天網《てんもう》と呼ばれる。今後3年間に、さらに約4億台が追加されるという。それらにはAIによる顔認証システムが備えられる。

しかし、それでも中国人の良心を黙らせることは難しい。2018年12月、向松祚・中国人民大学教授「国際通貨研究所副所長」が改革開放40周年経済フォーラムで過激発言をした。「中国経済の成長はストップしている。政府の発表ではGDP成長率が6％を超えているというが、実際は1％前後であり、マイナスとなるデータもある。」と怒りを込めて発言した。

この情報はインターネット動画で世界を駆け巡った。人民大学は中国共産党中央委員会の直轄下にある大学である。権威ある共産党内部からの情報でありその影響は計り知れない。

彼が指摘した中国経済の現状を裏付ける現象が様々な形で表れている。その一つが、2018年上半期の企業倒産件数、および失業者数が激増したことだ。

中国のポータルサイトにより伝えられた情報によると、倒産企業は540万社であるが2018年中に1，000万社に到達すると推察される。これらのすべては民営企業である可能性が高い。国営企業は優先的融資により救済されるので、倒産企業の中にはほとんど存在しない。

2018年上半期の失業者は200万人以上とされているが、農村部に帰郷させられる人々が

740万人おり、彼らは新たに失業した人々なので、新失業者総数が940万人となる。

28年間あり得なかったことが起こった。新車販売台数が前年比マイナス2.8%となったのだ。遼寧省瀋陽の米ゼネラルモーターズ販売店では、昨年の販売台数が激減して500台となり、1,320万円（80万元）の赤字となった。同販売店の販売台数ピークは、習近平が就任した2013年であり、1,300台だった。この年の中国全体の新車販売台数は前年比13.8%増だった。初めて2,000万台を突破している。（読売新聞2019.3.2）

中国最大の民営投資会社がデフォルトとなった

2019年1月29日、中国に衝撃が走った。中国最大の民営投資会社（中国民生投資集団）が債務償還の満期を迎えながら、債務不履行（デフォルト）となった。

この企業は民営企業ではあるが中国政府の全面的バックアップの下に資本金約8,000億円で2014年に設立された。急成長を遂げ2016年には総資本が約4兆8000億円にもなった。そんな民営企業がデフォルトとなった原因は、太陽光パネル企業への投資の失敗と、企業買収のための巨額負債による資金流動性の喪失である。

太陽光パネル事業への投資の失敗は、政治がらみの事情が原因となった。政府が重視する環境政策に、企業が歩調を合わせたためだ。政府は太陽光発電による電力の買取政策を実行し、さらに補助金政策までおこなっていた。企業側は中国政府が造った上げ潮ムードに乗って、太陽光発電の投資に拍車をかけた。しかし、２０１８年6月、突如、国家発展改革委員会が、中国の太陽光発電関連産業の発展に急ブレーキをかけた。「進行中の太陽光発電所建設の計画をすべて一時棚上げする。補助金はほとんど削減、太陽光発電の電力を全面的値下げする。」と通達した。

ほとんどの太陽光発電関連工場が停止し、関連企業が倒産に追い込まれた。太陽光発電政策を全面整理する。太陽光発電関連産業は暗黒期に突入した。中国最大の民営投資会社（中国民生投資集団）も、国家の電力政策にあおられ、そして梯子《はしご》を外された格好となった。負債総額が2，２００億元（3兆５０００億円以上）となり再建が危ぶまれている。（JB press ２０１９．２．28　福島香織）

近づく不動産バブル崩壊の時

中国の不動産バブルが破裂する時は、中国の金融システムが壊滅的崩壊に追い込まれる。その時には中国に起こった巨大な津波が徐々に影響を和らげながら地球を一周するのだろう。中国経済は南米ベネズエラのようなハイパーインフレに襲われることになる。

信じられないほどのことだが、ベネズエラの議会は「２０１８年の物価上昇率が年率１６９万８，４８８％だった。12月の月間物価上昇率は１４１％だった」と発表した。国際通貨基金（ＩＭＦ）は２０１９年中にインフレ率が年率１０００万％に達すると予測発表している。中国の不動産バブルが破裂すれば、通貨・元は単なる紙切れとなり価値はまったく失われる。この影響は中国経済に依存してきた国々がまず大きく受け、それから周辺に伝わってゆく。

人民大学の向松祚教授が中国不動産バブルの破裂時期が近いことを２０１９年に入り強く警告している。彼の指摘によれば「中国の不動産市場規模は売り出し中不動産の延床面積から推計すると60兆ドル（約6，600兆円）になる。全世界の1年分のGDPを合わせても70兆ドル（約7，700兆円）あまりなのに、そんな馬鹿な話があるだろうか！」（中国最大の民営投資会社がデフォルトJB press ２０１９．２．28　福島香織）と日本に対し深刻に警告した。

前述のように、２０１９年10月は、ポール・クルーグマンが警告した時からすでに5年が経過することになる。5年間でさらに大きな不良債務を積み上げ、経済のバランスはより大きく崩れている。そのことを指摘して、人民大学の向松祚教授があきれ果てている。

中国経済は今やハードランディングが必至で、ソフトランディングを望めなくなっている恐れがある。加えて、中華人民共和国の経済は大きな津波に襲われようとしている。それは米国との経済戦争である。現在はまだその影響は軽微であるが、２０１９年後半から本格的波が押し寄せてくる。

巨大な「双頭の〝灰色の犀〟」が暴れはじめるのか

習近平国家主席は２０１９年の1月に〝灰色の犀《サイ》を治めねばならない〟と説いた。彼は何処にでもある平凡な事柄で、普段は静かで平穏だが、いったん怒り狂い暴れ出すと誰も手に負えなくなる経済現象を〝灰色の犀〟で例えた。

あえて言いうならば中国にはとてつもなく巨大な化け物がいる。それは一匹の巨大な「双頭の〝灰色の犀〟」である。その片方の頭が不動産バブルであり、他の頭が企業の不良債権の蓄積である。この双頭は一つの灰色の巨体をコントロールしている。その巨体は富への欲望、政治権力、不法、無責任、詐欺、そして快楽を食べて成長した。この化け物が今にも狂暴化して暴走し、社会、経済、政治システムまでも破壊しかねない。切迫した状況を習近平国家主席が警鐘乱打したのである。

中国経済の巨大な不動産バブルは2014年前後から減速がはじまっていた。過熱しているかのように見えた不動産市場では、2014年9月に新築住宅価格指数が主要70都市のうち69都市で前月より下落し、上昇した都市はゼロだった。需要を途方もなく上回る住宅建設投資が継続されてきたが、それが限界にきていたのだ。中国政府は市場への資金供給を引き締める政策をしながら、逆に強い景気の減速を恐れて、市場に資金を供給し続けることを繰り返し、2019年に至っている。

その結果、今や巨大な灰色の犀が暴れ出しそうな兆候が現れている。読売新聞(2019年3月2日)によると、〝福建省アモイ(廈門)市郊外で昨年秋に販売がはじまった海岸沿いの高層マンションが、原価割れで売り出しても売れない〟という。今までの価格を3割近く割り引いても売れないし、購入目的で訪ねてくる人自体が少ないのだ。アモイ市は5大経済特区の一つであり、副省級市に指定されて、不動産の高騰が続いていた地域である。いまやアモイ全体で1年半分の住宅在庫が積みあがっているという。

中国メディアによると不動産市場の悪化は全国に広がっており、2018年の住宅販売面積は、北京で前年比9%、上海で4%も減少しているという。しかし、このメディア報道の数字が正確なものであるはずがない。情報が統制されているからだ。特に習近平政権下ではそれはあきらかである。実際にはその数字よりかなり厳しい住宅市場であるとみるべきだ。

中国は実体経済の悪化を受けて、企業による企業債の乱発がおこなわれてきた。２０１４年以後、特にそれが顕著になり現在まで問題にはなっていた。しかし、企業債権は償還されるべき時が必ずくる。

「２０１９年からその償還は急増し償還ラッシュになり、２０２１年にそのピークになるといわれている。２０１９年の償還予定の社債総額は5.7兆～6.2兆元（91兆円～99兆円）規模（国有企業債、民営企業債、CRMWなど）となる。そのなかでも地方政府融資プラットフォームの債権、民営企業債権、中小不動産関連債権の償還が、特に危ういとされている。２０１９年の償還期限を迎える不動産関連の債権は、第一四半期だけでも２２６３億元（３兆６０００億円）以上だという。２０１９年総計では９０００億元（14兆円）を超える。さらに加えて、国内債権だけではなく、海外の中国資本発行人のドル建て債権も同じような状況らしい。」

（中国最大の民営投資会社がデフォルト JB press　２０１９．２．28　福島香織）

と福島香織氏が指摘する。２０１９年だけでもデフォルトになる可能性の高い企業の不良債権が少なくとも1.8兆元（28．８兆円）もあることになる。この状況が３年以上続き、そのピークが２０２１年になるという。

建国70周年（2019・己亥）、大躍進政策（1959）、義和団事件（1899年）

2019年は60年に一度の己亥《つちのとい》の年である。60年前の己亥年・1959年は、毛沢東が前年（戊戌・つちのえいぬ）に「大躍進政策」を掲げた翌年である。己亥の年は絶好調であるが落とし穴に落ちる可能性がある年だという。大躍進政策は、国民のすべての私有財産を国有化した土台により農業・工業の大増産化を達成しようとした。毛沢東は15年以内に米国と英国の経済力を追い越すと豪語し、核兵器の開発にも成功した。

しかし、これが逆の結果をもたらすことになった。考えられないほどの人々が餓死したのだ。中国人が7，000万人以上、チベット人が1，500〜4，500万人が餓死したといわれる。

この政治的失策の延長上に1966年の文化大革命の悲劇がある。1976年9月に毛沢東が死ぬと、毛沢東時代は否定されるようになった。

奇しくも、習近平は今や毛沢東に代わる終身制の主席となり、自らの神格化を進めている。米国の経済・軍事力を追い越すと豪語し「中国製造2025」を掲げ、毛沢東時代と同様に国民への徹底した情報統制を実行している。今後、近い未来に習近平国家主席は糾弾され、毛沢東のようにまた追い落とされるのではないか。また、無実な中国国民が未曾有の悲劇に襲われるのではないか？

120年前の己亥の年（1899年）は中国清朝で義和団事件（興清滅洋）が起こった。1899〜1900年、西洋列強の進出に抵抗した中国民衆の排外運動だった。山東にはじまった義和団の運動が華北一帯に波及した。西太后と光緒帝の清朝は彼らを活用し列強に宣戦布告した。しかし、日・英・

米・露・独・仏・伊・墺《おう》連合軍に鎮圧された。清朝は莫大な賠償金と列強による軍事占領地域の拡大に苦しんだ。やがて、清朝の滅亡と辛亥革命（1911年）、孫文による中華民国の建国（1912年）へと至ったのである。

不思議なことに過去二度の「己亥の年」に起こった出来事が、中国全体の巨大な変化（革命、政治的混乱、未曾有の国民的悲劇）の原因となった。

2019年は60年に一度の「己亥の年」である。中国経済の崩壊をもたらす切っ掛けが造られるのだろうか？　それは同時に、中華人民共和国の政治的崩壊をもたらすだろう。また、それはその後の幾多の内乱と戦乱の勃発を意味する。それを裏付ける明らかな現象が現れている。

「中国の株式市場A株の利潤の約4分の3をわずか40社余りの不動産企業と銀行が独占している。GDPの約48％を家計債務が占める。家計債務の7割以上が不動産・住宅関連ローンである。政府制基金の9割が土地譲渡関連によるものであり、地方政府収入の7割を占めている。もし、不動産バブルが崩壊すれば、地方政府財政から企業、そして一般家庭まで阿鼻叫喚の地獄となるのは目に見えている。」と福島香織氏は警鐘乱打している。

そうなれば日本も大きな打撃を受ける。ポール・クルーグマンは「日本がそれに対応する準備をなぜしないのか？」と訴えたが、日本ではその深刻な事態に備える経済政策を指導する政治家たちの動きが見られない。また警鐘乱打する経済専門家はきわめて少ないようだ。

2019年は「己亥の年」である。中華人民共和国は10月1日に建国70周年を迎える。極端な共産党独裁国家は70年を超えることが難しい。ソビエト連邦の建国（1922年12月30日）から69年後にその崩壊（1991年12月25日）は突如やってきた。強力な共産主義国家が突如崩壊することを、その数年前に予想した人はほぼ皆無だった。あの巨大な軍事大国は突如として消えた。中国は70周年を迎える年だが、〝中国共産党を解散しない限り解決できない二つの根本問題「国内の経済問題と米国との経済戦争」〟を抱えている。

中国の隣、朝鮮民主主義人民共和国も建国70周年を2018年9月9日（1948年9月9日建国）に迎えた。70周年の年2018年6月に米朝首脳会談を初めて持った。第二回首脳会談（2019年2月27，28日）も開催されトランプ大統領により、金正恩の提案は拒絶され、再会談の可能性を残して会談は決裂した。

現在北朝鮮は三つの道のどれか、①「完全非核化による新発展の道」、②「厳格な経済封鎖による経済崩壊とクーデターや内乱で自滅（中国の支配下にはいる）する道」、もしくは③「米国の直接軍事力行使による金王朝の消滅」を選択せねばならない状態に追い詰められた。ほぼ3年以内に明確な結論に至ると言えるだろう。徹底した共産主義独裁国家はその寿命としての70年を1年だけでも超えるのが非常に難しいようだ。

（4）中国の自己崩壊はどのように起こるのか

中国崩壊の可能性

中国は不思議な国である。現在の中国でも漢族が人口の92％を占める。残りの人口８％が56の少数民族とされているが、明や清時代までは少数民族を含め５族として扱われてきた。少数民族に対する支配政策のため56に分割をしたと考えられる。圧倒的な人口を持つ漢族が歴史を通して中国を支配して当然と思うが、不思議なことに幾度も漢族による王朝が少数民族により倒され、そのたびに漢族が少数民族の王朝に支配されてきた。

孫文の「中華民国」から「中華人民共和国」は漢族が１０３年間支配しているが、それ以前は満州族の「清朝」が２７６年間、全中国を支配した。清族は現在でも約１０００万人（推定：現中国人口の０．０７％）しかいない。それがなぜ漢族を完全に支配できたのか不思議である。清は明（漢族の王朝）を滅ぼし王朝をたてた。強大な政治権力を持ち、かつ、人口も圧倒的多数の漢族王朝「明」が「清」に滅ぼされた原因は、政治的腐敗と内部の権力闘争、そして国民の不満と怒りの蓄積であった。

中国では同様のことが歴史上何度も繰り返されてきた。現在までの中国２０００年の歴史をさかのぼれば、約３分の２の期間（１３００年以上）、経済力でもはるかに劣る少数民族に敗れ、支配されてきた。

この歴史的事実を良く知る中国共産党は少数民族を潜在的脅威とみなし、厳しく監視統制し、特にチベット族やウイグル族（東トルキスタン）には苛烈な弾圧を続けている。70年を迎える中華人民共和国も、前述したごとく深刻な解決不可能の「内部矛盾」が吹き出ているが、それを相も変わらず単純に力の行使と恐怖心を与えて押さえこもうとしている。

このようにして過去の歴史的事実から中華人民共和国の今後を見る時、内部崩壊する可能性が決して非現実的なことではなく、充分にあり得ることだ。

自己崩壊が起こる

外交政策と軍事戦略研究の世界的権威として知られるエドワード・ルトワック（Edward N.Luttwak）が、中華人民共和国の崩壊についての注目すべき見解を述べている。

実際、独裁政権は最終的には崩壊しやすいものである。しかし、独裁政権にとって、起こるであろうと推測できる脅威は、予測もしやすく、それを弾圧するのも容易である。そのため独裁体制にとってより危険な脅威とは、「予期できず、起こりそうもないもの」の方なのだ。

エドワード・ルトワックはこれを説明するために一つの例をあげている。それは、２０００年12月にアフリカ・チュニジアで国民の中に起こった暴動により独裁政権が崩壊してしまった事実である。チュニジアでの暴動による独裁政権崩壊はジャスミン革命と呼ばれた。この出来事が直ちに、エジプト、リビア、イエメンに連鎖し、強固な独裁政権が次々と崩壊した。そして他の中東の独裁政権はその基盤を揺さぶられた。

「チュニジアの独裁者（ザイン・アル＝アービディーン・ベン・アリー）は、23年間にもわたり組織化されたあらゆる抵抗への試みを、総て効果的に弾圧してきた。

ところが、２０１０年12月16日~翌年1月14日のわずか1カ月未満の間に、チュニジアの全土にわたって自発的に起こった暴動により倒されてしまった。この暴動は２０１０年12月16日の朝、26歳の露天商モハメド・ブアジジが街頭で果物や野菜を販売しはじめたところ、販売の許可がないという理由で「女性の地方役人」とその手下に野菜と秤を没収され、さらに役所の女性職員から暴行と侮辱を受けたことだった。（ブアジジは没収された秤の返還を求めて3回役所に行ったが、引き換えに賄賂を要求された。3回とも追い返されたブアジジは、同日の午前11時30分、県庁舎前で）これに抗議するためにガソリンをかぶり焼身自殺を図ったのだった。

ブアジジの家族の説明によれば、彼の行動は、単に女性の役人に虐待を受けた屈辱感に駆り立てられたものだったという。ところが社会進出した女性に対する反発は、ムスリム社会では一般的なものだった。この社会進出はベン・アリー政権により熱心にすすめられていたものであり、西側からすればこの政権の唯一の取り柄であった。」（『自滅する中国』エドワード・ルトワック著　戦略国際問題研究所ＣＳＩＳ・上級アドバイザー）

チュニジアの独裁政権は、強権による人権の弾圧や、政治経済的な破綻、または支配層の権力闘争などが原因で崩壊したのではなく、ムスリム社会では思い切った革新的政策である「女性の社会進出」を実行したことが原因となり、暴発するエネルギーが見えないところで成長していたのである。

「独裁体制にとってより危険な脅威とは、『予期できず、起こりそうもないもの』の方なのだ。」という彼の説は充分な説得力がある。

１９９１年12月25日に起こったソビエト連邦の共産党独裁体制の崩壊も、エドワード・ルトワックの主張の正しさを証明している。

まさかソビエト共産党の書記長（ゴルバチョフ）自らが、ソビエト連邦を崩壊に導くとは、一体、誰が想像し得ただろうか。ソビエト共産党員の誰もが予期せず、起こりそうもないと思っていたことが、ソビエト連邦共産党独裁体制の最大の脅威となったのである。

ソビエト共産党の最大の脅威はゴルバチョフと何人かの賢明なリーダーが、これ以上米国と対決する能力、米国に勝利する可能性、その価値等がまったくないことを見抜いていたことだった。そのため彼らが自ら共産党保守派リーダー達のクーデターを抑えてしまった。ソビエト連邦にとっての最大の脅威は、何と政権中枢に存在していた。だから、それを防御することがまったくできなかったのだ。

中国の崩壊も中国共産党にとって「予期できず、起こりそうもないもの」が原因となって崩壊が起こる可能性が高い。習近平政権中枢や、８，５００万人の中国共産党員も知らない中国の内部で進行しているなにかが引き金となり、自己崩壊が起こる可能性がある。

崩壊後の中国は何処へゆくのか

中華人民共和国は、かつてのソビエト連邦のようにその共産党独裁体制を失った場合、どのような国状になっていくのだろうか？

かつて冷戦時代の終結や石油危機の到来を予見し、的確な分析で定評のある長谷川慶太郎氏（元新聞記者、国際エコノミスト）が次のように予測している。

〝中国は直ちに七大軍区に分裂する。それぞれの軍区が生き残るために、食糧、石油、電力、水、輸送のインフラ（鉄道、港湾、空港）、油田、穀倉地帯等の確保を最大限にするべく、軍事力を行使して、互いに激しくぶつかり合うだろう。

中央の独裁体制が崩壊する時、中国経済と金融システムは、それ以前か同時に崩壊している。中国内の武力戦争による大混乱が続くことになる。

人民解放軍はソビエト軍とは大きく異なる。ソビエト軍は完全に共産党の支配下にはいり厳格な規律により秩序を保っていた。人民解放軍は七大軍区から成るが、それぞれの軍区が独立的であり、複数の省（行政区）にわたり政治経済力を行使している。独立国の様相を持つ。〟（大破局の反日アジア、大繁栄の親日アジア　長谷川慶太郎著・ＰＨＰ出版）

かつて、鄧小平が国家主席ではないのにトップの座を維持したのは、中国共産党中央軍事委員会主席であったからである。国家主席であり、中央軍事委員会主席を兼ねていても七大軍区を実質的に支配できなければ、統治力は無いとみるべきだ。それほど人民解放軍は共産党に対する独立性を保っており、かつてのソビエト軍とは性格が大きく異なる。中国共産党のトップにとり七大軍区の統括は難しく、それぞれが独立国のようであると考えてよいほどであった。

しかし、２０１５年11月、習近平は中央軍事委員会改革工作会議で人民解放軍の大規模な改革を宣言し、実行を開始した。7つの「軍区」は5つの「戦区」として再編され、陸海空を一体的に運用する統合作戦の指揮機構が中央軍事委員会と各戦区に造られた。この結果、2021年現在では軍の各戦区の独立国家的性格は失われ、習近平国家主席の中央集権的支配下に入っているといわれる。

しかし、中国共産党の中央政府独裁指導体制に罅《ひび》が入り共産党政治組織が弱体化すれば、最初に実力者集団の軍がそれぞれに分裂して政治的独立体制を取り戻して、政治的統治機構を構成して国家を形成するだろう。五大戦区のなかでも北戦区（主に旧瀋陽軍区からなる）の動きに注目するべきだ。人民解放軍全体の約70％の陸軍を擁する大集団である。ロシア国境と朝鮮半島の有事に対応するため、群を抜いた最大規模となっている。

中華人民共和国が崩壊した後には、この軍事大国が北朝鮮の北の瀋陽を拠点に出現する。瀋陽軍区はいままでも北京政府に反発して北朝鮮と近い付き合いをしてきた。朝鮮半島の平和にとりきわめて厄介な状況が出現することになる。

また、軍事的紛争の成り行き次第では、少数民族が徐々に独立するだろう。軍事政権は軍の特質からイデオロギーよりも実務的能力を尊重するため、軍区が土台となって独立した国家の中には、台湾、あるいは韓国、日本に接触し自由化による民主主義や近代化を求める国もでてくるかもしれない。

しかし当分の期間、中国大陸内部が安定期に入るまでは日本や韓国が関係を持つことは多くの混乱に巻き込まれることになる。なぜならば複数の国が核兵器を所有する軍事国家となるからである。彼らは核兵器所有、各々の勢力の拡大、そして富の拡大を求めて互いに軍事的対決が拡大されることになるだろう。中東の紛争地域のように安全保障と政治的安定が脅かされる環境になるため、経済的繁栄は遠のくことになる。大陸から日本に大量の難民が押し寄せてくる可能性すら考えられる。

PART5　大英帝国の世界支配

（1）世界帝国の出現

ここまで自由主義と共産主義を代表する米国と中国の対立を軸に現在の世界情勢と今後の見通しを見てきたが、ここからは少しさかのぼって、かつて世界を支配した大英帝国の残したものと今後の世界との関係について見ていきたい。

圧倒的な海軍力の所有国家となり、安全な商取引を可能にした英国

英国は、奴隷労働で繁栄の基盤を創り、帝国主義に基づく植民地政策により「7つの海を支配する」といわれる「大英帝国」として、「人類歴史上最大のグローバル国家」を形成した。しかし、残念ながら大英帝国繁栄の基盤は奴隷労働により造られたのであった。

ヨーロッパは、16世紀までは「戦争が連続する歴史」を生き抜いた国々で構成される貧しい地域であった。過去においてはアジアからの遊牧騎馬民族に苦戦を強いられ、やがて自らの技術力で強力な火器（鉄砲、大砲）を造りだすと徐々に有利な位置に立つようになった。

そのようななかで最終的に英国の覇権が世界的に確立されてきたのだ。

特に18世紀になると戦争は自国から遠く離れた地で行われたため、国の大きな財政負担となった。支配地域が拡大する半面、国民には多くの税が課されるようになった。しかしながら、英国はそのような状況でも経済成長を続けていた。英国は他のヨーロッパ諸国と大きく異なる諸特徴をもっていたため、いろいろな側面で他の諸国に比して例外的であったといえる。

オランダ、スペインそしてポルトガルは、商人が傭兵たちを雇い商船に乗船させ大西洋に進出し、その後太平洋にも進出した。彼らは傭兵により身の安全と商業取引の安全を守った。しかし、英国は、海の海上交通線の安全と自国の商人たちの商取引の安全を保護する役割を、強力な英国海軍が担当する形を選択した。そのため、自国と世界の植民地とをつなぐ海上交通線の支配と安全の保障を担保でき、効率的で安全な商取引を可能にした。また、その商取引の増大に比例して英国は強力な海軍力を持つようになった。

このような動向に拍車をかけたのは、19世紀半ばに蒸気機関の実用化とスクリューの発明による新型(帆に依存しない)艦船の登場したことだった。それは英国海軍に外洋での自由とスピードを与えた。帆船と異なり、より高速で航行し、風の状況に拘わらずに自由に艦船の進む方向を選択できた。科学技術の活用により英国は世界の海上交通線をより有効に支配できるようになり、圧倒的な海軍力の所有国家となった。そして海外貿易の安全性の向上は、英国に膨大な富をもたらした。

ヨーロッパ諸国は、戦争の最中でも海洋を活用した貿易を活発に継続していた。中立国のスウェーデン、デンマーク、米国や中立都市のハンブルグを拠点として、敵国同士でも互いに海洋の交通線を活用して貿易をしていたのだ。その結果、海洋貿易による関税によって、戦時でさえも経済を成長させていたという。このような状況をもっともうまく活用できたのが英国だった。大規模で攻撃力の強い海軍力が安全な商取引を可能にしていたわけだ。

海洋国家として成長をはじめたヨーロッパ諸国

16世紀以後、特にヨーロッパは世界の他の地域と異なり、「海洋国家」として発展をはじめた。特に、アフリカや新世界（南北米、と中南米）との大西洋貿易がもっとも大きな富の源となっていた。アジアとの貿易は古くからおこなわれており、主に「陸路」で継続されてきた。16世紀以後は陸路での貿易もさらに拡大した。しかし、同時期に行われた大西洋をまたいでの「新世界とヨーロッパの貿易量増加」は「アジアとの陸路貿易量増加量」の2倍を超えていたといわれる。とりわけ英国の海洋進出は目覚ましいものだった。

大西洋貿易の事実上のはじまりは、ポルトガルによる。それは奴隷貿易と奴隷によるプランテーション生産物の貿易だった。ポルトガルの商人は、西アフリカで黒人権力者から黒人を奴隷として購入し、中南米のポルトガル・プランテーションに売ったのである。プランテーションでは奴隷の労働により砂糖やコーヒーを栽培し、それらをヨーロッパに販売し巨大な収益を得ることができた。「奴隷を買い、プランテーションに売り、奴隷労働で砂糖やコーヒーを生産、それらを買い、ヨーロッパに運び販売して高収益を得る」というポルトガルのスタイルがヨーロッパ諸国の新世界に進出するためのモデルとなった。各国はポルトガルのあとを追い、そしてそれを真似た。

スペイン、英国、フランス、オランダ、デンマーク、スウェーデン等が奴隷によるプランテーション経営に突進した。こうして奴隷制度を容認する価値観はヨーロッパに醸成され定着し、19世紀半ばまで続いた。

現在では、奴隷制度といえば北米における黒人奴隷のイメージが強いため、英国が最大の奴隷売買国家かと思われているが、もっとも大量の奴隷を購入し新世界に投入したのはポルトガルだった。その数は580万人以上とも言われている。しかも、ポルトガルはスペインとともに最初に奴隷貿易をはじめ、また最後まで継続した国である。

とはいえ、英国は326万人もの黒人奴隷をアフリカから購入し、北米を中心に奴隷労働による植民地政策により巨万の富を得た。

ちなみに、各国の奴隷購入人数は、フランス：138万人、スペイン：106万人、オランダ：55万人、USA（米）：30万人、デンマーク：11万人である。これらの国の数とポルトガルや英国を合わせた総計は1250万人以上（Ecoy University:www.slavevoyages.org より）にもなるという。

ポルトガルの奴隷労働を活用して富を得るモデルを、当時の英国が真似たことは間違いない。また、大西洋貿易により奴隷を活用することが大英帝国の富を蓄積する基盤となったことは事実である。

しかし英国は、スペインやポルトガルと異なる側面を持っていた。大きな違いは、奴隷を北米での綿花の栽培に活用したことだった。その綿花を英国に運び、綿織物を生産し付加価値を加えた。しかも、産業革命により品質の良い綿織物の大量生産が可能となっていった。それを自国と世界の市場で売りさばいたのだ。このことは、当時マンチェスター等で起こっていた産業革命に力強く後押しをされたものだった。

産業革命は英国の大西洋貿易を他の諸国よりも有利に導き、そして強化した。大西洋貿易の富は、英国の産業革命をますます発展させるという好循環を生み、英国の国力は急速に増強された。英国繁栄の基礎は「奴隷制度と大西洋の海洋貿易」がもたらしたものであった。

「アレクサンドロス大帝国とローマ帝国」以来の世界帝国がヨーロッパに出現した

ヨーロッパは15世紀半ばにはじまる大航海時代以後、地球上の他の地域に比べてぬきんでた大発展をはじめた。ところが、ヨーロッパに出現した諸国家は、かつてアジアに現れた大帝国の拡大や進出と大きく異なる「発展拡大の形」をとった。

このことについて玉木俊明著『海洋帝国興亡史』に明解に述べられているので引用したい。

「モンゴルやイスラム勢力の拡大は陸上ルートでなされた。中国の領土拡大も基本的には陸上ルートだった。大艦隊を有したオスマントルコでさえ、陸を通じて領土を拡大したと言えよう。アジアの拡大は陸上ルートであったが、ヨーロッパの拡大は海上ルートでなされた。……

〝ヨーロッパの海外発展〟と〝世界を制覇したのはヨーロッパだけであった〟という事実の関係は見逃されるべきではない。」

「西ヨーロッパ諸国は海（大西洋、インド洋）に進出したため、真にグローバルな規模で世界を制覇した最初となった。しかし、アジア地域では陸上ルートを通じて領土を拡大して大帝国をなした。それらは一つの大陸内の世界帝国にすぎず、グローバルな帝国とは言えない。」と指摘している。

当時、海は誰にとっても恐ろしい場所だった。ヴァスコ・ダ・ガマはインド南部で死に、マゼランは世界一周の途中にフィリピンで殺された。18世紀の英国人海洋探検家キャプテン・クックはハワイで先住民に殺された。また当時の船員たちの生活環境はきわめて危険であり、劣悪なものだった。なぜ、ヨーロッパ人たちは、そのように危険な海にあえて進出したのか？

海洋帝国興亡史は言う。「ヨーロッパでは一般的に、アジアや他の地域に比べると自分たちは貧しいと思っていた。またイスラム勢力の軍事力や、東側の遊牧民たちの力に押されていた。そのため内陸部、すなわち東に向かって進出することはできないので、大西洋に進出するしか道がなかった。より豊かで強くなるために、他地域の産物を収奪し、持ち帰る必要性があった。そしてアジアの海まで進出し、世界を支配した。」

ポルトガルによる奴隷貿易

大西洋貿易は、事実上ポルトガルの奴隷貿易と奴隷によるプランテーション生産物の貿易によってはじまり、ヨーロッパでの最初の「世界的海洋帝国」としてポルトガルが君臨することになった。

ポルトガルはバルトロメウ・ディアスがアフリカの喜望峰に到達（１４８８年）した。その後、アフリカの西岸（南大西洋岸）と東岸（インド洋岸）の長い海岸沿いを領土化した。当時の航海技術では、インド航路には食料や飲料水を補給する寄港地が必要であった。アフリカの最南端である喜望峰の東方にポルトガルが築いた寄港地がケープタウンである。

ポルトガルにとってアフリカの拠点は、南大西洋とインド洋の制海権を握るための戦略的な拠点となった。そして、南大西洋の対岸にブラジルを発見した（1500年）。やがて、南米大陸の東岸は膨大な領域がポルトガル領となった。

アジアに対しては、ヴァスコ・ダ・ガマがインド航路を開拓しインドのカリカッタに到達していた（1498年）。まもなく日本にまで至りイエズス会による宣教に成功し、武器の商取引で利益を得ることになる。ポルトガルは、こうして大西洋とインド洋（アジア）にまたがる最初の世界的海洋帝国となった。

しかし、ポルトガルは、世界的海洋帝国内で行われる商取引や活動に対し、国家としてはほとんど関わらなかったようだ。ポルトガルでは商人たちが自ら武装して活動の先頭に立っていた。

大西洋やインド洋は地中海や北海・バルト海に比べれば途方もなく広かった。そのため新しい大西洋経済圏は長い時間とコストをかけて徐々に成長した。南米大陸の多種の農産物がヨーロッパに持ちこまれたのは18世紀だったと言われる。

やがて、ポルトガル商人たちは富を生み出すために新しい経済システムを生み出した。西アフリカから奴隷を買って、ブラジルに移動させ、砂糖きびを生産するプランテーションで労働させ、砂糖を生産する。その砂糖をヨーロッパに運び売りさばくシステムだ。こうして、ポルトガル商人の砂糖がヨーロッパを席巻し、膨大な富を生み出すことになった。この忌わしい奴隷貿易がもっとも盛んなったのは18世紀のことで、この「植民地経済システム」は、スペイン、オランダ、イギリス、フランス、デンマークへとひろがっていった。

ヨーロッパに資本主義社会が出現するためには資本の蓄積がなされねばならなかった。そのための土台となったものが「奴隷制を活用した植民地経済システムによる富の蓄積」であったといえる。

世界的海洋帝国としてのポルトガルの特徴は、世界への進出が政府によってではなく、「商人たちが自ら組織して成し遂げられていった」（海洋帝国興亡史）ところにある。それはポルトガルの国力が低下しても存続することを可能にした。国家の保護がないなかでも世界に広がったポルトガル商人たちが海洋帝国を維持し続けたのだ。

この時代にスペイン、オランダ、フランス等は「ヨーロッパ内での帝国」としてヘゲモニー国家になりえた。しかし、これらの国々は世界的なヘゲモニー国家にはなりえなかった。ヨーロッパで最初の世界的海洋帝国は正にポルトガルだったのだ。

「世界海洋帝国ポルトガル」を相続し拡大した「大英帝国」

ポルトガル海洋帝国を受け継いだだけではなく、さらにそれを拡大したのは英国だった。たとえば最初にインドに到達したヨーロッパの国はポルトガルだったが、インド帝国を築きあげたのは英国だった。シンガポールはポルトガル領となったが、すぐにオランダ領になり、やがて英国が領有することになった。シンガポールは現在でも英連邦に属する。（海洋帝国興亡史より）

英国はヨーロッパで最初の世界的海洋帝国であるポルトガルから幾多のものを受け継ぎ、さらにそれを拡大し、二番目に顕れた世界的海洋帝国「大英帝国」として成長した。

具体的には、もともとポルトガルの植民地があったインド、シンガポール、その他の幾つかの地域を、英国がポルトガルやオランダから奪って、さらに発展させた事実に良く表れている。

北米植民地が、やがて英国との戦争によりアメリカ合衆国として独立（１７７６年）した。そのため英国は北米の奴隷と綿の供給地を失った。その代替地がインドとなったのだ。アメリカ合衆国が英国から独立した後、インドはもっとも重要な大英帝国の植民地となった。

植民地を拡大する過程で英国は、新世界での「奴隷によるプランテーション経営」と「砂糖の生産」による商取引で富を生み出す経済システムを、ポルトガルから相続した。さらに、それにとどまらず、そのシステムを北米では奴隷を活用した綿花生産に転換した。そして、それを英国本土での木綿の布地生産に結びつけ、やがて紡績機の発明によって、安く質の良い木綿を大量に生産するようになった。それは、産業革命によりますます推し進められ、英国で生産された安くて質の良い綿製品が世界の市場を席巻するようになった。

（2）帝国主義が世界を支配する

帝国主義政策による拡大

19世紀はじめのナポレオン戦争（１７９６～１８１５）が、英国による覇権確立の契機となった。オランダはフランス革命（１７８９年）の後フランスの衛星国となり、その後ナポレオン・ボナパルトにより帝政が樹立され、彼が皇帝になると、彼の弟（ルイ・ボナパルト Lou I S Bonaprate.）がホラント王国（オランダ）の国王となり、オランダはフランスに併合された。そのためオランダの諸植民地は宗主国を失った。これを機に英国はオランダの植民地を奪って、それらを支配することになった。南アフリカのケープ植民地、セイロン植民地、東インド（インドネシア）も英国が支配した。

英国はシンガポール島とその港をマラッカ海峡地域での自由貿易の拠点として確保、さらに１８２６年には東南アジア支配の拠点として海峡植民地（ペナン、マラッカ）を得た。その後マレー半島を英国の保護領とし、19世紀末には英領マラヤとした。

北米植民地が英国との独立戦争に勝利しアメリカ合衆国として独立した後、英国はカナダへの植民を拡大し１８６７年に連邦政府の支配下においた。

さらに、アジアへの進出をはじめ、やがて北米からインドに帝国主義政策の重点を移した。１６００年には、すでにイギリス東インド会社が設立され、英国はそれに貿易の独占権を与え、その後、国家の力を背景とする保護貿易を継続してきた。イギリス東インド会社はもともと自衛のために独自の軍事力を所有しており、貿易の拡大とともに軍備の拡大を続けていた。しかし、英国本国によるインドに対する直接の軍事的政治介入が強まるのに並行して、東インド会社は徐々に変質し、19世紀に入ると正式に英国帝国主義の出先機関となった。英国はその強力な軍事力を行使して、１８５８年にムガル帝国を廃し、遂にヴィクトリア女王を皇帝とする「インド帝国」を成立させた。「インド帝国」とは英国の植民地となったインド全土を称したものである。その後、東インド会社は消滅する運命となった。

英国は1771年に中国（清国）の広州に英国の商館を設立した。それは中国茶を英国に輸入する広東貿易が主たる目的であった。当時の英国では紅茶ブームが起こっていた。それに乗じて紅茶は輸入超過となり貿易赤字が急増することになった。するとインドからアヘンを清国に持ち込み、麻薬販売を拡大するという策を使い、その利益で紅茶を英国本土に輸入したのだった。中国に体を蝕むアヘンを売って利益を貪る英国に怒り、清国政府は戦争を起こした。これがアヘン戦争（1840～42）であるが、英国は軍事力で圧倒し、清国は敗戦してしまった。

その結果、英国は香港を割譲させ、沿海の5港を開港し、九竜半島市街地を支配した。さらに、日清戦争後に、英国は清国の分割支配を拡大し、長江流域の広大な地域を租借して支配した。

英国は19世紀後半までに、自国から東アジア（中国）に至るまでの航路のすべてに、きわめて有効な拠点を確保した。このことはアジア交易での英国の優位を確立させることになった。さらにこの時代には、外洋に乗り出す船が帆船から蒸気船に代わり、船が航海するために水と石炭を大量に供給できる安全、かつ安定した拠点が絶対的に必要とされるようになったのである。

英国は1888年にすでに開通していたスエズ運河の管轄権をエジプトから奪い、中立地帯とした。スエズ運河を経てインド、東南アジア、中国に至る重要戦略拠点を確保し、さらにアフリカへ進出する重要拠点をも支配するようになった。この事実によって英国の優位はますます拡大したのである。

英国のアフリカへの進出は南アフリカのケープ植民地をオランダから奪うことからはじまった（1806年占領）。やがて植民地議会を設立（1853年）し白人自治植民地として支配した。その北方に進出しローデシア植民地（現在のジンバブエとザンビア、1889年）を造り、さらに植民地議会をもつケープ植民地とともに発展させた。さらにオランダ系住民の独立国（ナターレ、トランスバール、オレンジ）を戦争で併合し、ケープ植民地と合わせて自治領南アフリカ連邦を設立した（1910年）。

アフリカの北方では、エジプトはオスマントルコ下で半独立国だった。1856年、エジプトは万国に解放されたスエズ運河を建設するために英国人レセップス・フエルドナンドに会社設立を許可した。彼は運河開通から99年間有効な事業権をエジプトから許可されていた。そして1869年に運河は開通した。しかし、やがてエジプト経済が破綻し、スエズ運河会社の株44％を英国に売ることになった（1875年）。英国が筆頭株主となり、事実上、運河は英国に売り渡され、英国は西洋と東洋を最短距離で結ぶ海上交通線を支配することになった。開通以来、スエズ運河を通る船の80％が英国の船であったという。

そして、7年後にエジプトは英国の保護国（1882年）とされた。1888年にはスエズ運河は英国の管轄化に入った。その翌年に南側隣国のスーダンがエジプトと英国の共同統治下に入れられた。英国はめぐってきた絶好のチャンスを逃すことはなかった。海上交通線の支配がいかに重要であるかをどの国よりも良く知っていたのだ。

世界的な海上交通線を確保

①英国海軍の世界的展開と商取引の安全保証

英国は海運業に対して国家による保護政策をとった。英国の領域での貿易は英国の船のみが従事できるものとした。それは1651年に清教徒革命のリーダーであったオリバー・クロムエルが発布した「航海法」にはじまった。その後、英国議会で何度も同法が発布され、英国の一貫した海洋政策の柱とされてきた。他国の船が領土内で貿易をする場合、その国の船で輸送することを禁じ、英国船による輸送を要求した。やがて、大英帝国は世界に植民地と領土を拡大し、世界の海運業を独占するようになった。

当時の英国の経済政策は、財政確立のために国王が貿易の独占権を特定の会社に与え、代わりに税金を国の財源として確保することであった。そのために国家が海洋貿易の安全を保護し、保障しようとした「重商主義政策」であった。この政策は実質的には「保護海運業政策」だったといえるだろう。

つまり、英国は海軍力の強化とその行使を安全保障政策として、国策の基盤としたのである。英国は海洋を介する国際貿易取引と海運業の発展のためには、海洋の安全保障が基盤となることを深く認識していた。英国の政治リーダーたちの海洋と貿易についての認識は、オランダやポルトガルのそれらと大きく異なっていた。後者は商船の安全をそれぞれの商船が確保せねばならず、重武装した私設の軍を搭載していた。しかし、英国の商船は、オランダやポルトガル商船のように自分を守るため私設の軍や重武装を必要としなかった。国家の運用する英国海軍が商船と貿易の安全を保障したからだ。

そのため負担コストが少なくなり、より貿易の安全が保障され売り上げが増大したため、より多くの税を確実に国に納めることができた。

海軍力強化の負担を支えた大きな力は、英国文化が新しく創造した「政治・金融システム」であった。すなわち「議会制民主主義の政治制度」、「中央銀行と国債の発行」、「証券市場」等である。国家の海軍力が世界的海洋貿易の安全を提供したのである。商業（民間）と安全保障（国家）を分離し、海軍力の強化とその行使を安全保障政策として、国策の基盤とした。英国はポルトガルやオランダとは、この点において大きく異なっていた。

こうして英国は、19世紀には世界最大の海軍力を所有する国となり「七つの海洋」を支配するようになった。

②海軍力と海上交通線上の覇権および戦略拠点の確保

英国は海洋国家であり、伝統的に海軍力による海上交通線に対する覇権を維持することが国家戦略上できわめて重要であることを認識していた。19世紀半ばにはスクリュー船が建造されたが、まず世界に先駆け英国やフランスの海軍が軍艦に採用した。英国の国家戦略は一貫した海軍強化政策を貫くものだった。規模が世界第2位のフランス海軍と、第3位のロシア海軍の主力艦船数を合計した以上の艦艇数を英国一国で所有し、整備した。それほど英国の海軍強化政策は強力なものだった。

英国は19世紀後半までに、自国から東アジア（中国、日本）に至るまでの航路のすべてに、きわめて有効な支配拠点をすでに確立していた。加えてこの時代には科学技術の発達により船舶の性能と航海のあり方に大きな変化が起こった。つまり、蒸気機関の発明が船舶にも大きな影響を与た。19世紀はじめには蒸気船が造られ、軍艦や商船が帆船から蒸気船に代わった。商船や軍艦として使われた外輪式蒸気船は、20世紀初めまで世界で使われていた。

前述したように蒸気船は長距離の外洋を航海するためには、水と石炭を大量に供給できる安全、かつ安定した拠点が絶対的に必要とされたが、英国は新しい時代に必要とされる戦略的拠点を他国に先駆けてすでに建設していた。そのことで英国の商船と海軍はさらなる優位性を確保できた。スエズ運河は1888年にはイギリス管轄下の中立地帯となり英国は艦船の自由航行を確保した。

さらにインド、東南アジア、中国に至るための通路上の戦略拠点であるオマーン王国を英国の保護国とした（1891年）。また1887年にインド帝国（ビルマを併合1886年）を支配し、さらにマレー半島の海峡植民地を所有していた。すでに、1826年にはシンガポールを英国の海峡植民地の一つにしており、マラッカ海峡は事実上の英国支配下に置かれていたのである。

ヨーロッパ諸国のなかでも英国は、中国や日本にまで進出する上で、突出した有利な条件を備えていた。すなわち海上交通線の覇権とそれを維持するのに充分な海軍力を持ち、商船や海軍艦艇に大量の水と燃料（石炭）の供給を保証する戦略的拠点を保持していたのである。

世界のどの国も英国のように、これらを所有することはできなかった。それ以前に、持とうとする国家意思そのものがなかった。世界戦略上でのそれらの重要性を認識していなかったからであるといえる。英国は世界制覇への野望も、それに対する具体的な備えも、経済力も、行動力も備えた例外的な国家であった。

帝国主義を選択した英国議会

英国は、新たな領土、天然資源、また労働力や市場などを獲得するために、軍事力の行使により他の民族や国家を支配することを国策として積極的に推し進めた。これを帝国主義というが、英国議会は帝国主義を選択した。

帝国主義では、特定の宗教や自国の文化等の「強制的な国民教育政策」が行われることもあるが、それらは他国に対する自国の帝国主義政策を定着させるために補足的に行われる手段だった。

英国の帝国主義時代とは19世紀半ばのことを言う。この時代には、大英帝国の国策として、当時世界最強の海軍力を行使して植民地を急速に世界に拡大した。

この時代に至るまでは、英国は北アメリカやカリブ海植民地を中心に、国家がかかわらない自由貿易を前面に押し立てていた。奴隷の売買や奴隷を使ったプランテーションの経営等も企業や商人たちが独自に行ったものであり、それらに対し政府が介入し実行することはあまりなかったようだ。英国政府にとり重要なのは商人や会社の海洋貿易による利益がもたらす関税の増加にあったのだ。しかし当時は、あまりにも本国から遠くて広い海洋での航海や、未知の他民族との貿易は非常に危険であったため、どの国の商人たちも自ら重武装をしていた。

英国は、同時代に大西洋貿易を先行していたポルトガル、オランダ、スペイン等と異なる道を歩むことになった。それは、英国が国家の海軍力によって商人や会社の貿易を保護しようとする保護貿易体制を選択したことだ。

国王が貿易の独占権を特定の会社に与え、代わりに税金を国の財源として確保するべく、国家が海洋貿易の安全を保護し、保障しようとした（重商主義的政策）。こうして政治・軍事と経済活動とは分立されながらも、その関係が調和していた。商人や会社の自由貿易は安全が保障されたため経済はますます発展することになった。

イギリス東インド会社もそのような流れから逃れることはできなかった。それは１６００年に設立され、１８７４年に解散となった。イギリス東インド会社は国王からインドにおける貿易の独占権を与えられていて、設立後に成長するとともに、自らの防衛のためにかなりの規模の軍事力まで所有せざるを得なかった。その軍事力はインドに対する政治力として行使された。やがて、英国の海軍力が圧倒的になり、19世紀半ばに英国帝国主義時代を迎えると、英国はインドに対して直接的軍事力の行使で全土を植民地にした。この時に私設の軍事力に依存してきた東インド会社は解散消滅することになった。インド全体が植民地となり彼らは本国政府の行政組織の一部として吸収されたというわけである。

19世紀半ばになると英国は強力な海軍力を大西洋と太平洋で運用するようになった。そして、軍事力の直接的行使による急激な植民地の拡大に向かいはじめた。当時、英国は独裁君主が支配する国ではなく、世界に先駆けて議会制民主主義の伝統を造りあげる途上であった。名誉革命（１６８８～89年）以来、「国王は君臨すれども統治せず」を国の統治の伝統として追求し、すでに１７０年を超えていた。政治システムの運用としては、現在の自由民主主義国家の議会政治に近い状況だった。それゆえ、英国議会が帝国主義路線を自ら採用をすることを選択し、決定したといえる。

なぜ英国は帝国主義路線を採用したのか、理由は諸説あり複雑だが、明確なことのみを記述したい。当時、英国議会で「小英国主義」を主張する有力な政治勢力があった。小英国主義者たちは「植民地の現実は、英国の財政負担を増す重荷になっている。植民地を拡大するどころかむしろ放棄するべきである」と主張していた。彼らは「自由貿易によってこそ英国の富は増大する」と考えていた。一方、「帝国主義」を主張する強力な政治勢力が存在し、彼らは小英国主義者達と激しく対立した。結局、英国議会を支配したのは「帝国主義政治勢力」だった。保守党のベンジャミン・ディズレーリは２期（在任１８６８年と１８７４～80年）にわたり首相を務め、帝国の団結と拡大をとなえ、植民地の拡大政策を強力に実行することになった。

ベンジャミン・ディズレーリの死後、保守党リーダーを受け継いだソールズベリー侯爵は三度首相となった（１８８５～86年、86～92年、95～１９０２年）。第３次ソールズベリー保守党内閣（１８９５～１９０２年）にジョゼフ・チェンバレンが植民地大臣として入閣すると帝国主義と社会主義を結合させた「社会帝国主義」を唱えるようになった。すなわち「社会保障の財源を侵略によって賄うべき」と主張したのだ。彼の主導により、第三次ソールズベリー内閣は強力な帝国主義政策を遂行した。

植民地（Colony）から白人自治領（Dominion）へ、そして英連邦

20世紀にはいると米国とドイツの国力増強が英国の圧倒的優位を脅かしはじめた。第一次大戦と第二次大戦は英国の世界覇権が米国に受け継がれることを決定的にした。大英帝国はこのような歴史の流れを敏感にキャッチして、やがて来る大きな世界の変化に有効に対処しようとしたようだ。その結果、英国は現実に対する妥協の連続のなかで、英連邦体制に到達した。

大英帝国にはいくつかの有力な白人支配の植民地があった。彼らは、それらの白人支配の植民地を独立的国家に格上げし、自発的かつ主体的に大英帝国を支える友邦国にしようと試みたのだ。こうして、大英帝国はいくつかの白人支配の有力な植民地を自治領（Dominion）として、独立国家に近い立場を与えた。カナダ、オーストラリア連邦、南アフリカ連邦、ニュージーランド、ニューファンドランド、アイルランド等がそれである。

１９０７年以後、それらの自治領（Dominion）は、大英帝国会議（Imperial Conference）に出席し、ほぼ独立国としての立場が認められた。また、すべての自治領が自発的に第一次大戦に参戦し、自ら「帝国戦時内閣」に参加した。しかし「戦争開始と終結の判断の決定権」は英国本国の戦時内閣が所有していた。

１９３１年に発布されたウェストミンスター憲章（Statute of Westminster）は、事実上の独立国家としての法的根拠を自治領に与えた。自治領の首相が国王に直結するという独立国家の自発的共同体（英連邦 Commonwealth of Nations）となった。

こうして大英帝国はカナダ、オーストラリア連邦、南アフリカ連邦、ニュージーランド、ニューファンドランド、アイルランド等が事実上の独立国となり英連邦を構成した。（アイルランドは１９４９年に独立し連邦からも離脱、ニューファンドランドは自治権を放棄しカナダの一部となった）。

しかし､白人支配の有力自治領のみが英国連邦を構成する独立国として承認されたのであり､グローバルに存在した他のすべての植民地には何も変化はなく、植民地支配は継続された。

「奴隷制」による「綿の生産」が産業革命と富の蓄積の原動力になる

ヨーロッパ諸国はアフリカの黒人奴隷を砂糖栽培のプランテーションに投入した。ポルトガルがその開拓者であり代表だった。その砂糖はヨ―ロッパ市場にあふれた。砂糖は生産し、消費し、富を生んでそして完結した。

しかし、英国は奴隷のほとんどを北米の綿栽培のプランテーションに投入した。それが英国により大きな富とその蓄積をもたらし、産業革命を生み出し、世界の綿製品の市場を独占するに至った。

17世紀後半に英国とヨーロッパの富裕層にキャラコ（インドの綿製品）ブームが起こった。なぜなら、毛織物や亜麻製品よりも吸水性が良く肌触りのやさしい綿の衣類が人気を独占したからだ。英国は「東インド会社」からインドの綿製品を英国に輸入した。綿製品は、インドから輸入される製品のなかでも大きな比重を占め、17世紀~19世紀までの長期にわたって続いた。

18世紀後半に英国で紡績機が発明された。英国とヨーロッパ市場の需要が原動力となり、大量生産の必要性が生じて紡績機が発明されたと言われる。そうして綿製品の生産は機械化され、工業化された。機械化の波は他の分野にも拡大され、産業革命がはじまった。

北米での奴隷労働によって栽培された綿花は英国に持ち込まれ、質の良い綿製品が安く生産されるようになり、18世紀後半には英国内生産の綿製品がインドからの輸入をしのぐようになった。均質の綿製品が大量生産により、比較的安く市場に供給されると世界の市場を席巻した。北米でも生産がはじまり、英国の綿製品がヨーロッパはもちろん、インド、中国そしてアフリカまで輸出されるようになった。

やがて北米はアメリカ合衆国として独立（１７７６年）し、南北戦争により奴隷制が非合法化（１８６５年、合衆国憲法・修正13条）された。すると英国はインドの綿花を輸入し、綿製品に加工してインドの富裕層に逆輸出した。輸送コストが大きくなっても機械化により量産化された綿製品が、本場のインドでさえも強い競争力を持ったのである。

「プランテーションでの綿の生産」が、英国産業革命と富の蓄積の原動力となったが、同時代に、同様のことは英国以外に他のヨーロッパ列強諸国には起こらなかった。英国の発展は「海を介しての世界的連携」によりもたらされたものであった。

「電信の発明」とその敷設によって世界的ヘゲモニー国家へ

アメリカでサミュエル・モールスとアルフレッド・ヴェイルが電信を発明し発展させた。1836年、モールスは独自に電信を開発し、低品質な導線でも長距離の情報伝送を可能にした。彼の助手であったヴェイルは、アルファベットを表すモールス符号の考案に関与した。この電信の発明と「世界的な電信の地上敷設」（海底ケーブル敷設を含む）が、その後の20年間で世界に広がり、商取引の形を大きく変え、工業や経済の目覚ましい発展に寄与することになった。そして、英国を世界の政治経済秩序のヘゲモニー国家として押し上げた。英国が世界秩序のルールを造り、諸国はそれに従わざるを得なくなったのだ。

1851年に最初の海底ケーブルがドーバー海峡に敷設された。1866年に最初の大西洋横断電信ケーブルが敷設され、1871年には日本の長崎まで海底ケーブルで連結された。太平洋海底ケーブルの敷設は1902年であり、米国と日本が海底ケーブルでつながった。陸と海の商業ルートに沿って電信が世界に敷設されたのである。

電信網の地上敷設は海底ケーブルの敷設へと発展したが、巨大な資本の投入を要求される国家的事業だった。グローバルな戦略国家として先頭を走っていた英国は国家予算を投入した。1913年までに世界の電信の8割を英国が敷設したという。世界的商取引が電信網を使って行われるようになると、大多数の国が英国の電信に頼らざるを得なくなったのである。

そうして、19世紀中ごろまでに英国のロンドンは世界の金融の中心地となっていた。電信による世界各地の商取引に必要な情報は直ちにロンドンの金融市場に届き、ロンドンの金融と市場の取引情報は直ちに世界に拡散された。こうしてロンドン市場で商品価格が決定され、取引が行われた。また様々な貨幣価値の基準として英国が金本位制を採用したため、世界もその枠に入り従った。英国が世界経済のルールを造り、それにかかわる政治のルール形成にまでも世界の国々に押し付ける程の力を持つようになった。電信は英国のグローバルなヘゲモニー完成に貢献した「見えない武器」になったと言える。

奴隷制度と産業革命で英国が世界を支配する

英国がヨーロッパで覇権を握ったのは1815年ウィーン会議以後である。それまで100年以上の間、英国はフランスとの戦争が続いていた。戦争は大西洋の新世界植民地の争奪戦でもあった。そのほとんどの戦争に英国は勝利し、最後の決着をつけたのが、トラファルガー沖海戦1805年（フランス・スペイン連合海軍 vs 英国海軍）と、ワーテルローの戦い1815年（フランス陸軍 vs 英国・オランダ・プロシア王国連合陸軍）であった。

その結果、英国はヨーロッパでの覇権を握った。しかし、この段階では未だ英国の覇権はヨーロッパ内でのものであった。

この後、急激に大英帝国は海洋大帝国として世界に君臨するようになる。19世紀前半から20世紀前半までに、英国は七つの海を支配し、「日の沈まない」と言われる圧倒的な大帝国を形成した。

世界で初めての法治国家

英国の議会制民主主義制度は、他の諸国よりも１００年も早い18世紀に、中央銀行を設立、国債の発行と財政政策、証券取引所の設立、証券市場などを創設し、議会が承認した法によって治めた。

この政治経済システムは、英国が１００年にもわたるフランスとの戦争で、自国の2倍以上の人口を持つ大国に勝利するための大きな力となった。

英国は清教徒革命（１６４１～49年）以後、「英国王の権力」に対し「議会と法」が勝る議会制民主主義制度の基礎を固めはじめていた。また、それに続く名誉革命（１６８８～89年）が「英国民主主義政治」を確固たるものにした。さらに英国議会は１６９４年に中央銀行（Bank of England）を設立した。そして証券取引所と証券市場を生み出し、さらに議会（行政）が債権を発効し、行政が必要とする資金を証券市場から得るシステムをつくった。

このような制度を正常に運用するには法の支配(Rule of Law)によらなければ不可能である。また、その制度が国民に信頼されるという基盤がなければ存在しえなかった。

こうして英国は戦争の歳費を議会制民主主義により作り上げたシステムで、広く国民から得て運用できたのだ。このことが、長期間にわたる多くの戦費を必要とした戦争でも勝利し、ヨーロッパの覇権を握ることに成功するための大きな原動力となった。

英国は「法の支配」が前提となっていたため、国民の富裕層が安心して国債を買って、行政府による戦争での必要経費獲得に貢献した。なぜなら国債の価値を保障するものが議会で決定された「法」

によるものであり、一方的に突然反故にされる国王や独裁者との信ずるに足りないはかない約束に基づくものではなかったからである。一方、フランスでは国王や独裁者が持つ財産と、その権力が国民に課する税金によって戦費がまかなわれた。この違いが長期にわたる両者の戦争に大きな差を生んだと考えられる。

英国の中央銀行の設立、証券取引所、および証券市場の創設はオランダから学んだものだった。17世紀中ごろまでに、オランダは穀物の貿易で莫大な利益を蓄積して、すでにヨーロッパで指導的立場にあった。オランダのアムステルダムには中央銀行が設立され、証券取引所がつくられ株式取引が行われていた。それは世界最古の証券取引所である。オランダでは1606年には、世界初の「株式会社」である「オランダ東インド会社」の株式が売買されている。

英国議会は名誉革命（1689年）後にこれらをオランダから相続した。英国が中央銀行から国債を発行した最初の目的は軍事費を捻出することであった。それ以前にオランダでは証券取引所と証券市場を生み出していたが、その後、ロンドンがオランダのアムステルダムを超えて世界の証券市場の中心となった。

オランダでは、国の債権を国債として証券市場で売り出すまでには至らなかった。英国では議会が中央銀行を設立し、政府が国債を発行して財政を運用したのだ。驚くべきことに、英国ではこのような経済システムを18世紀にすでに造っていた。これらは清教徒革命と名誉革命の延長線上で生み出されたものである。他のヨーロッパ諸国で同様の経済システムを運用するようになるのは100年後であった。

いったいなぜ、18世紀の英国にこのような現代的な政治経済システムが生み出され、かつ有効に運用され価値を発揮したのだろうか。

それは社会の中心が「国王の権力」から「自然法の支配（神の意思）」に代わったことが最も大きな要因だったと言える。国王は、戦争の開始、増税、税の新設等々、自らの欲望や目的を果たすために、時に応じてその絶対権限を行使する。しかし英国では国王の代わりに自然法（神の意思）を中心として、議会が国家を運用する（Rule of Law）ようになった。

では、自然法すなわち「神の意思」とは何か？

それは、「神により与えられた人間の権利は崇高なものであり、法により保護されなければならず、何人も他者の権利を侵してはならない」というキリスト教的価値観である。

議会も自然法の支配に服さねばならない。自然法（神の意思）によって人間は「自由と生命の保護、財産の所有、幸福を追求する権利」を保障されている。もちろん、他者の所有権を害すれば所有権を保護するために罰せられる。個々人の欲望の激突によるカオスを除くために、法とその強制性が公認され、法の制定と執行は議会と政府に一任された。こうして「国民総てが自然法（神の意思）のもとで議会が制定した法律に従う」という合意が国民に形成され、信頼が醸成され伝統となってきた。これが法治主義を産んだのだ。

英国が18世紀に中央銀行を創設し、国債を発行し、証券市場を発展させたのも、議会制民主主義がもたらしたものであり、この議会制民主主義こそ英国民が神の意思を受けて、キリスト教的政治思想に基づく政治的創造活動なのだと誇りを持ってきたものである。

（3）帝国主義の終焉

戦争による国力の低下

大英帝国の植民地政策と帝国主義が終わりに至ったのは自らの自発的選択によってではなかった。英国の相対的国力の低下と外部からの圧力によるものだったといえる。1939年9月、英国はナチスドイツに対し宣戦布告した。この時、英国の運命をかけた大きな課題は米国をドイツとの戦争に引き込むことにあった。

ドイツの進撃は予想できないほどの速さであり、フランスさえも頼りにならないことが明白になった。ヒトラーとドイツ国防軍の侵攻を制止できる国はヨーロッパの何処にもなかった。加えてドイツはソ連と不可侵条約（1939年8月）を締結していた。翌年（1940年5月）には英・仏連合軍（34万人）が、ドイツ軍によりフランス南部ダンケルクに追いつめられ、海を渡り、命からがら英国に逃げ帰った。そして6月にはパリが占領され、フランスはドイツとの間に休戦協定を締結した。これは事実上、フランスのヒトラー・ドイツへの降伏だった。英国は新興大国である米国に助けを求めざるを得ない状況に陥っていたのだ。

このような政治情勢のなかで1941年8月、ウインストン・チャーチル英国首相とフランクリン・

ルーズベルト米国大統領は「大西洋憲章（Atlantic Charter）」を調印した。二人の会談はカナダのニューファンドランド島沖の戦艦プリンス・オブ・ウェールズ上で行われた。この時、合衆国はドイツ・日本・イタリア（枢軸国）に対して、未だ宣戦布告をしていなかった。米国が宣戦布告もしていないのに、この時に両国は戦争終結後の世界の戦後処理のあり方を決定しようとしていたのだ。この憲章は、この「戦争の終結後に行われる戦後処理」と「世界構想」を述べたものだったが、結果として両国の合意は同床異夢となってしまった。

大西洋憲章は「領土拡大の否定」と「政府形態を選択する人民の権利」を前提に戦後処理をしようとするものだった。これは大英帝国にとって「植民地の独立」と「帝国主義の放棄」を意味する。英国の首相チャーチルは「ドイツ支配下のヨーロッパに限定し適用するもの」と解釈し、「アジア・アフリカの有色人種植民地には適用されない」としたのだが、ルーズベルト大統領も総ての民族に適用するか否かに対して、曖昧な態度を残した形になった。すなわち外交的な妥協をしたわけである。明らかにこの時点においては未だ世界は植民地政策と帝国主義を公認していたことになる。しかし、米英両国による大西洋憲章の調印は、新しい大国であるアメリカ合衆国の台頭による、大英帝国の力の相対的低下を象徴していた。

第二次大戦後植民地が次々と独立し帝国主義は終焉

その後、英国は第二次大戦の戦勝国となったが、以下で述べるようにアジアで英国は大きく敗戦したことにより権威を喪失してしまった。そして、それがアジアの英国植民地の連鎖的独立をもたらすことになった。

1941年12月、日本は米国の真珠湾攻撃の直後に英領マラヤと香港に進撃し、支配下におさめ、1945年まで統治した。マレー半島の北端に上陸した日本軍が南進を続け、わずか2カ月で南端のシンガポールに到達し、当時、難攻不落とされたシンガポールの要塞はわずか7日間で陥落し攻略されてしまった。その結果10万人の英国兵が捕虜となった。また海では英国最新鋭の戦艦プリンス・オブ・ウェールズとレパルスの2隻が簡単に撃沈され、英国は太平洋とアジア地域での制海権を完全に失ってしまった。これは米国独立戦争でのヨークタウンの敗北（1781年）以来の大敗北だった。この事実はアジアの英国植民地に広く知られ、アジアに民族主義が高揚するきっかけとなった。「民族自決運動」から「民族独立運動」となり、やがて第二次大戦終結後に、世界に先駆けて「アジアの英国植民地」が続々と独立することとなった。インド（1946年）、インドネシア（1949年）、パキスタン（1947年）ミャンマー（1948年）等が独立した。

帝国主義の終わりは、英国のアジア植民地が次々と独立した後に、突然訪れた。すなわち、スエズ戦争（第二次中東戦争、1956年10月～1957年5月）が大英帝国の帝国主義支配に終焉をもたらすこととなったのである。

1923年にエジプトはエジプト王国として独立した。しかし、英国の間接的支配は続いていた。やがてエジプト国内でイスラム主義が強まり政権は動揺するとともに、英国の影響を排除しようとする力が強くなってきた。１９５３年にエジプト軍がクーデターを起こし、王制を廃して共和国を設立した。新しい共和国は「英国軍のスエズからの撤退」と「非同盟主義」を選択した。当時、世界は米ソを両極とする厳しい冷戦の真っただ中にあったが、エジプトはそのどちらにもつかず中立を選んだのだ。

１９５６年になると、エジプト共和国第二代大統領にガマール・アブドゥル＝ナーセルが就任した。彼は「冷戦下での中立外交」と「汎アラブ民族主義」を主張したが、実際にはソ連寄りであった。

英国やフランスがスエズ運河の権益を手放す意思を持たないことを見ると、１９５６年7月、ナーセル大統領は「スエズ運河の国有化」を宣言し、断行した。スエズ運河に艦船を沈めて通行不能にして、スエズ運河のエジプトによる死守を決意した。また、英国軍のスエズ運河周辺からの撤退を要求した。

イスラエルはエジプトの進出を恐れていたので、それに激しく反発した。また英国は「スエズ運河の国際管理」の名のもとに実質的な支配をもくろんでいたため、１９５６年10月、英国はフランスを巻き込みイスラエルをこの戦争の前面に立ててシナイ半島を占拠した。こうして第二次中東戦争が勃発した。

エジプトは圧倒的な軍事力に押されて、直ちに敗戦と降伏が確実な状況となった。ところが、その時ソ連邦のニキータ・フルシチョフ第一書記は〝エジプトから撤退せねば英・仏・イスラエルをミサイル攻撃する〟と脅した。

しかも米国のアイゼンハワー大統領も英・仏・イスラエルに反対した。ソ連のブルガーニン首相をも動かし、国連総会で三国の軍の即時全面撤退と停戦決議をなさしめた。これに対し英、仏、イスラエルは反対できず決議を受諾し、エジプトとの間に停戦が成立したのだった。

エジプトは戦争で敗北したが、政治的には勝利する結果となった（１９５６年11月）。また世界の支持も得ることができ「エジプト共和国」は独立国家としての尊厳を死守した。

一方、英国はスエズ運河の所有権を失い、加えて大英帝国としての帝国主義政策を捨てなければならない立場に追い込まれた。

この歴史的事件は、米国が「英・仏に残存する帝国主義と植民地政策」を放棄するよう要求したものであったといえる。かつて、米国大統領フランクリン・ルーズベルトと英国のウインストン・チャーチル首相が、第二次大戦終了後の世界秩序構想を約束しあった。それは「大西洋憲章（Atlantic Charter・１９４１年）」の精神、即ち「世界の植民地の独立と帝国主義の放棄」を文字通り実行することだった。既に新しい時代が到来していた。ドイツの敗北の後、チャーチルは「ドイツ支配下のヨーロッパだけに限定して大西洋憲章を適用」させ、帝国主義政策を残存させようとした。しかし、もはや英・仏に対し、妥協が受け入れられる余地がないという現実が突き付けられたのだ。英米首脳が大西洋憲章に同意した後、わずか15年後のことであった。

こうして１９５０年代～60年代にかけて、英国と他の宗主国もその独立を承認してアフリカの植民地諸国が次々と独立した。続いてペルシャ湾岸諸国、オセアニア諸国、カリブ海諸国が独立し、その後、独立国として英連邦に加わる国も多くあったが、かつてのあからさまな植民地主義と帝国主義政策は過去の歴史として消え去った。

しかし、ソビエト連邦（後のロシア）や中華人民共和国による新たな赤色帝国主義がこの時期に出現し、急速に支配を世界に拡大することになった。その支配の現実は英国やフランス等の植民地主義と比較できないほど激しく過酷で人権を無視した極端なものだった。

英国の汚点

英国は世界に植民地を広げ、世界の何処よりも早く産業革命を起こし、そして帝国主義を標榜し世界の覇権を握った。しかし、第二次世界大戦終了後、これまで述べてきたようにその力は新時代を迎えて急速に衰退し、植民地は次々と独立して、帝国主義は終焉した。

歴史に「たら、れば」は禁物ではあるが、英国がどう対処してい〝れば〟継続的な発展を遂げることができたのだろうか。ここであえて、考えてみたい。

その答えは、「医療、経済的資源、そして科学技術等を独立途上にある諸国の救済と発展のために使い、英国自らがつくり上げた議会制民主主義の諸国への定着に貢献し、並外れた海軍力（軍事力）をアメリカ合衆国と協調して世界の自由と平和秩序形成のために貢献する」ことにあったのではないだろうか？

しかし、そこには国家と宗教との間にある根の深い歴史的な問題があり、それが英国の行こうとする道を遮ってしまった。１５００年以上の間、ヨーロッパに現れたキリスト教国家群は、例外なく、政治権力がその国のキリスト教を支配してきた。そのためにキリスト教国と称しながらも国家の行動は自国民に対してさえも神の愛とは無関係であった。他国家、他民族、他人種に対して、極めて冷酷で悪魔的な対応をしてきた事実の蓄積が現実の歴史である。

大多数の国家が、軍事力により他民族から領土と天然資源の収奪、政治支配と経済的搾取による利益の最大化にいそしんできた。神の名やキリスト教伝道さえも、他民族や多人種の支配に利用してきた。他者を無慈悲に犠牲にしてきたのだ。

英国もまったくその例外ではなく、国家の持つ歴史的業（罪）の束縛から逃れられなかった。こうして国家レベルの政治権力が持つエゴイズム（国家利益第一主義）が英国の帝国主義的植民地政策を生み出し、また奴隷の売買と奴隷制度を英国が保護するという結果になった。

これらは「英国の良心たるキリスト教会とその信徒たちが、残念なことに政治に対して敗北し続けてきた」という事実が生み出したものである。そして、それが英国の歴史的汚点を造ったといえる。

本来、英国は、キリスト教を建国の精神とした国々のすべてを代表した国家として、「イエスが教えられた神の愛」を国家レベルで実践するための歴史的チャンスが与えられていた。そうしていたならば、現実の衰退とはまったく異なる異次元の国家として現在も世界に君臨していただろう。しかし、それは実現されずに、正反対のものになってしまった。

第二次大戦終了後、国際共産主義勢力が突如として世界的に拡大

第二次世界大戦は共産主義国ソ連の世界赤化戦略実現に大きな助けとなった。ソ連は世界大戦を戦略的に積極活用したのだ。最終的な敵である米国・英国との戦いに勝利するために、米・英・仏と日・独・伊との戦争を利用した。それにより国際共産主義勢力を拡大することに成功した。

ドイツが戦況不利となり戦線を縮小して自国の国境線内へ、さらにベルリンへと後退してゆく時、かつてドイツ軍が占領していた地域を、今度はソビエト軍が支配した。やがてドイツ東部も彼らの支配下に入った。ソビエト軍の支配地域において、ソビエト共産党とソビエト軍の援助による政治工作が巧みに行われ、それぞれの国の共産党が支配力を強めることになり、共産党政権が次々と誕生した。東ドイツ、ルーマニア、ブルガリア、ポーランド、ハンガリー、アルバニア、チェコスロバキア、ユーゴスラビア等がそれである。

東欧諸国の政治にソ連軍、ソ連の情報機関と警察が露骨に介入し、抵抗した政治勢力のリーダー達は暗殺され、弾圧がおこなわれた。共産党による権力奪取が成功すると、直ちにマスメディアは自由を失い完全に統制された。

１９４７年にはソ連はコミンフォルム（Cominform）（正式名称：Communist Information Bureau）を設立し、東欧諸国をソビエト連邦の政治的支配の下に置いた。やがて東欧諸国全体の経済を支配するべく、経済協力の名の下にCOMECONを設立（１９４９年）した。また、米国を中心とする西欧との軍事的対決に勝つための同盟として、ワルシャワ条約機構（１９５５年）を設立した。

ソ連は東欧のみならず、アジアでも急激にその支配力を拡大した。ソ連は中国で毛沢東と八路軍に援助を行い、中国国民党と戦争（国共内戦）を起こした。国際共産主義の本質に無知であった米国のトルーマン大統領は中華民国への軍事的援助を止め、中国から一切手を引いた。その結果、蒋介石の国民党軍は共産党軍との内戦に敗れ、台湾海峡を越えて台湾に避難した（１９４９年）。中国本土は共産党支配となり、毛沢東は中華人民共和国を建国（１９４９年10月１日）した。

また朝鮮半島では「日本の無条件降伏」の直後に、ソビエト軍が満州から侵入し38度線以北を軍事的支配下においた。ソ連は直ちに金日成を支配者として擁立して、38度線以北を支配させた。朝鮮半島の北半分に、金日成支配による共産党独裁の「朝鮮民主主義人民共和国」が設立（１９４８年9月9日）された。米軍の占領下にあった38度線以南は、国連の支持の下に選挙を行い、李承晩を初代大統領に選出し、大韓民国の樹立宣言（１９４８年8月13日）をした。

世界は、第二次大戦後のわずかな間に、ソ連を中心とする共産主義国と、米国・英国を中心とする自由民主主義国に分裂し軍事的に対峙することになった。

この時代にもっとも激しく自由民主主義勢力と共産主義勢力が対決した場所が朝鮮半島であり、その最前線が38度線であった。

やがて、１９５０年6月25日に朝鮮戦争が勃発した。ソ連のスターリンが朝鮮民主主義人民共和国の独裁者・金日成を鼓舞し、圧倒的軍事力を持つ朝鮮人民軍に、貧弱な軍事力しか所有しない大韓民国を攻撃侵攻させたのである。朝鮮戦争は、実に４００万人を超える犠牲者をもたらした。

米国と英国に起こった政治的指導者の交替が韓半島に大きな災いをもたらした

英国は米国とともに国際連合（1945年10月24日設立）の「安全保障理事会・常任理事国」であった。ソ連は、日本の無条件降伏後、直ちに朝鮮半島の北緯38度線以北にソ連軍を進駐させ、金日成による共産主義政権を設立した。加えて半島全域にソ連の支配権を拡大しようと狙っていた。

このような韓半島情勢を背景にして、モスクワでの「米、英、ソ三国外相会議」（1945年12月）が開催された。この会議では半島が統一国家として直ちに独立することを承認しなかった。〝最長で5年の信託統治期間の後に半島は独立できる〟としたのだった。

国連の名のもとに半島の統治をゆだねられた信託国家は米国、英国、ソ連と中国だった。しかし、38度線以北はソ連のみが事実上の信託国家となり、北に共産党政権樹立の足場を固めた。

英国のクレメント・アトリー（Clement Richard Attlee）首相が率いる中道左派労働党政権は、スターリンの意図と事態の進展に関心を抱いていたが、そのまま放置した。英国と米国は、世界平和のためにも、ソ連とジョセフ・スターリンの野望を見抜き、それを砕くべき立場にあったといえる。また両国は、当時、そうするための充分な実力も備えていた。しかし、英米両国は戦後の新しい世界秩序の指導権をめぐって牽制し合う関係にあり、米国大統領フランクリン・ルーズベルトの死後、副大統領職から大統領に就任したハリー・S・トルーマン（Harry S. Truman）は、ルーズベルトと同様にスターリンを良きパートナーと考えていたようである。また、英国ではドイツの降伏直後に選挙が行われ、共産主義国ソ連の本質を良く知るウィンストン・チャーチル（Winston Churchill）の内閣が国民により拒絶され、クレメント・アトリー（Clement Richard Attlee）の労働党内閣（中道左派）が出現していた。この中道左派労働党政権は、スターリンの意図と事態の進展に関心を抱いていたが、そのまま放置した。米国に加え、英国に起こった政治的指導者の交替が韓半島の未来に大きな災いをもたらすこととなった。

本来、共産主義国ソ連の対極にある米英両国は、自由民主主義国としてソ連の本質を見抜き、互いに結束して国連の安全保障理事会でスターリンを抑え、「常任理事国の権限」を行使してソ連共産主義の拡大を阻止し、朝鮮半島の分断を許してはならない立場にあった。当然、それを実行しようとすれば、軍事力の行使をも前提とすべきだったが、当時のソ連の国力は米英に比べれば貧弱なものだった。

米英両国はそのような責任を負わず、ソ連のスターリンとの対決を回避してしまった。このことが、朝鮮半島を、現在に至るまで分断国家にしてしまったのである。

米国、トルーマン政権の失敗

半島に対する消極的戦略が米国と英国により、それぞれの異なる形で遂行された。

トルーマン大統領を中心とする民主党政権執行部は、共産主義者スターリンに率いられる共産主義国の行動をまったく誤って判断をした。米国務長官ディーン・グッダーハム・アチソン（Dean Gooderham Acheson）は1950年1月に「不後退ライン（アチソンライン）」を宣言した。この時に南の大韓民国を「不後退ライン」の外に位置付けた。それは「米国が大韓民国を絶対的に防衛することを保障しない」という意思表示となったのだ。ジョセフ・スターリンは「トルーマン政権が朝鮮半島の戦略的重要性を認めていない」と認識した。

そして、「大韓民国を軍事力で北朝鮮に併合しても米国は黙認する」と確信した。

恐怖の独裁者は「朝鮮民主主義人民共和国」の金日成に対し大韓民国への軍事侵攻をたきつけた。ソ連の軍事援助を背景に朝鮮民主主義人民共和国は圧倒的大兵力で大韓民国への侵略を開始した（1950年6月25日）。米国務長官が「アチソンライン」を宣言した6カ月後であった。トルーマン民主党政権によるスターリンと金日成に対する宥和的政策が、大戦争を誘引することとなった。

当時、北の人民共和国と大韓民国とは圧倒的な軍事力の差があった。韓国は国防の武器装備がきわめて乏しかったため、わずか2カ月間で韓国最南端の釜山市周辺まで追い詰められてしまった。

その時、国連の安全保障理事会が開かれ、韓国を救うために軍事介入することが決定された。7月7日に米軍を中心に国連軍（多国籍軍）を結成し、朝鮮戦争に介入した。1950年9月15日、ダグラス・マッカーサーは仁川で大胆な上陸作戦を敢行し、華々しい成功を収めた。上陸作戦の成功の後、1カ月で13万人以上の北朝鮮人民軍が捕虜にされ、彼らは全面的撤退をせざるを得なくなった。

英国労働党政権の自国中心主義

この時点で、「連合軍が38度線を越えて北朝鮮内部に侵攻をすべきか否か?」という政治的戦略問題が持ち上がった。トルーマン米国大統領は越境侵攻を支持するNSC(国家安全保障会議)の提案を文書で承認した。しかし、英国首相クレメント・アトリーは、そのことには深く疑問を感じており、むしろ反対であった。また英軍の参謀総長は首相に同調して38度線からの越境侵攻を反対していた。だが、英国アトリー政権は〝ヨーロッパに対する米国の経済的追加援助〟を得るために、閣議でしぶしぶ北への越境侵攻を承認した。

10月2日、中国政府は、北京駐在インド大使に対して、「米軍部隊が38度線を越えた場合、中国が参戦介入するであろう」と伝えた。それにより英国は狼狽した。アトリー政権は「中国の介入は大きな悲劇を引き起こす」と米国に強く警告し、38度線越境侵攻を反対した。しかし、この時にはトルーマン大統領がそれを意に介さず、その姿勢を変えなかった。そして北朝鮮の奥深くまで、連合軍を侵攻させた。

マッカーサーを解任したトルーマン大統領の失敗

北への侵攻は成功し、11月半ばまでに鴨緑江の中国国境近くまで進出した。

マッカーサーは新たな侵攻作戦(中国国境、鴨緑江への進出)を11月24日に発動した。それから数日後、中華人民共和国が参戦した。約20万人の人民解放軍を朝鮮半島に侵攻させたのだ。その結果、国連軍は撤退を余儀なくされ、再び38度線まで押し返されてしまった（12月15日）。１９５０年12月31日、共産勢力はおよそ50万人の将兵により2度目の韓国侵攻を開始した。

中共の人民解放軍の反攻で戦況が悪化していた11月30日午前に、米国では大統領記者会見が行われた。このときトルーマン大統領は爆弾発言をした。〝朝鮮半島問題解決のために「原子爆弾の使用」が実際考慮されてきた。〟と記者の質問に答えたのだ。

しかし、トルーマンは後にその発言を取り消した。英国は彼の発言に狼狽し、アトリー首相はトルーマン大統領とのワシントンでの緊急会談（12月4～8日）を要求し、首脳会談が設定された。彼は核の使用を行わないとトルーマンに約束させようとしたのである。

彼が渡米する直前に、英国とフランスは首相・外相会談を行った。会談の目的は「米国の核使用を止める」ために英仏が連携することであった。会談は英国のみならず、フランス側からの要請でもあった。こうして英仏は米国の核使用という選択肢を放棄させるべく圧力をかけた。このことは連合軍最高司令官ダグラス・マッカーサーに対する巨大な圧力となり、やがて彼の新しい戦略は挫折することとなった。

１９５１年になると、北朝鮮軍と中国人民志願軍（50万人）の反攻が本格化し、中・朝連合軍はソウルを再攻略した（1月4日）。再び戦線は38度線の南側に押し戻されたのである。

状況を打開するべく、ダグラス・マッカーサーは新戦略を提示した。

①中華人民共和国の海上封鎖

②中華民国の中国国民党軍を中華人民共和国統治地区へと上陸をさせる
③中華人民共和国領となった旧満州に対する空爆、および核攻撃を行う
彼の戦略は、「北朝鮮を攻略して朝鮮半島統一を達成すると同時に、中共の崩壊と自由中国の建設」を提示していた。

しかし、トルーマン大統領はこの提案を拒絶した。彼は英のアトリー首相と仏の提案を受け入れ、マッカーサーの戦略を翻意させてしまった。元来、トルーマンには明確な世界戦略などはなかったのである。トルーマン大統領は「核兵器を使用することでソ連を強く刺激し、その結果ソ連の参戦を招きかねない」と主張した。そして連合軍最高司令官ダグラス・マッカーサーの提案を拒否した。さらに最高司令官から解任（1951年4月11日）してしまった。その後マッカーサーは解任され、連邦合同議会での退任演説(4月19日)をすることになった。「老兵は死なず、ただ消え去るのみ」の言葉は、あまりにも有名である。

当時、「核兵器の使用」を戦略の一つに加えたマッカーサーの戦略的選択は決して驚くようなものではない。

米国のトルーマン大統領は、すでに二発の原爆を日本に対し使用していた。しかし、その時の彼の選択は、米国民の良心に現在に至るまで深い疑問を残してきた。なぜなら当時、日本は、もはや戦争を継続する国力を完全に喪失していた。にもかかわらず核兵器を使用した。しかも、原爆の投下目標は軍事施設や軍人・兵器の集積地ではなかった。一般市民が住む大都市を選択したのであり、それは

殺戮の対象が民間人であることを意味した。

　この行為は戦争犯罪だったのではないかと、現在でもその犯罪性が問われている。今でも米国の政府高官、マスメディアや知識人までもが、できる限り触れようとしない厄介な問題となっている。米国が広島と長崎に原爆を投下したことの正当性を、今でさえも、必死に正当化しようとしている。

　トルーマン大統領の民主党政権は、一方ではきわめて積極的に核爆弾を使用しておきながら、中国共産党の人民解放軍に対する核爆弾による攻撃に対しては、まったく消極的だった。

　鴨緑江の中国国境の内側に、他国を侵略するために集結していた50万人以上の人民解放軍に核兵器を用いることに対して、なぜそれほど臆病であったのか？

　広島と長崎に原爆を投下してから、わずか5年しか経ていない時のことである。戦略的にも矛盾していた。ソ連の参戦による未曾有の悲劇を除けようとしたかのような弁明をしているが、それは彼がつくり上げた政治的嘘であることが明白である。

　当時の米国とソ連の国力差は大きく、核戦力と通常戦力の両面でも米国が圧倒していた。ソ連は第二次大戦による消耗が激しく、状況は未だ変わっていなかった。一方、米国の経済は工業生産力が世界全体の約45％もの規模であり、経済的にも軍事的にも米国は万能の国であった。トルーマン大統領が本当にソ連を恐れていたとすれば、彼は根拠のない幻想にとりつかれていたということになる。

　共産主義は戦後70年以上を経た現在でさえも、禍をもたらし続け、1億人以上の尊い生命に無慈悲な犠牲を強いた。共産主義とその国家（ソビエト連邦、中華人民共和国……）による災いの芽をつぶすために、満州の軍事的大拠点に対し、核兵器を使用することは果たして絶対悪だったのか？　むしろ、世界を災から防ぐための政治的必要悪であったのではないか？

この時、米国の政権がダグラス・マッカーサーの提案戦略を受け入れて実行していれば、南北朝鮮半島は自由韓国により平和統一されていた。中国大陸は中華人民共和国が消滅して中華民国となっていただろう。ソ連でさえもヨーロッパとアジア（自由中国）に対する二正面対決の軍事負担により、1991年12月よりもずっと早い時期に自滅崩壊していたはずである。

もし、トルーマン米国大統領が正しく道を選択し、ダグラス・マッカーサーの戦略を採用していたならば、共産主義国家によってもたらされた1億人以上の犠牲者のうち半分以上の人々が救われたかもしれない。トルーマン大統領の誤った戦略選択により、共産主義による犠牲者の数が歴史上のどのような兵器や戦争による犠牲者数よりも大きくなったといえる。

マッカーサーの重大提案をハリー・トルーマン大統領が無視したことは、この政権が抱えていたあいまいな価値観に基づく歪んだ国家戦略を暴露した。そして、米国政権のこの判断に大きな影響を行使したのが英国であった。

英国がアジアでの共産主義勢力拡大を援助した

すでに述べたように、朝鮮戦争の結果には英国労働党政権（クレメント・アトリー首相）が大きな影響を与えた。

ソ連の本質について良く知るウインストン・チャーチルは、すでにドイツの降伏直後（１９４５年7月）に選挙に敗れて首相の座を降り、クレメント・アトリー首相による労働党政権に代わっていた。中華民国総統・蒋介石は共産党と直接の武力戦争を続けてきたので、世界のリーダーのなかでは、誰よりも共産主義の恐ろしさを体験的に知っていた。しかし、日本の無条件降伏後に彼は国共内戦の真っ只中に立たされた。毛沢東軍との戦いでトルーマン政権からの援助を必要としていたのだが、トルーマンは蒋介石にきわめて冷たい態度で対応した。

一方、毛沢東の八路軍はジョセフ・スターリン（ソビエト連邦最高指導者）から継続的な軍事援助を受け続け、ついに蒋介石の国民党軍を台湾に閉じ込めてしまった（１９４９年12月）。英米両国トップリーダーたちの共産主義に対する無知は、世界に悲劇をもたらす原因となったのである。

おまけに、英国は当時の朝鮮半島にはまったく無関心だった。アジアの英国植民地であるインド、ビルマ、マレー半島やシンガポール、そして香港には重大な関心を抱いていたが、朝鮮半島については関心がなく、その戦略的重要性をまったく認識していなかったのである。英国は半島に対し経済的利害関係を持たず、条約上の義務はまったくなく、また感情的結びつきもほとんどなかった。

一方、英国は旧植民地には深い関与を維持していた。インドが独立を達成（１９４７年）したあとでも香港への強い関心を維持していたし、英軍はマレーの共産主義ゲリラとも戦っていた（１９４８年以後）のである。

アトリー首相と労働党政権の共産主義に対する無知、そして半島の戦略的重要性に対するまったくの無関心、さらに加えて英国のヨーロッパ中心主義が、現在の世界危機と悲劇をもたらす原因となったと言っても過言ではない。英国は〝連合軍が38度線を越えて北へ侵攻する〟ことを強く反対した。さらに連合軍最高司令官ダグラス・マッカーサーの戦略的提案を闇に葬り、さらに彼の解任を迫り、結果として朝鮮半島の南北分断を定着させることになった。

これらのことが「ジョセフ・スターリンと国際共産主義者たちに、これ以上ない幸運を与えた」と言える。

英国の判断ミスがもたらしたこと

①英国は「朝鮮半島の分断とその固定化（国際共産主義の戦略）」のために、一貫して、自ら積極的に協力してしまった。その結果、中共・ソ連（国際共産主義）が現在に至るまで70年間も世界を震撼させるほどの勢力に成長する手助けをしてしまった。

②英国はヨーロッパ中心主義と国益中心主義に囚われていた。フランスも同様の立場にあり、ソ連の軍事的圧力を非常に恐れていた。そのため、米国の関心と軍事力が極東アジアに引きつけられてしまうことを避けたかった。半島問題には深入りをせずに、一刻も早くそこから引き揚げて、米国の力がヨーロッパに向けられることを願っていた。

③第二次大戦直後に環太平洋時代到来の奇跡的な好機を失った。アメリカ合衆国の圧倒的力を背景にして、朝鮮半島と極東アジアは、自由と民主主義に基づく平和の理想が世界に広がるための戦略的

最重要拠点であった。英国は環太平洋時代をもたらす原動力としての鍵を握っていたが、それを自ら放棄した。

（4）英国の歴史的業績の相続と完成へ

「帝国主義」の終結と「兄弟主義」の芽生え

英国は19世紀に力の行使により、帝国主義に基づく大英帝国を築いた。それは、北米、アジア・オセアニア、中東、そしてアフリカにわたる歴史上はじめての本格的な地球規模（Global）の大帝国だった。かつて歴史上には、世界的で巨大な大帝国（たとえば元や清）が現れた。だが、それらはユーラシア大陸のなかでの帝国であり、グローバル（Global）とは言えない。しかし、大英帝国は文字通りグローバルな世界帝国であった。

インド全土を植民地化し、世界の支配拠点から軍事的・経済的利益を得て、19世紀から20世紀にかけて大帝国となった。しかし、第一次大戦と第二次大戦によって英国の世界的覇権は米国に受け継がれることが決定的となった。

この時代には大英帝国（British Empire）が大きな変化を始めていた。１９２６年、バルフォア宣言によって英連邦（British Commonwealth of Nations）として再出発された。大英帝国から英連邦へと変容が始まっていた。それは短期間の間にさらなる変化をもたらした。１９４９年、ロンドン宣言により、英連邦の英国をも除去した通称コモンウェルス（Commonwealth of Nations）へと変化した。

大英帝国のほぼすべての旧領土である54の加盟国がコモンウェルスを構成する（Common wealth of Nations Commonwealth）。それぞれが主権を持ち、独立した国家の緩やかな連合である。公益をもたらすための政治的コミュニティーとしての「独立主権国家連合」であった。英連邦はアメリカ合衆国のような連邦国家とは大きく異なる。米国は一つの国家を形成しているが、英連邦は加盟する独立国家の集合体である。

現在の加盟国は53カ国である。英国は20世紀の世界を導く「国際連盟」や「国際連合」の前身としての「英連邦」を産みだした歴史的国家であるといえる。国際連盟・連合の両組織は米国の大統領であるウッドロウ・ウイルソンとフランクリン・ルーズベルトにより提案され、米国主導で設立されたが、その原型は英連邦にあった。

国際連盟の設立…兄弟主義の芽生えと成長

１９１７年1月、アメリカ28代大統領ウッドロゥ・ウイルソンは上院演説で「国際連盟設立」、公海の自由、世界規模の民主化、等を求め14カ条の平和原則と、公正な「勝利無き講和」を訴えた。その内容のほとんどは第一次大戦終了後のヴェルサイユ講和会議（１９１９年1月）で英・仏により無視されたが、「国際連盟設立」だけがヴェルサイユ条約の第一章に盛り込まれた。そして１９２０年1月に歴史上はじめてGlobalな国際平和機構が誕生した。本部はスイスのジュネーブに置かれた。

第一次世界大戦による人類史上最大規模の災禍を、二度と繰り返さないために国際連盟は設立された。しかし、この国際機関は矛盾を抱えていた。つまり平和の破壊者に対し制裁し、押さえ込まなければならない国際機関であるはずが、そのために必要不可欠である軍事力をまったく持たなかったのだ。制裁は経済制裁に限定された。「金融上の関係を断絶、違約国国民との一切の交通を禁止する」等であった。また最高議決機関は「国際連盟の総会」であり、「全会一致による議決」が必須であったため、国連加盟国による連合軍の結成は望むべくもなかった。

しかし、国際連盟は「覇権国家群による軍縮の交渉」、「民族の自決権意識の高まり」や「民主主義の拡大」に大きな役割を果たしたのも事実である。

第一次世界大戦終了後のパリ講和会議（1919年1月）はフランスによるドイツへの報復に、英国が同調する結果となった。ドイツは敗戦国として、一方的に天文学的賠償金を英仏戦勝国に要求された。ドイツ国民は十数年間、深刻な経済的頸木《くびき》に苦しんだ。1930年代にはじまる世界的経済恐慌のなかで、英・米・仏等は排他的ブロック経済政策で生き延びようとした。

ドイツ、日本やイタリア等は、活路を得るために軍事力による「領土の拡大と資源の確保」という道を選択した。世界的経済の大不況のなかで、ドイツ国民は復讐心に燃えるアドルフ・ヒトラーとナチス党に希望を託した。その結果、再び世界大戦がもたらされることとなった。敗戦国ドイツへの無慈悲な賠償請求をはじめとする制裁処置が、深い「恨みの情念」を呼び覚まし、一次大戦をはるかに超える規模の大戦争「第二次大戦」を生み出したのである。

「国際連合の設立」…兄弟主義（民主主義）の拡大と発展

第二次世界大戦は「ドイツ軍のポーランド侵攻と英仏の宣戦布告」（１９３９年９月１日）にはじまり「日本の降伏文書調印」（１９４５年９月２日）に終了した。戦争による死者の数は６，０００万人を超えると言われる。このような悲劇を繰り返さないために戦争を除けるための国際協調機構として「国際連合」が設立された（１９４５年６月）。

米国大統領フランクリンＤ・ルーズベルトは世界大戦の最中から「戦後の新しい国際機構の設立」に非常な関心を持ち、きわめて積極的だった。彼は米国国務省内部でその構想実現を急速に推し進め、コーデル・ハル（Cordell Hull）国務長官が１９４３年８月「国際連合憲章（The Charter of the United Nations）草案」を完成させた。

国際連合は、国際連盟とは異なり、安全保障問題に加えて、戦後世界秩序についての構想が加えられていた。それは「すべての国の主権平等に基礎を置き、大国小国を問わず、すべての国の加盟のために開放される、国際の平和と安全の維持のための一般的国際機構」を設立するというものだった。

この「国際連合憲章草案」は１９４５年２月に開催されたヤルタ会談（フランクリン・ルーズベルト、ウインストン・チャーチル、ジョセフ・スターリン）で最初に合意された。米国大統領フランクリン・ルーズベルトから提案された国連憲章草案が、ほとんどそのまま「国連憲章原案」となった。サンフランシスコ会議に51カ国が参加して署名をし、原案に基づいて国際連合が設立された（１９４５年６月26日）。

国際連合の血筋

人の人生は、社会環境や自然環境による影響よりも、血筋による影響を大きく受けるものである。国際連合は産みの親であるフランクリンD・ルーズベルト大統領とその政権の影響を大きく受けた。特に、彼は米国の大統領の歴史には前例がない、また今後もないであろう長期政権を維持した。米国史上初めて大統領任期を4期（16年間）も全うしようとした。しかし、13年間（4期目の第2年）で病気により死を迎えた。当然、米国の大統領としては、未曾有の強権の所有者となり、国際連合の性格と誕生、およびその運用に大きな影響を与えたのである。

この国際連合憲章草案では、自らのもっとも重要な機能である「世界の安全保障」を保護する権限を、安全保障理事会における常任理事国（戦勝5カ国）に全面的にゆだねるものとした。常任理事国は「米国、英国、フランス、ソ連、中華民国」である。後に中華民国は中華人民共和国にとって代わられた（1971年10月25日）。

安全保障理事会の常任理事国の5カ国はそれぞれが「拒否権」をもち、5カ国のうち1国が反対し拒否をすれば安全保障にかかわる全ての事案が否決される。当然、国連軍の派遣はできなくなる。第二次大戦の戦勝5カ国が安全保障に関する全権を握るシステムであった。驚くべきことにルーズベルト大統領は、ヤルタ会談でソ連のジョセフ・スターリンに「ソ連が常任理事国として参加」することを要請した。この結果、ソビエト連邦はスターリンに都合の悪い事案にはことごとく「拒否権」を発動して国連軍の出動を止めてきた。スターリンの後継者である歴代のソビエト共産党書記長は、世界赤化のために常任理事国の権限を活用してきた。国際連合は、世界の平和を維持するために必要な国連軍の派遣ができない状態に陥ることとなった。それに加えて、中華民国にとって代わり中華人民共和国が常任理事国となったのである。国連は世界の安全保障に対してまったく機能不全に陥ってしまった。

元米国下院議長であり、フランクリン・ルーズベルト大統領をよく知るハミルトン・フィッシュ氏が指摘している。「フランクリン・ルーズベルトは共産主義者ではなかったが、妻のエレノア・ルーズベルトと共に社会主義者であった。彼はソ連のジョセフ・スターリンを友人と考えていた。またルーズベルトの政権周辺には共産主義者らしき人物が多数いた。後に告発され処罰された者もいる。」（ルーズベルトの戦争責任）

海洋国家が世界を支配する

この章では、英国が海洋国家として世界に君臨するようになった歴史とその本質的特徴を探り、その歴史的立場と過ちの原因を追求してきた。

世界を「支配した世界帝国」というときに、大陸国家に形成された大帝国のイメージが強い。中国の元やオスマン帝国、ロシアやフランスそして大清帝国等が思い浮かぶ。しかし、それらの国よりもはるかに広範囲を支配したのが海洋国家としての英国である。そして、それはアメリカ合衆国に相続され現在も事実上世界を支配している。

なぜ海洋国家が世界を支配するのか?

それは、海軍力が世界の海上交通線を支配しているからである。米国の真の敵となったならば、直ちに喉元を占められてしまう。今、世界の現状への認識の誤りから、米国との間に本質的な問題に触れる争いをもたらした中華人民共和国の習近平主席は、逃げ場のない場所に追い詰められつつある。彼は海洋と海上交通線を支配されていることの恐ろしさを知らなかった。大規模なだけの軍事力と見せかけの経済力を過信していたとしか思えない。

20世紀の巨大な大陸国家であるロシア、ソビエト連邦、ナチスドイツ、そして大日本帝国は海洋帝国である英国とアメリカ合衆国にきれいに整理されてしまった。

この章で述べた「大英帝国」出現の過程は、ギリシャに続いてローマ帝国が出現した過程と、類似性があると考えられる。次の章では歴史をさかのぼって、ギリシャとローマの出現の経緯を見ていくことにしよう。

PART6

世界的主人の登場…ギリシャとローマ帝国

（1）海洋文化国家「ギリシャ」

物的な報酬よりも市民としての名誉と誇りを尊重した

紀元前（BC）8世紀から前（BC）1世紀にかけて、ギリシャは海洋文化を基礎に発展し、アレクサンドロス大帝国を出現させヘレニズム文化を産んだ。ローマはそれを相続し、さらに発展させた。イタリア半島のローマは地中海の制海権を得た後、三大陸にまたがる世界的大帝国を形成していった。その経緯を概観したい。

ギリシャの都市国家（ポリス）群は、紀元前800年末には現在のギリシャ西南部、クレタ島を含むエーゲ海の島々、アナトリア半島（トルコ）の西海岸に広がっていた。ほとんどが人口数万～十万人ほどの都市国家だった。それぞれ独自の政体（直接民主制、王制、寡頭制、等）を持ち、それらの都市国家群は共通の文化を基盤にする緩やかなつながりの連合体となっていた。

都市国家の市民は独立的な共同体としての非常に高い政治意識を所有していたようである。彼らは物的な報酬よりも市民としての名誉と誇りを尊重したといわれる。海洋貿易が発達し、紀元前5世紀（ペルシャとの対立期）には、すでにアテナイの商品は中東シリアに達し、当時ペルシャの支配下にあったエジプトから穀物を購入していた。ギリシャ都市国家群は海洋文化をその根底に擁していた。

海洋貿易が「ギリシャ」を歴史の主人に押し上げたのである。

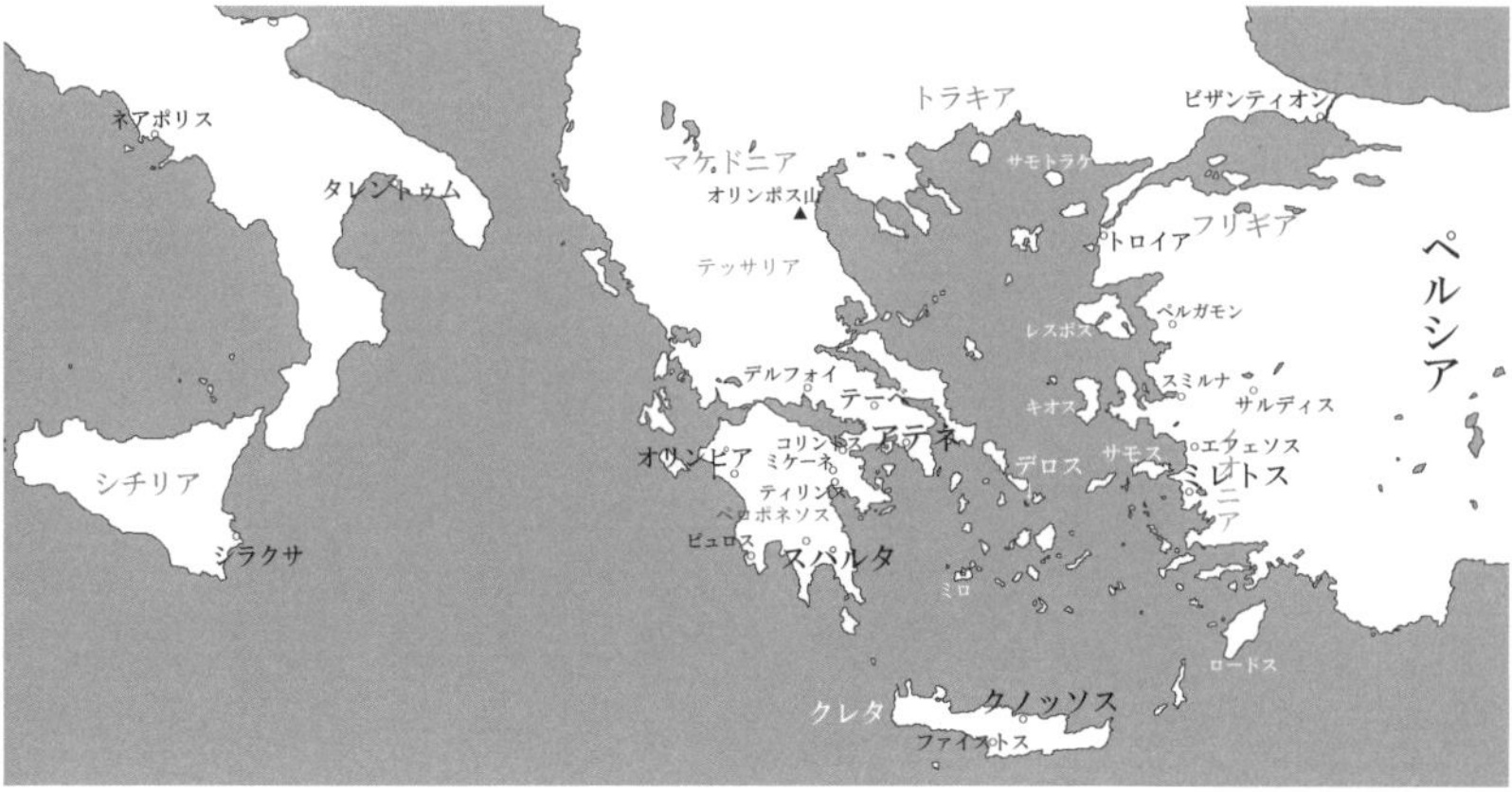

ペルシャとの対決のはじまり

　現在の常識からすればギリシャからそれほど遠方ではない地域の西アジアに、すでに巨大な王朝（アケメネス朝ペルシャ）が築かれていた。西アジアでは紀元前7世紀には新バビロニアが起こり、紀元前６０２年にはネブガデネザル2世がバビロンを建設した。紀元前５９７年に彼によりエルサレムが陥落し、ユダヤ人達の第一回バビロン捕囚がはじまった。紀元前５２９年にペルシャのクロス王が新バビロニアを滅ぼし、統一を達成、約２００年にわたるアケメネス朝ペルシャを創設した。これら西アジアの王朝は、例外なく全権力を国王に集中させる専制国家であった。アケメネス朝ペルシャは領土を拡大し、西はエジプトまで東はインドのインダス川近くまで、中東地域全域（アラビア半島を除く）をも支配する大帝国となった。その領土は古代エジプト、古代メソポタミア（イラクやシリア）、古代ペルシア（イランやアフガニスタン）にわたるという古代オリエント統一国家を形成した。

　当然、その巨大な専制国家の政治的影響力はギリシャにもおよぶようになった。小アジア西岸のイオニア地方にギリシャの植民都市が複数造られ、都市国家連合が自然発生していた。そこは貴族の連帯が強く、ポリス的国家制度が造られており、海を介する遠隔貿易で経済的、文化的にも栄えていた。しかし政治的にはペルシャの支配下であった。ペルシャは自分のエージェントとなるリーダーを「僭主《せんしゅ》」として認定し、僭主によりイオニアが納められていた。

やがてペルシャの支配に反対する勢力が強くなり、イオニアでペルシャに対して反旗を翻し、反乱がおこった（ＢＣ４９９）。イオニアの反乱はアテナイをはじめとするギリシャ諸国をも巻き込み、ペルシャとギリシャの戦争に発展、約5年にわたり紛争は継続したが、イオニア地方の植民都市は総てペルシャに抑えられた。この事件が、この後40年にわたるペルシャ戦争の原因となったのである。

ギリシャの植民都市の多数で構成されるイオニア地方による、ペルシャに対する反乱には、アテナイはわずかだが援助した。しかし、アテナイはペルシャに対して宥和的であり、宗主国としてのペルシャの立場も認めていた。

一方、イオニア諸都市がもっとも期待したスパルタは、徹底した反ペルシャだったのだが、イオニアの援助要請を拒絶した。それでもイオニア反乱軍は諸都市の海軍艦艇による連合艦隊を造り、約３００隻の艦艇でペルシャ海軍６００隻との決戦に臨んだ（ラデの海戦・ＢＣ４９５）。しかし、大敗を喫し、この戦争は終わった。アポロン神殿は略奪をされ火の海となり、男子は大部分殺戮され、婦女子はペルシャのスサに拉致された。

イオニアの悲惨な敗戦の後、アテナイではテミストクレス等の反ペルシャ政治勢力が指導権を握るようになり、反ペルシャ路線での一致団結がなされていった。

ギリシャの歴史家ヘロドトスは「歴史」のなかで〝ペルシャとギリシャの対決はペルシャによる専制独裁の絶対視とアテナイの民主制を信奉する信念とのイデオロギー対決となった〟と指摘している。

第一次ペルシャ戦争…「マラトンの戦い」の勝利

ペルシャ国王ダレイオスⅠ世は、アテナイに対する深い不信感を持ち続けた。イオニア地方のギリシャ植民都市による反乱が終わった4年後、ダレイオスⅠ世はすべてのギリシャ諸国にペルシャへの従属を誓わせるため、大軍をアテナイのすぐ近くにまで派遣して圧力をかけた（BC490）。海軍軍船に運ばれた陸上兵力がギリシャのマラトン（アテナイから北東に28㎞）に上陸した。ギリシャの歴史家ヘロドトスもその数には触れていない。はっきりしているのはアテナイ軍よりもずっと多かったということである。研究者たちによると、戦闘兵士は3万以下ではないかという。アテナイはあくまでも服従せずに対決するべくアテナイ軍をマラトンの野に進軍させた。ギリシャ軍の総数はアテナイ軍（重装歩兵9，000人）と他のポリスの連合軍（重装歩兵1，000人）の総計約10，000人だったという。この戦いではギリシャ兵士の情熱と責任感の圧倒的強さと、戦略戦術の成功が相まって、ペルシャ軍は大敗して敗走した。

歴史家ヘロドトスは「戦死者：ペルシャ軍6，400人、アテナイ軍192人」と伝えている。スパルタ軍2，000人が駆けつけた時には、合戦がすでに終わっていた。ほぼアテナイ軍単独の戦いによる圧倒的勝利だった。

この戦争の特徴は、東方の専制国家の強制により駆り出されてやってきたペルシャ軍と、「政治・経済・社会の決定権」を自ら持っている主人意識旺盛なギリシャの重装歩兵との戦いにあった。これが契機となりアテナイでは重装歩兵を構成する市民の自信と影響力が強くなり、その結果、アテナイの民主制度がますます強靭なものになった。

第二次ペルシャ戦争…サラミスの海戦とペルシャの後退

アテナイによる輝かしいマラトンの戦いの勝利の後、アテナイは明確な反ペルシャ路線で固まり、かつ団結した。アテナイの国民が反ペルシャ路線を選択するうえで大きな影響力を行使した政治リーダーが二人いた。テミストクリスとアリスティデスである。しかし、彼らはペルシャの脅威に備えるための国防戦略では、まったく異なる考えを互いに持っていた。

前者は海軍主義であり、後者は陸軍主義だったのである。最終的には陸軍の重装歩兵強化を貫こうとしたアリスティデスが陶片追放《とうへん》により退き、テミストクリスの徹底した海軍重視主義がアテナイを支配した。陶片追放とは市民が、僭主になる恐れのある人物を投票により10年間の国外追放にする制度のことをいう。この政治的事件が圧倒的に巨大なペルシャの軍事力を押しのけて、アテナイのみならず、ギリシャ全体までもが生き延びるための活路を開く原因となった。

ペルシャ国王ダレイオスⅠ世はマラトンの敗戦を知り、直ちにギリシャを支配するための、より大規模な遠征準備にかかった。しかし、彼は遠征準備の途上、マラトンの敗戦から4年後にこの世を去り、彼の子のクセルクセスが王となり、その意思を継ぎ、空前の大陸軍兵力を送りこむことでギリシャ全土を覆い尽くそうとする戦略を立てたのだった。

ところが、その大軍は多すぎて、ペルシャ海軍の船で輸送できなかったため、陸上を行軍させねばならなかった。またこの戦争では、ペルシャ軍には膨大な食糧や水、そして武器の継続的な補充等が絶対的に必要であり、輸送手段の確立が死活問題となった。そのためにペルシャ海軍に海上輸送を命令し実行させようとした。若きペルシャ王は、歴史的に大陸国家がとる戦略に習った。海軍を戦争の補佐的立場に立て、陸軍力を主体として戦争を実行する戦略を採用したのだった。

それはペルシャが得意とする戦略だったが、陸軍の規模が必要以上に大きかったこと、そして徹底した陸軍重視戦略がペルシャ軍の命取りとなった。

ペルシャ軍の進軍ルートは「エーゲ海を北上しバルカン半島のほぼ南端東側に上陸、エーゲ海北岸を西進、ギリシャ本土にはいり南進してアテナイに向かう」というものだった。大軍が敵地で遠距離を移動し、戦略を全うするためには、海軍による膨大な物資輸送が確保されねばならなかった。

ペルシャの王クセルクセスが自ら率いたペルシャ軍の総兵力の正確な数は判らない。歴史家ヘロドトスは「陸上部隊が170万人に上ったことは確かである。」という。非戦闘員を含めると500万以上と言っている。現実的にはあり得ない人数であり、現代の研究者たちの研究によると「陸軍18万人」、少ない説では「8万人」(『クセルクセスのギリシャ侵入』ヒグネット著 1963)等、いろいろな説がある。正直に言えば、ギリシャに侵攻したペルシャ陸軍の正確な規模は誰にも判らない。海軍は１２００隻（アイスキュロスＢＣ４７２）と記録しているが、ある研究者は「サラミスの開戦時に４００隻前後」としている。しかし、たとえ実際に侵攻したペルシャ軍の推定数をもっとも少ない数であったと仮定しても、ギリシャ連合軍を打ち破り、全土を支配するのには充分すぎるほどの軍勢であったことは間違いない。

これに対しギリシャでは、クセルクセスが首都スサを立ちペルシャ軍を率いてギリシャに向かったという情報を得て、来寇《らいこう》の深刻な危機を肌で感じはじめた。そして「全ギリシャ諸都市の連合」をギリシャ歴史上初めて結成した。アテナイでは２００隻の軍船に乗る兵士約4万人が動員された。それはアテナイの全市民に相当したのだ。女性や子供たちのすべてを疎開させて戦争に備えたことになる。

テルモピュライの玉砕戦

ペルシャの巨大な陸軍は遂にギリシャ本土に近づいた。アテナイのリーダーであるテミストクレスは連合同盟諸国を説得し、ギリシャ本土に入る通過点にあるテルモピュライで決戦をはじめることにした。この場所での戦争には戦略的な狙いがあった。テミストクレスはテルモピュライでペルシャ軍の前進を長期間拒み、抗戦の精神と成功を見せ、ギリシャ全体に未だ残る足並みの不一致と沈滞ムードを一掃し、抗戦エネルギーを高めようと試みたのである。

この戦いの後、間もないころのシオニダスの詩によると重装歩兵4，０００人が戦ったとある。司

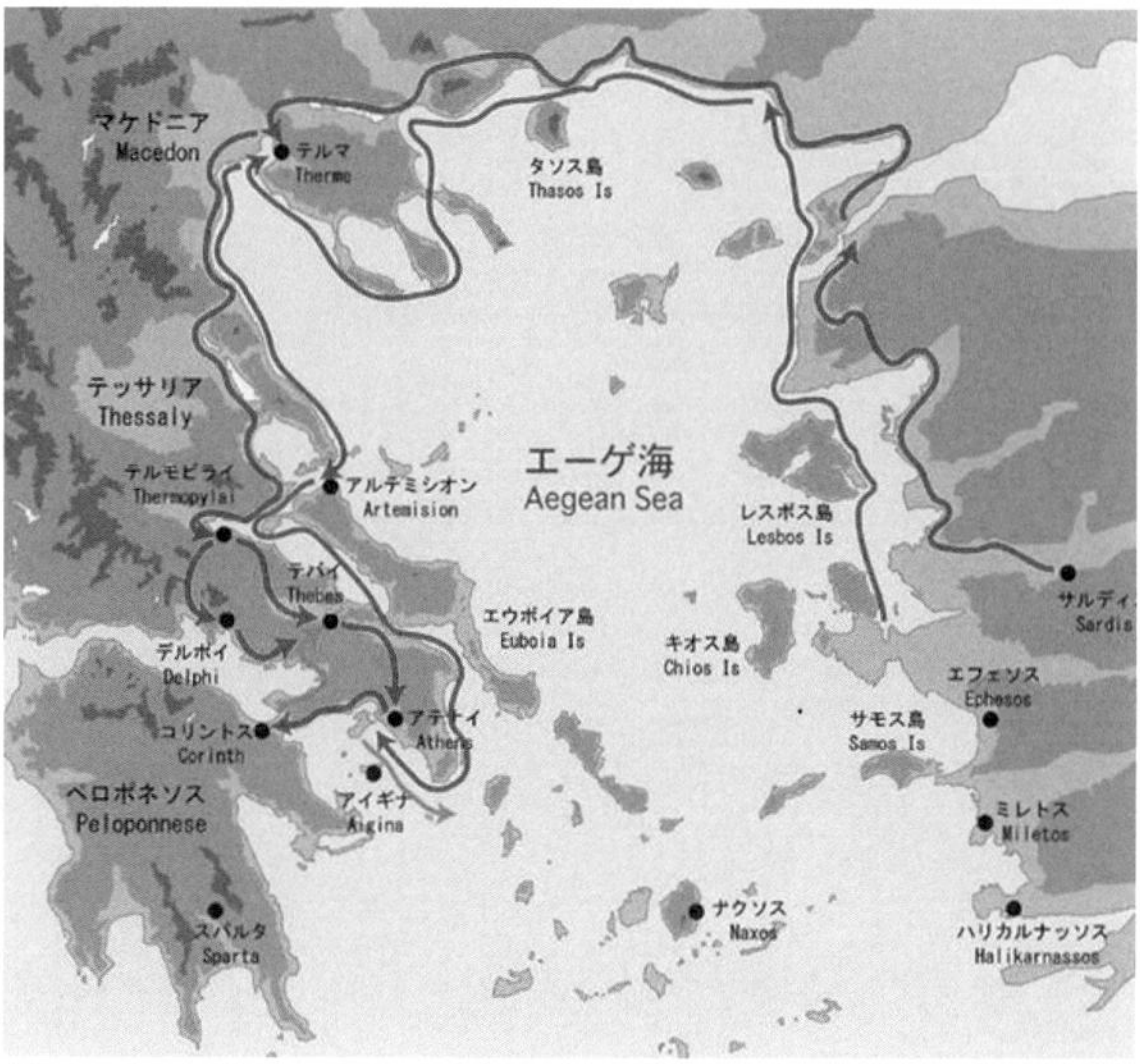

ペルシャ軍第三次遠征の進路（Wikipedia より）

令官はスパルタの「レオニダス」であった。テルモピュライはペルシャ軍の通過線上にあった。そこはオイタ山系が海にせまり、通過するためには三つの狭い関門を通らねばならなかった。西端と東端の関門は、道幅が車１台程度であり、片側は断崖だった。あまりにも狭いためペルシャ軍が得意とする騎兵や弓矢もまったく威力を発揮できない場所であった。ここでギリシャ連合軍は３日間、何十倍もの軍勢の敵を相手に闘い、四度も潰走させたという。

　しかし３日目に、ペルシャ軍は迂回路を発見した。そこを前進し、守っていたギリシャの守備隊を潰走させ、その後、ペルシャ軍は迂回路を通過して、突如ギリシャ軍の背後に現れた。ギリシャ連合の重装歩兵は、前後を圧倒的大兵力のペルシャ軍により挟まれることになり、戦局は急転した。そして、遂に司令官レオニダスとスパルタの兵士３００人が玉砕した。あとに従ったギリシャ連合軍兵士を含めると合計４，０００

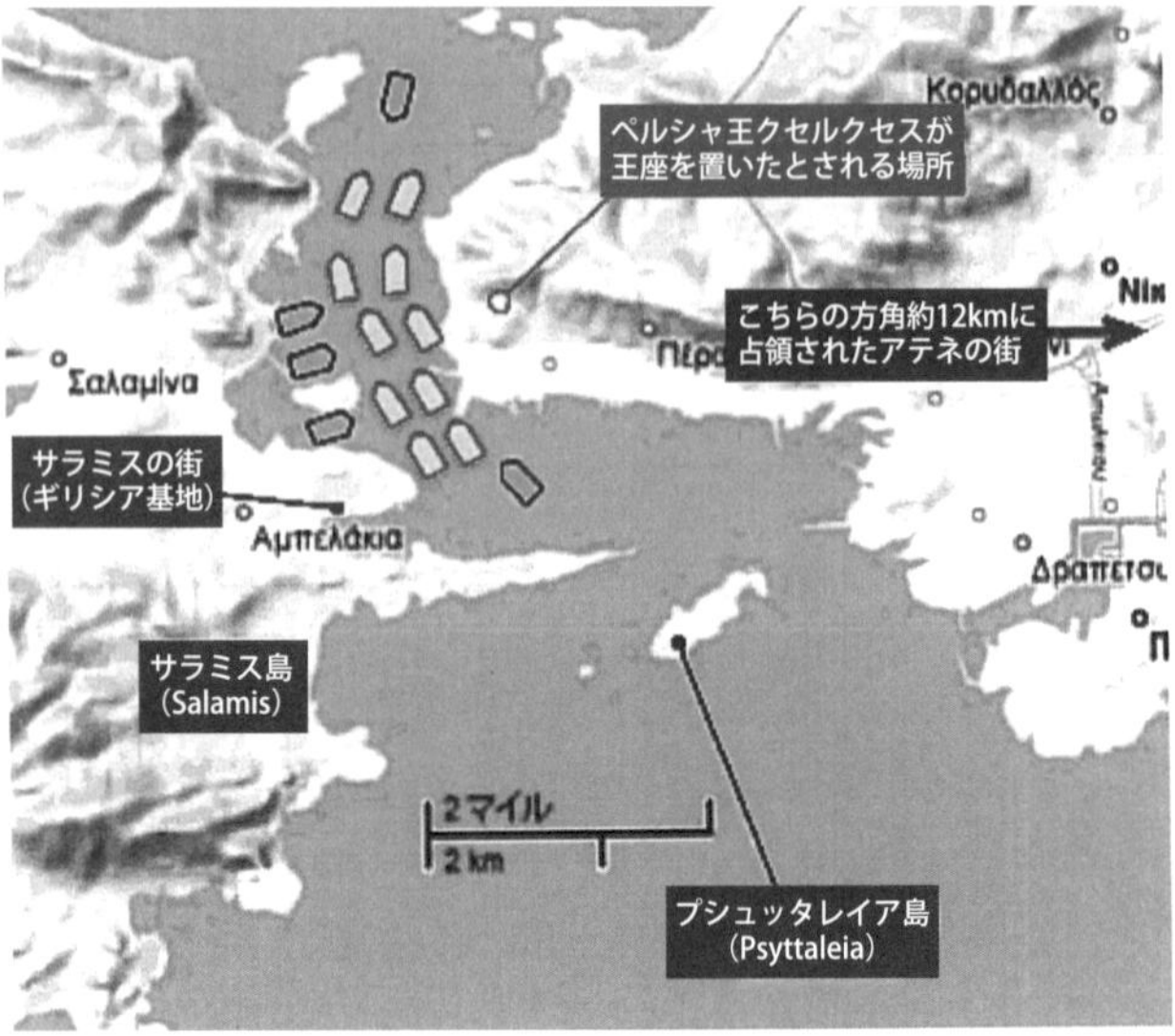

人が犠牲となったという。

ヘロドトスによれば、この戦いでの互いの犠牲者は「ペルシャ側戦死者は、クセルクセス王の異母兄弟2人をはじめとし2万人、ギリシャ側が4，000人」としている。レオニダスとスパルタ兵士をはじめとするギリシャ軍による3日間の奇跡的勝利と、最後の悲惨な玉砕はギリシャ連合軍の魂を揺さぶり、ギリシャ全土の国民に決死の覚悟と団結をもたらした。

その時に至るまで、ギリシャ諸国にはペルシャとの戦争に対して様々な温度差があり、団結ができていなかった。しかし、テルモピュライの玉砕は、ギリシャ諸国家が一つとなり、立ちあがるに充分なショックと団結力を与えた。しかしながら、逆にペルシャを恐れて、それに迎合するギリシャ都市国家も現れた。

サラミスの海戦

紀元前480年9月。テルモピュライの次の地上防衛線はコリント地峡であった。そこを、スパルタをはじめとするペロポネソス同盟軍が守備し、アテナイに向かうペルシャ軍の進行を阻止しようとした。

一方、ギリシャ連合軍の海軍艦艇は、アテナイ海軍を中心にアテナイに近いアッティカ本土の対岸にあるサラミス島のアンベラキ湾に終結した。ペルシャ海軍艦艇はそれを追うように、よりアテナイに近いアッティカのファローレン湾に停泊した。

サラミス島のアンベラキ湾に入ったギリシャ艦艇は広い海域（南側海域）には出ようとしなかった。重く船足の遅いギリシャ船は広い場所での闘いは不利と考えたのだ。なぜならギリシャの艦艇は、敵艦に衝突し、敵船に穴をあけて沈没させるための大きな衝角が付いていた。ペルシャの海軍は、地上軍を多くのせ、敵の船に近づいて乗り込み敵兵を殲滅するために造られていたため、船足が速く操船技術にも優れていた。ゆえにペルシャ海軍は、ギリシャ海軍を湾から広い南側海域に誘導して闘おうとした。

両者の海軍力の規模の比較は正確には判らない。ヘロドトスは「ギリシャ海軍は艦艇数が３８０隻」としている。ペルシャ海軍の艦艇数は研究者たちが「約６００隻以上ではないか」としている。

不思議なことにペルシャ海軍は夜半に行動を起こし、大艦隊の総てが、狭いサラミス水道に侵入した。きわめて危険で馬鹿げた判断が下されたのだった。サラミス水道は潮の干満により、時間帯によってはきわめて激しい水流となる。それを活用して船団を運用し、かつ闘うことは、現地の海に慣れ親しんだギリシャ海軍にしかできないはずだ。三段櫂《かい》船で２００名による三段の櫓で漕いでも、強い水流に流される。なぜ、ペルシャ海軍は自ら、不利になる狭いサラミス海峡に入ってきたのか？
「海に対し無知なペルシャ王が、権力により海軍の作戦に干渉し、自分の考えを押し付けた。」としか考えられない。本来、ペルシャは大陸国家であり、徹底した陸軍中心の軍である。ペルシャ海軍はペルシャに支配されるフェニキアやイオニアの海軍により成り立っていた。ヘロドトスの見解によると「ペルシャ王クセルクセスはギリシャ側の有力勢力の裏切りがあるという情報を信じて、サラミス水道に進出した」としている。

ペルシャ海軍はアテナイを背にして、アッティカ本土と平行に、狭い水道にそって横陣体系の戦列を敷いた。そしてギリシャ海軍艦艇はアンベラキ湾から出て南北に広がり対決した。わずか南北7㎞、東西2㎞の狭い海域で1，000隻もの艦艇が衝突することとなった。

やがてペルシャ海軍は大混乱を起こし敗走がはじまったが、水道が狭いため、戦う自軍に邪魔され、水道の南側にあたる広い海に向かっての逃走ができなかった。ギリシャ軍に包囲され、船で体当たりをされ、衝角という青銅の鋭角の突起により船の胴体に穴を開けられ、次々と沈められた。押し寄せる波のようにギリシャの海軍は終日ペルシャ海軍を襲い続けた。陽が沈み、海が暗闇に包まれるまで続いたという。

ペルシャ海軍の大敗北

ペルシャ戦争の勝敗を決する契機は、ギリシャ海軍がペルシャ海軍を敗走させたサラミスの海戦における大勝利であった。

ペルシャ海軍で生き残った艦艇はいったんファレーロン湾に逃げ込み、翌朝、エーゲ海を横切り小アジアのヘレスポントに逃走した。かつて、ペルシャ海軍の内でも華であったフェニキア海軍は、完全に戦闘意欲を失ってしまった。

ペルシャ海軍の大敗北は、ギリシャに進出した数十万のペルシャ大陸軍の補給線の崩壊をもたらした。補給線の崩壊は、膨大な陸軍兵士たちの速やかな撤退を不可能とし、ペルシャ陸軍を敵地に孤立させることになった。時間の経過とともに、ペルシャ軍が大規模であればあるほど、その大きさが逆に弱点に変化してしまったのだ。すなわち、必要とされる食料と武器の供給、そして病人や負傷兵の後方への輸送が遮断された。それはペルシャ軍兵士たちの戦意を決定的に喪失させてしまった。

また、ペルシャ支配下のイオニア地方ではギリシャ人が勢いづいて大規模な反乱を起こす可能性が生まれた。これらの情勢を見てペルシャ・クセルクセス王は、自分の身の危険を感じたのか、早々にペルシャに逃げ帰ってしまった。

この後、かなりの規模のペルシャ陸軍兵士たちが、アテナイのアッティカ地方を撤収し、中部ギリシャのテッサリア地方に残留していた。しかし、やがて彼らはギリシャの連合陸軍との戦いに敗れ、中部ギリシャからも完全に追放された。

海を知らない大陸・陸軍国家の国王が、量で圧倒する大陸軍を率いて海洋国家勢力に闘いを挑んだ。しかし、ペルシャ王の絶対的権力と専制制度が災いして、深刻な戦略的判断の過ちを犯し、その結果サラミスの海戦で大敗北を喫した。このことは、ペルシャがバルカン半島に侵攻してギリシャ諸国家を支配下に置くためのチャンスを永久に喪失させた。その30年後（ＢＣ４４９）にアテナイとペルシャの間に和約が結ばれた。

アレクサンドロス大帝国の出現

こうしてバルカン半島の南部のギリシャ諸都市は、アジアの巨大国家（ペルシャ）の侵攻からエーゲ海と地中海東部の一部に対する制海権によって保護されることになった。

その後、１５０年ほど続いた長期にわたる政治的平和は、ギリシャ諸国家の国力の成長を助けた。しかし、今度はギリシャ諸国家の間でいくつもの戦争が頻発することになった。この戦争状態のなかで、やがてギリシャ北部のマケドニアが力を得た。マケドニアは北方ギリシャ人が建てた国であるが、他のギリシャ諸国と異なり王政であり、マケドニア王国はフィリポス二世が支配していた。やがてマケドニアは、南方のアテナイ・ティーバイ連合軍を破り、ギリシャ世界の覇者となった（ＢＣ３３８）。マケドニア王フィリポス二世は早くからペルシャ遠征の夢を強く持ち続けていた。ところが、その夢を宣言した後に何者かによって暗殺されてしまった。

フィリポス二世の子供・アレクサンドロス３世が20歳で即位すると、驚異的な速さでペルシャ遠征を現実のものとし、さらにアケメネス朝ペルシャを滅亡させてしまった（ＢＣ３３０）。アレクサンドロス３世は、33歳で死ぬまでのわずか13年間に、西はエジプトから、東はインドの一部（インダス

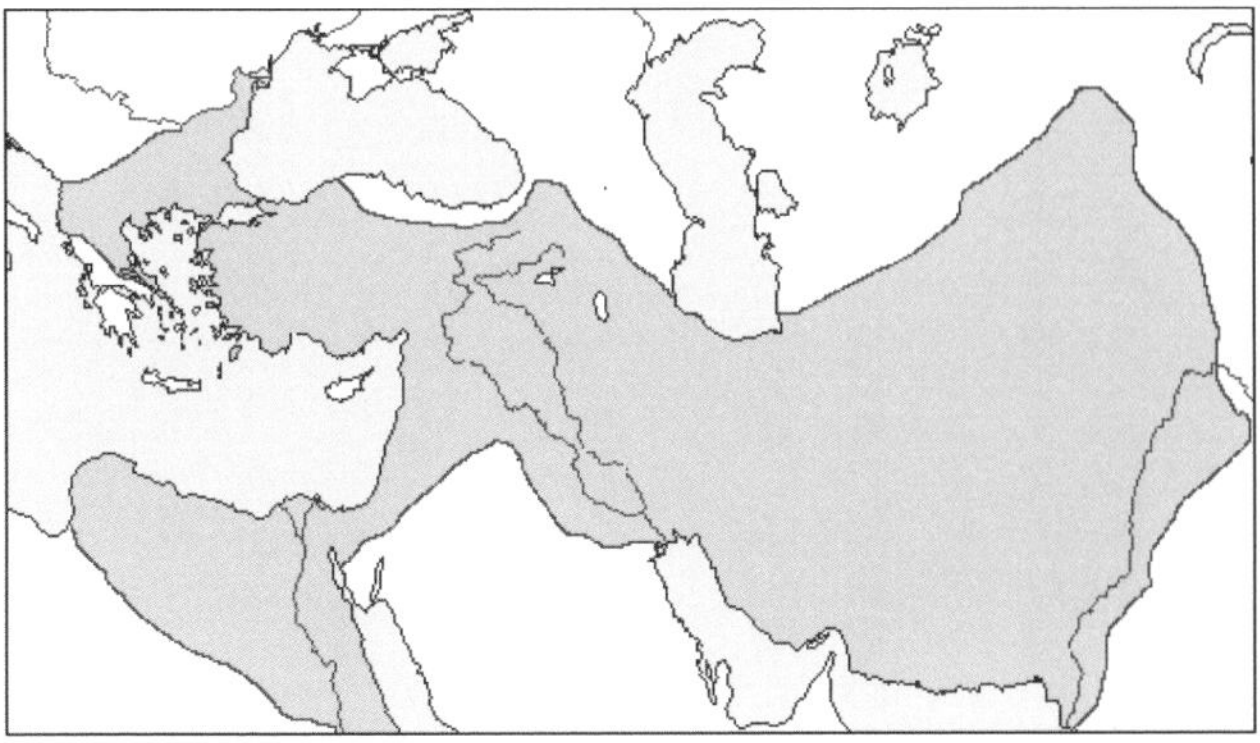

アレクサンドロス帝国

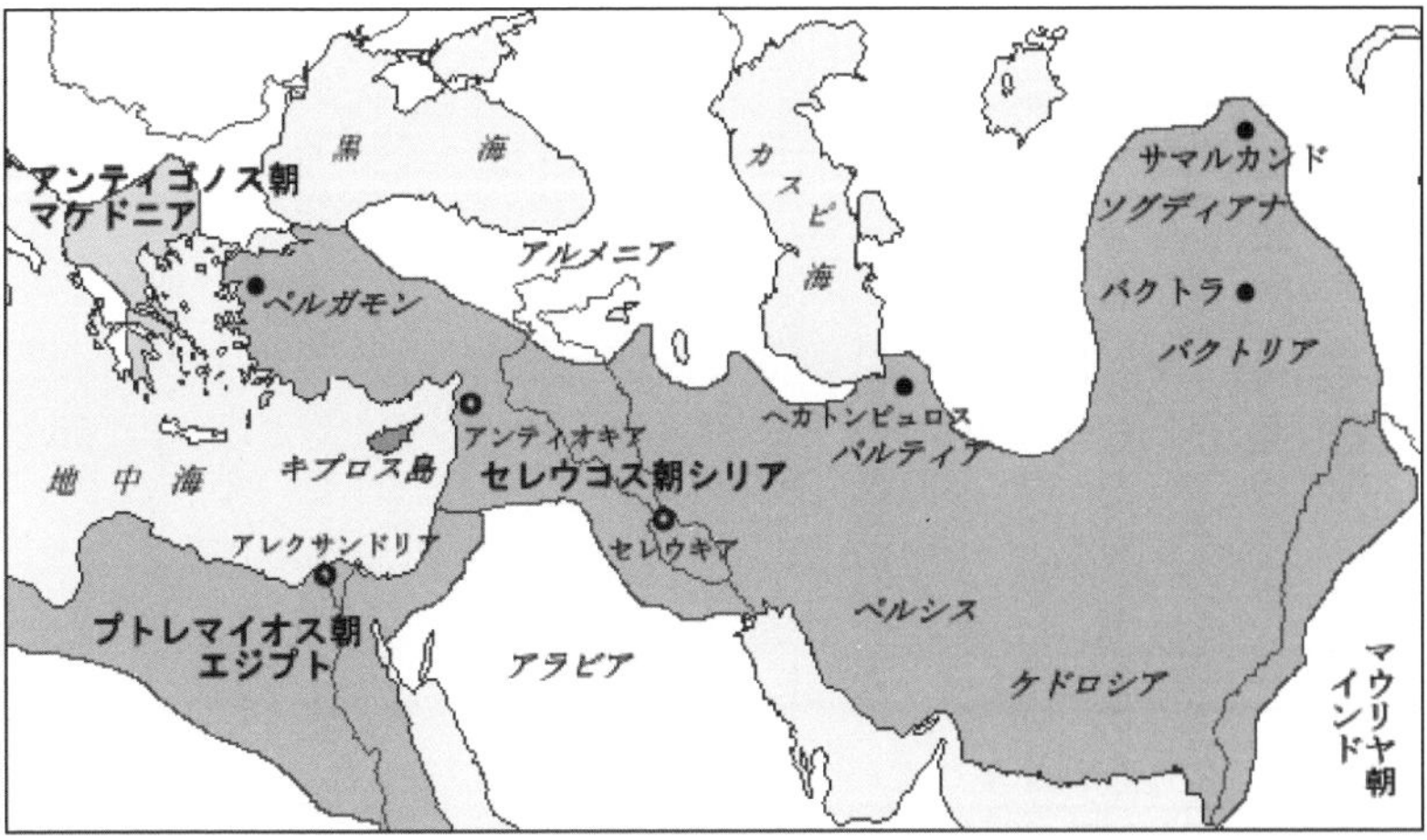

3分裂：ヘレニズム三国

川西側）まで、ギリシャからペルシャを含む「アレクサンドロス大帝国」を造り上げた。

アレクサンドロス3世はアリストテレスを師として、幼少期から学んだといわれる。彼のオリエント支配は「ギリシャ思想とオリエント文化を融合」させ「ヘレニズム文化」を生みだした。彼はギリシャ文化のなかで育ったにもかかわらず、ペルシャの文化の素晴らしさに魅惑され、傾倒したといわれる。アレクサンドロス大王の死後、帝国は三国に分裂するが、やがてそれらはローマの支配の下に入った。

（2）シーパワーが「ローマ」を歴史の主人に押し上げた

ローマの勃興

ローマは紀元前753年にロムルスが建国したと言われる。最初は王制の都市国家であったが、紀元前509年ころ王を追放し共和制都市国家となった。やがて周辺の諸部族を支配下に置き、さらに領土を拡大した。

紀元前272年に南イタリア最強の都市国家「タレントゥム」を破り、ほぼイタリア半島の全域を統一した。マケドニアのアレクサンドロス大王がペルシャを征服（BC330）した58年後であった。

その後、共和制都市国家であったローマは、地中海の対岸にあり、地中海の覇者となっていたカルタゴと対決する。40年にわたる三度のポエニ戦役（BC241〜201）により、ローマはカルタゴを破り属州化した。地中海の覇者を滅ぼしたローマは東方世界にも進出した。マケドニア王国を属州化し、ギリシャ全体を支配下に置くことで、東地中海をも征服し、全地中海の支配を達成した。

この後、ローマは世界帝国としての「ローマ帝国」にむかってひたすら発展することになった。

アレクサンドロス帝国の誕生とともに、多くのギリシャ人が東方の支配地域（オリエント）に進出した。ギリシャ文化は東方で支配者の文化となり影響力を行使した。ギリシャ文化はオリエントの文化と融合し、新しい文化である「ヘレニズム文化」を生み出すことになった。

アレクサンドロス帝国誕生の約１００年後、ローマは地中海の覇者カルタゴとの戦争を開始し、勝利して遂に地中海の覇者たるカルタゴをローマの属州とした。同時に地中海の制海権をも握った。

その後、ローマは東方に進出し、アレクサンドロス3世（大王）の死後弱体化していたマケドニアをはじめとするギリシャを吸収した。旧アレクサンドロス大帝国の主要地域と全地中海地方を統一する過程で、ローマはヘレニズム文化を吸収した。ヘレニズム文化はローマ人たちに深く浸透し、ギリシャの遺産はローマ人達によって確実に継承された。

ローマ帝国出現の基盤は地中海の支配

ローマが世界の覇者として新時代に登場するための「梃子《てこ》」となったのが「地中海の支配」であった。もし、ローマが地中海の覇権を得られなければ、三方向（アジア、エジプト、北アフリカ）の周辺諸国の力により、イタリア半島に閉じこめられていたであろう。ローマは背後からの脅威により常に脅かされ、加えて北方の高いアルプス山脈に遮られているため、ヨーロッパに支配圏を広げることなどあり得なかった。ローマ帝国の出現は、地中海支配により可能となったものである。その具体的な形は海軍力による海上交通線の支配だった。アレクサンドロス帝国の出現の過程と良く似ている。

北方ギリシャ人の国であるマケドニアは、ギリシャを統一し、ペルシャを滅ぼし、アレクサンドロス大帝国として出現した。しかし、それ以前に、ペルシャ戦争においてギリシャはサラミスの海戦大勝利で東地中海の覇権を握っていたのだ。それによりペルシャはギリシャ地方から陸軍を撤退せざるを得なくなり、また、ギリシャへの侵入は永久に停止せざるを得なくなった。それによりギリシャの安全が保障されることとなった。

この保障された安全と比較的平和な環境のなかで、北方ギリシャ人の王政国家であるマケドニアが国力を蓄え、ギリシャの全域支配を達成し、アレクサンドロス3世により大帝国が造られることとなった。「サラミスの海戦大勝利とそれによる東地中海の制海権の確保」が、アレクサンドロス大帝国誕生の基盤となったのである。

このようなアレクサンドロス大帝国の出現とよく似た形となったのが、次の時代の覇者・ローマ帝国の出現である。前述したように、ローマが世界の覇者として新時代に登場するための「梃子」となったのがローマ海軍による「地中海の支配」であった。

第一次ポエニ戦役による地中海支配という「シーパワー」

ローマ帝国が世界の覇者として君臨する基盤は地中海の支配であった。ローマが帝国として成長してゆく道を遮る巨大勢力が、地中海の対岸にあったカルタゴである。両者は95年間に三度にわたり死闘を繰り広げることとなった（ポエニ戦役　ＢＣ２４１～１４６）。

ローマは第一次ポエニ戦役でカルタゴに対し、すでに、地中海での優位を得ていた。

地中海で優位となったローマ海軍力の存在を過小評価する立場でポエニ戦役を解釈する歴史観が圧倒的に多いようである。しかし、その時に確立していたローマのシーパワーを過少評する歴史観は重大な過ちを犯しているといえる。第一ポエニ戦役のローマによる勝利は、ローマによる地中海海戦の勝利がもたらしたものである。それによる〝西部地中海北半分のコントロールが、第二次と三次のポエニ戦役でカルタゴに対する決定的勝利をローマにもたらした〟というのが歴史の現実である。

海上権力史論（The Influence of Sea Power upon History）で著名なアルフレッド・マハン（Alfred Mahan）がそれについて指摘している。マハンはモムゼン（Theodor Mommsen）の「ローマ帝国史」から、「第二次ポエニ戦役におけるローマ勝利の決定的要因が、ローマによるイタリア半島からイベリア半島に至る西部地中海北半分のコントロールにあった」という事実を発見した。「第二次ポエニ戦役の結果にかかわる戦争の事実を詳細に知ることは今や不可能である。しかし現在、残る歴史の証拠だけでも、シーパワーが決定的要素になっていたことを保障している。」とマハンは言い切っている。

カルタゴは伝統ある海洋国家であった。一方、ローマは非海洋国家だった。にもかかわらずモムゼ

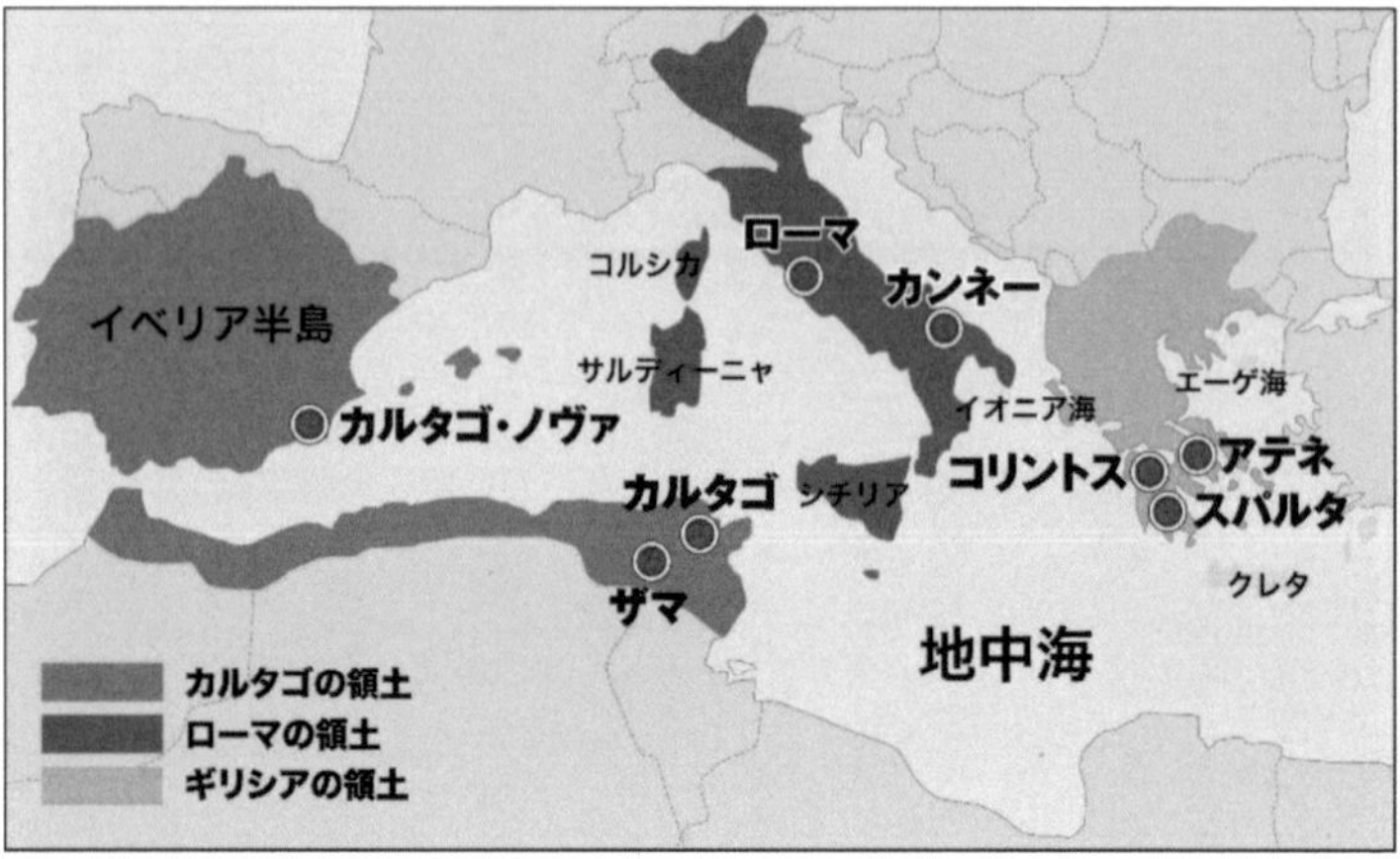

ン（Mommsen）は、第二次ポエニ戦役（BC218～201）では戦争の当初からローマが海上を「官制していた」と言っている。このことは「すでに第一次ポエニ戦役でのローマ海軍の勝利により、彼らのカルタゴ海軍に対するシーパワー優位が確立されていた」ということを意味している。その後の第二次ポエニ戦役による歴史的事実が、さらにこのことを実証している。

　塩野七生氏は著書「ローマ人の物語」でこの重大な歴史の事実に触れている。カルタゴとの緊迫した事態が進展するなかで、ローマはギリシャ人の船舶製造技術を持つ人々の協力を得ていた。第一次ポエニ戦役で、「非海洋国家のローマ」は「海洋国家カルタゴ」との海戦に備え、急ごしらえの戦闘艦の製造に全力を挙げた。ローマに最初の海戦の大勝利をもたらしたのは新兵器であった。ローマ海軍は、敵の船に接近してカラス（先に重く鋭い鳶口をつけた長いマストを倒れるようにしたもの）を倒して相手の船に突き刺して固定し、重装歩兵が敵船

ローマ海軍と新兵器（カラス）

に乗り込むという戦い方を開発した。

ギリシャと同様、重装歩兵の兵士を持つローマ軍にとり、この方法は非常に有効であった。カルタゴ軍には重装歩兵の伝統はなかった。第一次ポエニ戦役では、ローマがカルタゴとの四度の大海戦で大勝利を収め、五度目の大勝利で、遂にカルタゴは自らに不利な講和条約をローマとの間に結ばざるを得なくなった。

第二次ポエニ戦役

第一次ポエニ戦役終了の22年後、共和制ローマとカルタゴは激突した。カルタゴの将軍ハンニバルは6万人の兵を率いて、スペインから全て陸路でイタリアに侵入した（第二次ポエニ戦役の開始）。しかし、カルタゴ陸軍はアルプス山脈を大軍で越えるという困難を克服せねばならなかった。

実際、アルプス超えは過酷で困難を極め、カルタゴ軍の兵士3万3千人の犠牲者を出したといわれる。もしカルタゴが西部地中海北半分（イタリア半島からイベリア半島に到る）をコントロールしていたならば、このように危険な選択をする必要はまったくなかった。もっと容易にイタリア半島に侵入し、ローマはカルタゴの将軍ハンニバルに屈していただろう。

カルタゴ軍は、危険なアルプス越えにより大打撃を受けながらも、いくつかのローマ軍との戦いを勝利して南へと移動をし、ローマを迂回して南部イタリアに地歩を固めた。いかに猛将ハンニバルが指揮するカルタゴ軍といえども、大部隊には必須の食糧補給を、カルタゴ軍により支配されるローマ人たちと彼らの領土内に求めざるを得なかった。しかし、かつてローマの支配下にあった地域からの食糧補給は、その地域の離反を招く可能性が高かった。ゆえに、ハンニバルにとって信頼できる場所からの充分な戦略物資補給と兵力の増援を得ることが、戦争に勝つための戦略的絶対条件であったのだ。

カルタゴ軍にとって、その戦略的条件を満たす可能性のある三つの地方があった。カルタゴとスペイン、そしてマケドニアである。なかでもスペインがその可能性が高く、陸路よりも海路がもっとも近く、しかも海路ならば大量の糧食と兵士を運ぶことができたのである。しかし、戦争の第1年目からローマ海軍が、イタリア、シシリーとスペインの海域を完全に支配していた。

カルタゴ海軍はローマ海軍との遭遇と海戦を除けていた。マケドニアはハンニバルと同盟を結んでローマに圧力をかけていたが、マケドニア軍は一兵もイタリア半島に上陸できなかった。マケドニアとイタリア半島との間はアドリア海が遮っていた。アドリア海は、すでにローマ海軍に支配されてい

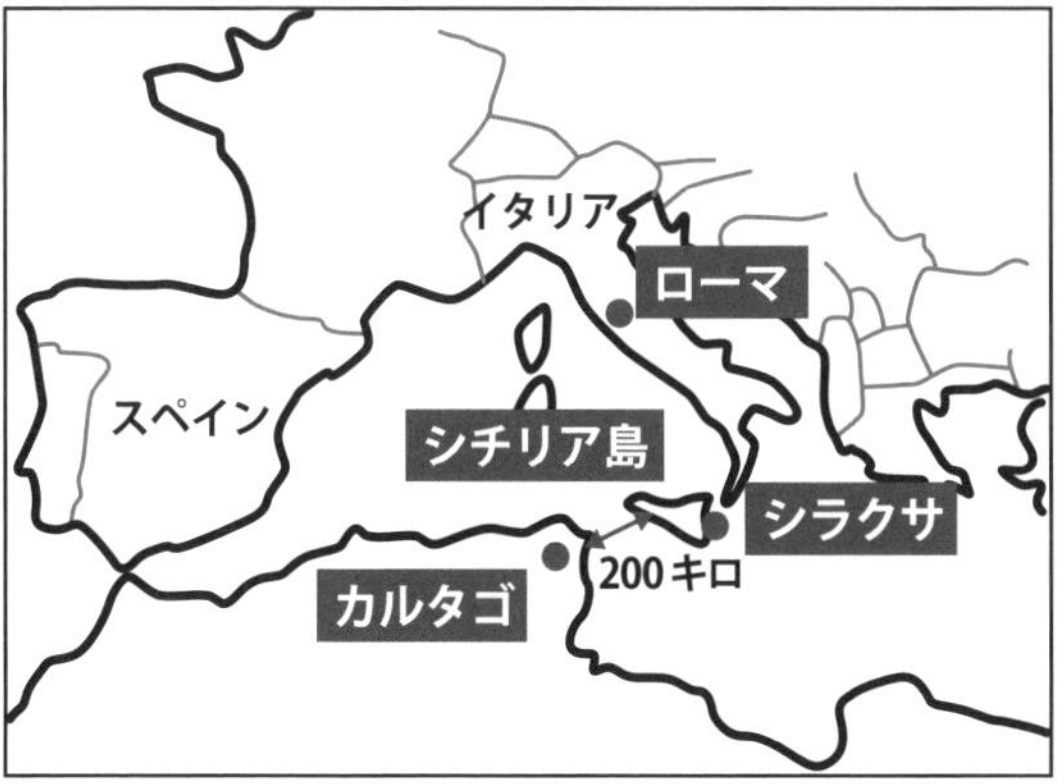

ローマとカルタゴの地図上の位置

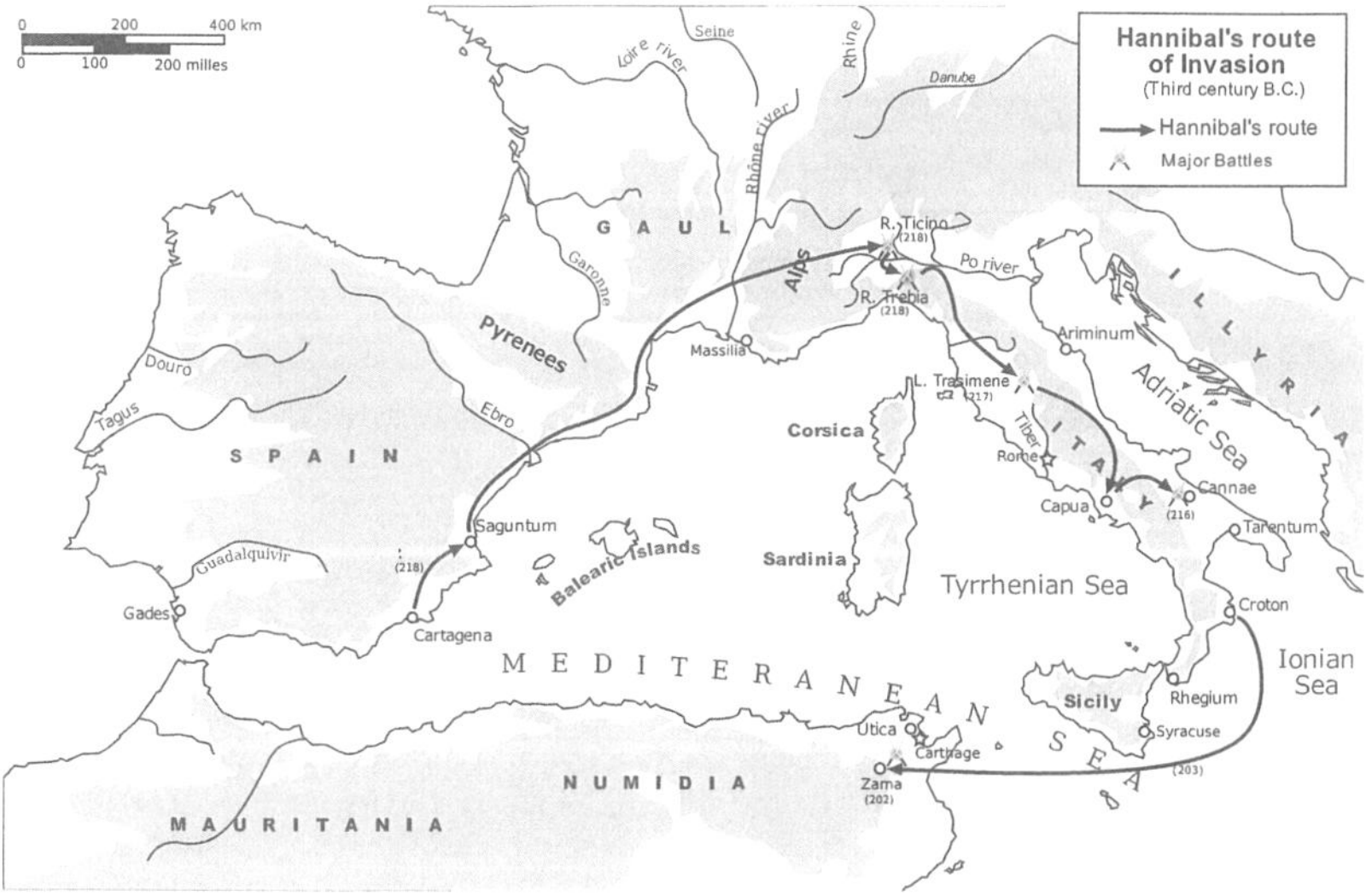

第二次ポエニ戦役：ハンニバルのルート

たのだ。こうして、ローマ海軍のアドリア海に対する制海権のゆえに、マケドニアはハンニバルのカルタゴ軍とローマ軍との戦争の圏外に追い出されていたのである。

第二次ポエニ戦争は10年も続いていた。

ハンニバル将軍の陸軍はカルタゴ本土からの増援がないため消耗しきってきた。しかし、ローマ軍も疲れ果てていた。将軍ハンニバルの弟ハスドラバルは、スペインから援軍を引き連れ、陸路でアルプス山脈を越えてイタリアに浸入した。もし、これが無敵のハンニバル軍と合流できたならば、戦局は逆転しまったく反対の結果になっただろうと言われている。しかし増援軍の侵入を知ったローマ軍が、北方ローマ軍に合流し、圧倒的優位な勢力でハスドラバルの軍をハンニバル軍と合流する前に打ち破ったのだった。

やがて、ローマの将軍大スキピオが軍を率いてカルタゴを直接攻撃するべく、地中海を渡りカルタゴ領内に上陸し首都（カルタゴ）に向かい進撃を開始した。ハンニバルはローマの拠点を捨てて、直ちに軍を率いて地中海を渡り、首都を守るべくローマ軍を迎え撃った。しかし、カルタゴの近郊であるザマの戦いで、ハンニバル軍は大スキピオに大敗した。両国の間に休戦協定が結ばれ、カルタゴはローマの同盟国になることを強制された。さらにカルタゴの再起が危ぶまれるほどの膨大な賠償金を支払わされた。そして、第二次ポエニ戦役は終了した（紀元前２０１年）。

その後、カルタゴはハンニバルの政治的指導力で再興されるが、内部の対立で彼はカルタゴから追放された。

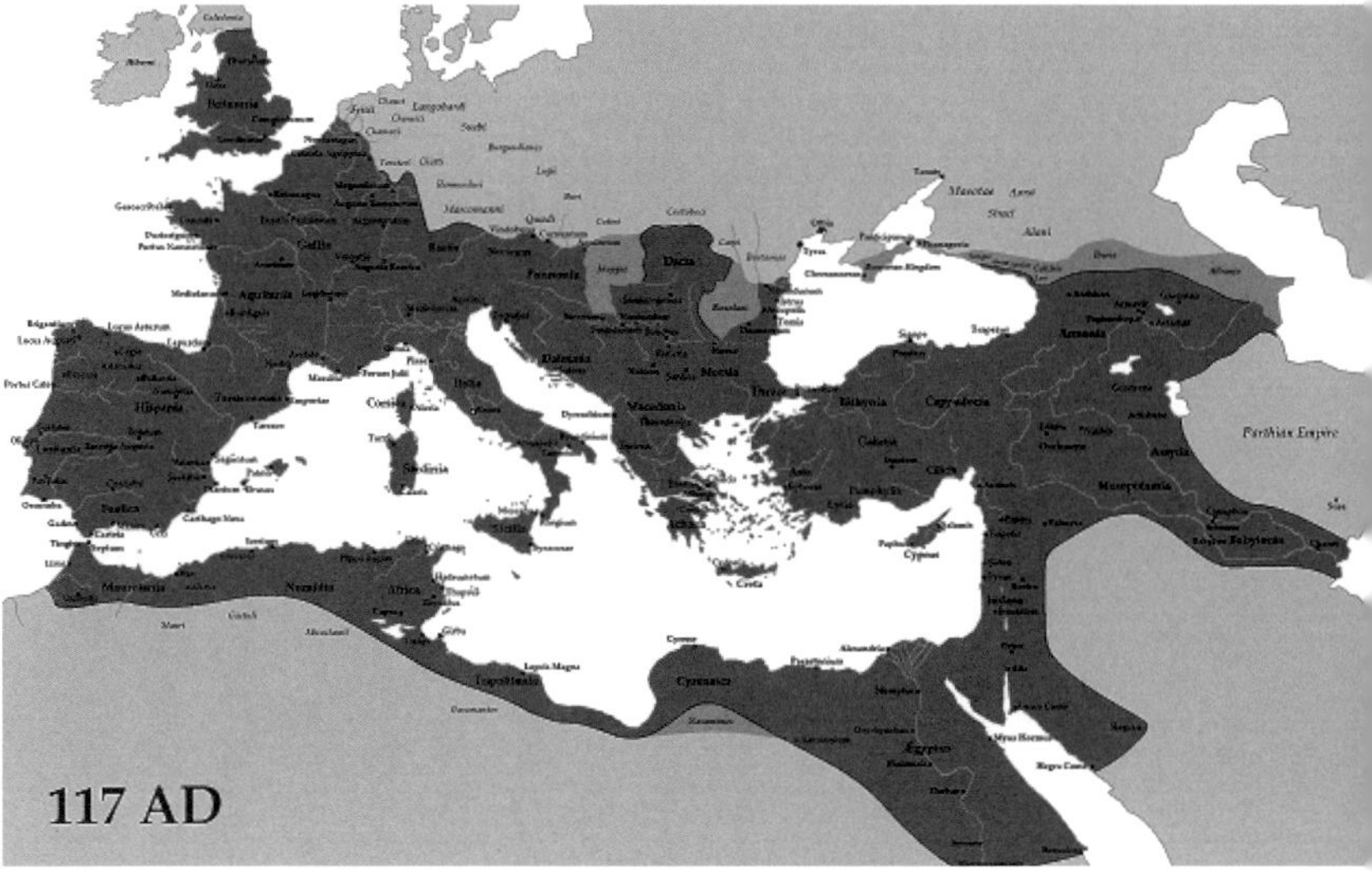

（西暦 117 年　ローマ帝国の最大版図の部分）

第二次ポエニ戦役終了の52年後に第三次ポエニ戦役が勃発した。この戦役で4万といわれる強力なローマ軍がカルタゴを包囲し、破壊し、国家としてのカルタゴを完全に消滅させた。5万もの人たちがローマの奴隷となったといわれる。こうしてカルタゴはローマの属州の一つとなった（第三次ポエニ戦役、紀元前146年）。ほぼ同時にカルタゴの同盟国マケドニアも共和制ローマの属州となった。

国の運命を決めたシーパワー

地中海の覇者カルタゴを自らの属州にしたローマは、その直後に東方世界に進出した。マケドニア王国を属州化し、ギリシャ全体を支配下に置いた。これは必然的に東地中海の支配をもたらした。こうしてローマは全地中海の支配をも達成したのだった。この後、ローマは世界帝国である「ローマ帝国」として発展することになった。

当時の地中海周辺は世界の表玄関であった。地球上でもっとも文明が繁栄していた地域の一つである。ローマは、技術や知識をもっとも所有していて経済的にも繁栄する地域を自らの支配下に置いた。当然、国力は相対的に強化されることになった。紀元前64年にはシリア（セレウコス朝）を滅ぼし、ユダヤも征服した。紀元前58年にカエサルによるガリア遠征（現在のフランス・ベルギー・スイスおよびオランダとドイツの一部）がはじまり、中部ヨーロッパの支配を拡大し、ゲルマニアの一部（ライン川の西側）を支配した。カエサルは紀元前55年にブリタニヤまで遠征している。西暦40年ころまでに英国の北部三分の二を支配し、西暦30年にはエジプト（プトレマイオス朝）を併合した。

ローマはイタリア半島を統一するのには５００年以上かかった。しかし、その後の拡大は前時代と比べるときわめて迅速だった。カルタゴを属州にし、地中海の制海権を握り、アジアとアフリカの地中海諸国を支配すると、その後わずか１００年で中部ヨーロッパのほとんどを支配したのだ。その１００年後（西暦40年ころ）には、ブリタニア（英国地方）とエジプト（プトレマイオス王朝）の支配にも及んでいる。地中海を中心にしてアジア、アフリカ、ヨーロッパ大陸にまたがるグローバルな大帝国として君臨したのである。

これを可能にさせたのが地中海におけるローマの制海権であった。

地中海の制海権がなければ、ローマはイタリア半島の内部に閉じ込められていたであろう。イタリア半島の三方向を囲む地中海から軍事的脅威を直接うける可能性があった。しかも、北方の高く険しいアルプスの山々と厳しい気候が、ローマをイタリア半島に閉じ込めることとなったに違いない。

PART7　国家ヴィジョンと神の摂理

（1）環太平洋時代の到来

西欧諸国の発展時代から太平洋を囲むアジア諸国の発展時代へ

ＰＡＲＴ４で紹介した大英帝国出現と、ＰＡＲＴ５で述べたギリシャとローマの両帝国出現との大きな要因は、シーパワーを獲得したことにあった。

翻って、現代日本の成長発展も、太平洋に面した島国としてシーパワーに支えられることなしにはあり得ない。すなわち、アメリカ合衆国の歴史上未曽有の海軍力により、自由、平和、そして安全を保障されてこそ、太平洋に面する日本やアジア諸国の目覚ましい発展がもたらされたのである。

１９７０年代後半に太平洋時代の到来が指摘されはじめてからすでに40年以上が過ぎている。そして、環太平洋時代の到来は時の経過とともにますます現実味を帯び、いまや否定できなくなっている。

１９６０年代には日本、１９７０年代から韓国、台湾、香港、シンガポール、そして１９８０年代には、ＡＳＥＡＮ諸国（インドネシア、マレーシア、フィリピン、タイ、ブルネイ）が急速な経済発展を実現した。加えて１９９０年代末から２０１０年代末までは中華人民共和国が驚異的経済成長を遂げた。

「大西洋を挟んだ貿易は年間およそ1兆ドル、投資は3.7兆ドルである。一方、環太平洋圏の貿易はＴＰＰ(環太平洋パートナーシップ協定)加盟国11カ国の貿易量でも1.4兆ドルを超えている」(２０１３年　トム・ドニトロン米大統領補佐官)

アメリカのアジア太平洋地域との貿易額は、いまや大西洋方面との貿易額の1.5～2倍となっている。

アジア全体が経済成長の活力に満ちている。これは環太平洋時代到来を示す経済的事実の一つである。大西洋を基盤とする西欧諸国が栄える時代から、太平洋を囲むアジア諸国が発展し栄える時代圏がはじまったことを意味している。すなわち、太平洋を囲むアジア諸国のシーパワーによって新しい時代が到来したといえるだろう。

ただし、新しい時代が到来するとはいえ、現在この地域は政治的に非常に不安定である。北朝鮮はもちろんのこと、中国はいまだに共産党独裁の共産主義国家であり、ロシアもまたKGB出身のプーチン大統領による独裁国家といえる。

環太平洋地域に安定した平和を築くためには、諸国の自由意思に基づく平和秩序が政治的、経済的に形成されねばならない。さらに、その平和の秩序が、アジア大陸内部諸国の自由意思と自発性を巻き込み、そしてグローバルなものへと拡大してはじめて環太平洋時代が実現されるのだ。

環太平洋の平和は「米国、日本、韓国、台湾」の四国同盟から

結論から述べるならば、「人類の未来は韓国・台湾・日本・米国を中心とする環太平洋圏の保全」にかかっている。すなわち、これら海洋国家の4カ国が世界の未来を決定すると考えられるのだ。

不思議なことに、世界戦争がもっとも激しく行われる領域、すなわち戦争の中心地は「西から東へと」移動してきた。第一次世界大戦において、激しい戦闘の大部分は大西洋とヨーロッパを中心として展開された。第二次大戦では、戦争の規模は大西洋と太平洋でほぼ五分五分となった。今後、第三

次大戦が起こるとすれば、世界戦争の中心、すなわち激しい戦争が行われる地域は太平洋となる。なぜならば太平洋で、世界最大の軍事大国、米国と第二位の中国が激突することになるからだ。

中国の対米戦略で不可欠なことは、北朝鮮・ロシアと同盟を組んで、軍事超大国である「アメリカ合衆国」に挑戦することだ。米国にとって重要なことは日本・韓国・台湾と強い同盟関係を維持することである。それが維持できれば中国・ロシア・北朝鮮が太平洋に進出することは不可能である。大陸の三国は内部に閉じ込められる。すなわち〝いざ〟というときには経済的に封鎖されてしまう。その時には中国・ロシア・北朝鮮は自滅する。内部に閉じ込められるのを避けるために、米・中は日本・韓国・台湾を激しく奪い合うだろう。日・韓・台三国のそれぞれが、米国と中国のどちらに強く重心を傾けるかにより米中どちらかの攻勢が決まる。もし大陸側に与すれば、その国は滅亡するか、極貧国家となるだろう。

２０２０年代に入った今、日本列島、台湾、そして朝鮮半島は第三次世界大戦を誘発する可能性のある、世界でもっとも危険な地域となっている。かつては中東地域がそうであったが、現在は極東アジア地域である。

極東アジアで平和秩序が定着するならば、世界に永遠の平和が訪れるかもしれない。だが、逆に、極東アジアは世界大戦の中心地となる可能性もあるのだ。その責任はそれぞれの国の国民と政治リーダーたちにかかっている。

環太平洋圏に平和秩序が定着するとしても、太平洋圏全体に、同時に均等な平和の安定が構成されるものではない。それは湖に氷が張りつめてゆく時によく似ている。まず氷の核が一点にできて、それが時間の経過とともに徐々に広がってゆく。そのように環太平洋圏の平和と繁栄の中心核になるのが日本、韓国、台湾、米国である。環太平洋圏諸国のなかでもっとも進んだ自由民主主義の価値観が定着し、経済が発展し、高い科学技術が蓄積された四カ国である。これら四カ国のリーダーたちと国民の責任完遂が、環太平洋圏の平和秩序と繁栄をもたらすことになる。

環太平洋時代は次の宇宙時代へと連結される

環太平洋圏が平和の時代を迎える絶好のチャンスであっても、この時代に住む人々の責任が果たされなければ、チャンスは結実せずにむしろ逆の結果を迎えることになるだろう。高価な宝石のある家は強盗が支配しようとするものだ。環太平洋地域が紛争、と戦争の時代を迎え、自由と平和が失われ政治的安定が破壊されれば、経済も破壊され極貧地域に陥る可能性が大いにあり得るのだ。

また、環太平洋地域での米中の争いは、その闘争が宇宙にまで拡大されてゆく必然性がある。

事実、21世紀に入った現在の戦争は宇宙空間を支配する側が地上の陸海空を支配する時代に突入している。米国と中国・ロシアは宇宙空間をどちらが支配するかという争いの段階に入っていると言ってもいいだろう。

宇宙空間が敵に支配されれば、地上の陸・海・空三軍とミサイルシステムが瞬間に無力化される可能性がある。それは目・耳・脳が機能を失って戦うのと同様だ。宇宙空間を有効支配した側が、敵への攻撃目標の位置を正確かつ詳細に把握でき、ミサイルをはじめとする攻撃兵器を高い精度で誘導し、確実に破壊してしまうことができる。

もはや、地球上の陸海空による戦闘以前に、宇宙空間での戦闘の勝敗が総てを決してしまう時代を迎えた。そのため米国と中国・ロシアはすでに宇宙空間での戦いの本格的準備段階にはいっている。中国は相手の軍事衛星を破壊するキラー衛星の能力を高めつつあり、米国はすでに中国のはるか前を走っている。すでに宇宙での戦いははじまっており、いまや月や火星等での領土や天然資源をめぐる奪い合いがはじまろうとしている。地球上での闘争が必然的に宇宙にまで拡大されるのである。本来は平和秩序と互いの繁栄が宇宙に定着せねばならないのだが……。

（2）日本の方向性と国家ヴィジョン

「国家ヴィジョン」の重要性

環太平洋圏の平和秩序と繁栄の原動力となるか、それとも世界大戦の震源地となるのか。日本は、環太平洋圏の典型的な海洋国家として、使命と責任がきわめて大きい。そのような日本のとるべき立場、向かうべき道、すなわち「国家ヴィジョン」はどのようなものであるべきだろうか？果たして我が国に、未来に向かう確たる国家のヴィジョンはあるのか、あるいは、国際関係、内政、経済問題等に関してどのようなヴィジョンを持つべきなのか。少し歴史をさかのぼりながら探っていきたいと思う。

国家を安全に維持発展させていくうえで「国家のヴィジョン」はきわめて重要である。どのような「国家ヴィジョン」を持つかにより、国家の運命が決まるといっても過言ではない。

江戸時代末期には、日本のリーダーたちは「西欧列強との圧倒的力の差」を悟り、それを日本の深刻な脅威と受け止めた。その結果、「近代化による富国強兵」が日本の国家的リーダーたちの主流思想となった。

１８６８年に明治政府が誕生すると、「近代化による富国強兵」は「国家ヴィジョン」として採用され、その実現に向けて力強く推し進められた。日本は、隣国李王朝の儒教統治と鎖国政策を３００年間も習いつづけてきたが、完全に放棄した。

その後、皮肉なことに、日本の富国強兵政策は、アジアの一角にありながらも、西欧列強の力による植民地支配と帝国主義への道を真似ることとなった。しかし、その結果はわずか80年での滅亡であった。

明治維新（１８６５）以後、日清戦争（１８９４〜５）、日露戦争（１９０４〜５）、太平洋戦争（１９４１〜４５）を経て１９４５年9月2日に国家として滅亡した。その間、約80年である。

80年間で「国家が滅亡した」ことと「国家ヴィジョン」の限界とは無関係ではない。西欧列強の歴史的な力の対立が複雑に絡み合うなかで、日本が生き延びるための時代の要求に「近代化による富国強兵」は堪えきれなかったといえる。当時、西欧列強の脅威と科学技術及び軍事力の必要性を見抜き、国家が一丸となってそれを克服しようとして「富国強兵」策を推し進めたことは、アジア諸国のなかで他に例を見ない図抜けた精神と知性に基づく挑戦だった。しかし複雑な国際社会で生き延びてゆくには、それだけでは大いに不足していたのだ。明治維新から約80年で滅亡したことがそれを示している。

ところが、太平洋戦争の終結後、日本は再び不死鳥のごとく蘇った。わずか40年間で世界的経済大国となったのである。明治維新（１８６８年）から１２０年後の１９８８年には日本経済は最盛期を迎え、世界に羽ばたいた。

終戦後、日本が掲げた国家ヴィジョンは「富国」であった。なかには例外的な首相もいたものの、ほぼすべての歴代首相が単純に「富国」のヴィジョンを掲げ、その教祖となり、国民もマスコミもその信者となった。しかし、90年代に日本経済のバブルがはじけた後、国民は「富国」信仰がむなしいものであることに気づきはじめた。しかし、国民を導くべき新ヴィジョンは発見できず、日本国のあてどもない漂流がはじまった。今もって精神的、経済的、政治的な漂流の只中にあると言っていいのではないだろうか。

日本の進路を預言する元号「令和」と日本のヴィジョン

平成天皇が御退位なされて新天皇が御即位（２０１９年5月１日）された当日から新元号が日本国民に施行された。新元号「令和」は神秘性を秘め、かつ不思議なほど「預言性の高いもの」となっている。

新元号の決定と発表は元号法の規定に基づき政府により執行された。それは、立法府を代表する衆参両院議長の同意のもとに、安倍晋三総理大臣と全閣僚参加の閣僚会議が開かれて閣議決定された。決定された新元号は直ちに天皇明仁、皇太子徳仁親王の元へ報告された。そして4月1日に日本国民に発表された。

日本を代表する最高の叡智と愛国心が「令和」という「日本の行くべき道」を預言するかのような新元号を生み出した。

令和は『万葉集』巻五［57］の「梅花の歌 三十二首の序文」から引用した言葉だという。

原文：于時、初春令月、氣淑風和、梅披鏡前之粉、蘭薫珮後之香。

書き下し文：時（ときに）、初春（しょしゅんの）令月（れいげつにして）、気（き）淑（よく）風（かぜ）和（やはらぎ）、梅（うめは）鏡前（きゃうぜんの）粉（こを）披（ひらき）、蘭（らんは）珮後（はいごの）香（かうを）薫（かをらす）。

ウェブサイト「TANTANの雑学と哲学の小部屋」は令和の「令」の意味を厳格かつ、分かりやすく解説している。この言葉には二つの意味が込められているという。漢字「令」の成り立ちからすると、それは「神聖な権威」と「秩序」という意味を持つ。

「令」は「神聖なる権威を持つ神（イデア、普遍的観念）の言葉に大勢の人が敬虔に聞き従う様子」を意味している。人の情的感性は、それらを神聖さ、美しさ、そして凛々しさとして感ずる。そのような情的体験の表現を「令」の言葉で表したようである。（文責・筆者）

令和と法の支配

「令」は人々が神聖な神の言葉（イデア）に敬虔に聞き従うという意味を持つ。それは同時に「法（普遍的価値や真理）に従うことでもたらされる秩序とその美しさ」も意味している。即ち、「令」は法（普遍的価値や真理）による秩序とそれがもたらす美という意味を含んでいる。新元号「令和」は「魂の眼により認識される普遍的真理に従うことで、美しく、そして調和した平和な国に向かおう」とする「国民の精神的目標」を提示している。

驚いたことに元号「令和」の意図することは、民主主義において世界で最も古い歴史的伝統を持つアメリカ合衆国や英国（ＵＫ）の実践的伝統たる「法の支配」に非常に近い。そのようになることを計画して新元号「令和」を選出した筈はあり得ない。結果としてそのようになっているとしか思えないのだ。

「法の支配」についての理解の仕方はいくつかのスタンスがあるようだ。特に日本でこの言葉が使われる場合「人間社会が法律に従うこと、法律による秩序の維持」に限定されている。日本が唐から導入した大宝律令（６８１年、天武天皇）のイメージが法の概念の根本にあるからなのではないか。

しかし、英・米の伝統的民主主義思想の根底にある「法の支配」という言葉の意味はそれとは大きく異なったものである。深い関係はあるが強調点が大きく異なる。「法の支配」とは「神の意思（意図）による支配」を意味している。その「法」とは法律や王の権威、さらに憲法よりも上にある、犯すべからざる「神の意思（意図）」を意味している。

日本的に言えば大宝律令よりも、聖徳太子が書かれた「十七条憲法」（推古天皇12年、紀元６０４年）に近いと思われる。即ち、「法」とは法学者の多くが主張している法律の意味で理解するべきではなく、「神の意思」、そして「普遍的価値観」として受けとるべきものである。超「人種、宗教、文化、歴史」的な価値観である事を意味している。

驚くべきことに元号「令和」は〝「法の支配」の国〟であることを宣言している。日本国のヴィジョンは「神の意思に一致した国となる事」を提示していたのである。

法の支配とアメリカ独立宣言…1776年

では、神の意思（意図）としての「法」は何処に現わされているのか。米国では「独立宣言」（１７７６年７月４日）の宣言文の中に現わされているとして、それを尊重してきた。そのほとんどは、後に第三代大統領となったトマス・ジェファーソン（Thomas Jefferson）によって書かれた。日本でも福澤諭吉の著書「西洋事情」により全文が和訳されて日本国民に紹介された。独立宣言文にある「法の支配」（神の意思・意図）は２４３年を経て、今も生き続けており、その主要な価値観は米国合衆国憲法の上に位置付けられており、憲法の上に君臨する存在となっている。

政治や国民生活に適用される「法律」はアメリカ独立宣言の普遍的価値観に基づいて作られ、また適用されるべきであるとされている。それ故、アメリカ合衆国連邦最高裁判所は、その主流が独立宣言文の価値観に立って憲法を解釈しようとする判事たちにより構成されるのが伝統である。彼らは憲法的保守主義者と呼ばれている。

アメリカ独立宣言文は「法」（神の意思、意図）について次のように述べている。

「われわれは、以下の事実を自明のことと信じる。すべての人間は生まれながらにして平等であり、その創造主によって、生命、自由、および幸福の追求を含む不可侵の権利を与えられている。こうした権利を確保するために、人々の間に政府が樹立され、政府は統治される者の合意に基づいて正当な権力を得る。そして、いかなる形態の政府であれ、政府がこれらの目的に反するようになったときには、人民には政府を改造または廃止し、新たな政府を樹立し、人民の安全と幸福をもたらす可能性が最も高いと思われる原理をその基盤とし、人民の安全と幸福をもたらす可能性が最も高いと思われる形の権力を組織する権利を有する。」（アメリカ合衆国日本大使館・国務省出版）

この宣言文は、英国の17世紀の政治哲学者であり、かつ英国名誉革命（１６８８〜１６８９年）の指導者でもあったジョン・ロックの政治思想を根幹に据えたものである。米国の連合連邦の13州の代表56人の満場一致で採択された。

独立宣言が表している法「神の意思・意図」についての解説を加えてみたい。

独立宣言では最初に「人間は生まれながらにして平等であり、、」としている。

法「神の意思・意図」は、人間を「価値の平等」を大前提にして存在させた。この「平等」は、無神論的社会主義者がいうような経済的平等、社会的立場の均一化、そして男女の区別の無視による平等とは全く異なる。「区別、違い」の否定ではなく、それを容認しつつも「価値の平等」に焦点を絞ったものである。人の価値は愛により実感でき、また認識される。「価値の平等」は「愛情豊かな家庭」に実現される。人の唯一絶対的で永遠的価値は、愛情の観点から見て理想的な家庭環境で初めて情で感じられ、知性で認識される。価値の平等は初めに家庭で実現される。人はその時初めて自分自身と他者の尊さを平等に実感するのである。

独立宣言は「すべての国民の背後には、貧富、能力、そして個性の違いを超えて、価値の平等を実現する家庭の拡大体としての社会や国家を実現したいという、神の意思・意図がある」と指摘しているのだ。

「その創造主によって、生命、自由、および幸福の追求を含む不可侵の権利を与えられている。」は当時の建国の父と言われる人々はもちろん、また素朴な米国民と英国民をも含む、圧倒的多数者の素朴な信念を表していた。

「自由と生命および幸福を追求する権利」は、人生に絶対不可欠であり、すべての人に平等に与えられ、侵害してはならないものである。

人の「生命と自由」は生きている限り「幸福を追求」せざるを得ない。「自由意思により幸福を追求することは人間の不可侵の権利」である。それは、他の人や社会・国家に幸福を要求する権利ではなく、自由意思と自らの責任に基づき幸福を「創造」して、その達成を追求する権利である。その幸福のイメージは

①自由により責任を果たす人格の確立
②自らの理想の結婚
③家庭を支える経済的にも豊かな環境

である。このイメージは当時の平凡な英・米国民の抱いていた信仰に基づくものだった。その根は聖書・創世記1／28「生めよ（生育せよ）、ふえよ、地を従わせよ」にある。

しかし一方、人間は罪深い存在でもあり、他の人の権利を侵害し、破壊し、そして悲惨な混乱状態を作る傾向がある。ゆえに国民全ての権利を保護するために、具体的な法律が必要であり、それを執行する力が必要である。

それは個人や邪悪な集団よりも強い権力を持たねばならない。「こうした権利を確保するために、人々の間に政府が樹立され、政府は統治される者の合意に基づいて正当な権力を得る。」という文言が成立する。政府の正当性は統治されるものの合意である（多くの場合その過半数の合意）。

しかしまた、政府樹立による逆の結果を想定して、正反対の在り方も指摘する。「いかなる形態の政府であれ、政府がこれらの目的に反するようになったときには、人民には政府を改造または廃止し、最も高いと思われる原理をその基盤とし、、、人民の安全と幸福をもたらす可能性が最も高いと思われる形の権力を組織する権利を有する。、、」とも指摘しているのだ。政府設立と権力の目的は明確である。即ち、「生命、自由、および幸福の追求を含む不可侵の権利」の保護である。

「政府の形態」は絶対的なものではありえない。政府やその権力が神より与えられた人々の不可侵の権利を深刻に侵害するようになった場合、政府を改造または廃止することができる。それは人間の権利であるとしている。政府の形や権力は絶対的ではありえず、「法の支配が絶対的でなければならない」としている。

それ故、人民は、政府の改造または廃止をして、人民の自由、生命の安全、および幸福をもたらす可能性が最も高いと思われる新しい形の権力を組織する権利を有する。

アメリカ合衆国憲法は、独立宣言を貫く「法の支配」（神の意思・意図）の政治哲学を基盤として造られ、独立宣言から12年後の１７８８年に発効された。この憲法は現在でも機能している世界最古の成文憲法である。１７７８年の発布以来、米国が２３０年以上に渡り自由民主主義国家として合衆国憲法のもとにあり続けたことを考えれば、この憲法の基礎が法の支配に基づく普遍的真理を含んでいたからであるといえる。

米国は合衆国憲法の発布以後、現在の国家システムの基礎が構成された。驚いたことに、１７７５年～81年まで7年に渡り続いた独立戦争は、13州がそれぞれバラバラに戦っていたのである。１７７５年には大陸会議が設立されたが、全く政治的指導力は持たず、13州は別々の主権として存在した。１７８１年に植民地同盟が結成されたが、これもほぼ同様であった。政治的決定は13州の３分の2という同意が必要であり、例え同意により議決されても、法的執行力が無く無力であった。それが原因の一つとなりアメリカ合衆国憲法の発布に到ったのだ。それは１７７６年の独立宣言から12年後のことであった。

「アメリカ独立宣言」の価値観が、変形されて日本に接ぎ木された！

アメリカ合衆国の憲法は232年の歴史を持つ、世界でもっとも古くて、かつ新しい、そして現在も生きている成文憲法である。その「国家ヴィジョン」はアメリカ独立宣言（1776年）とメイフラワー盟約（1620年）を基盤としている。

アメリカ独立宣言の価値観は、独立時代の米英両国民の真理（普遍的価値）ではなく、人類すべてに適用されるべき、また永遠に変わらない真理として、今や認識されている。

日本が日本国憲法を採用してから75年が過ぎた。日本国民はこの憲法に慣れ親しんでしまった。しかし、この憲法はダグラス・マッカーサーが草案を造り、単に日本語に翻訳しものだった。そのためアメリカ独立宣言の「法」が一側面だけ、色濃く映し出された。しかし、日本国憲法に現わされた価値観の一面は素晴らしいものであったが、他面には独立宣言の価値観と正反対のものが挿入され、極端に矛盾した憲法となった。

独立宣言の「人間は生まれながらにして平等であり、創造主によって、生命、自由、および幸福の追求を含む不可侵の権利を与えられている」という価値観のみが強調された。しかし、当時のアメリカのリーダーたちは「人間は誰しも悪魔的側面を持つ」という明確な人間観を持っていた。それは社会に犯罪と混沌をもたらす。「不可侵の人間の権利」を守るためには、「法律を作り、それを執行する強制権を持つ政府」が必要である。外国が国民の権利を侵害することから保護するために、政府は安全保障の権限が与えられる。これらを実行するために樹立される「政府は統治される者の合意に基づいて正当な権力を得る。」と続く。

ところがマッカーサー・ノートと日本国憲法草案では、前述の価値観は完全に削除されていた。その結果が「日本国憲法前文」と「憲法九条」として現れた。

まるで、世界が天国になり、悪人は存在しないかのような幻想に基づく憲法である。実は、日本が無事に越えなければならない深刻な世界的課題があり、やむを得ずダグラス・マッカーサーが押し付けたものであった。そのため普遍的価値観とは程遠いものになってしまった。

ゆえに、現行の日本国憲法からは日本国家のヴィジョンを生み出せるはずがない。

日本国憲法は一刻も早く改正されねばならない。

一貫した普遍的価値観に基づく憲法にせねばならない。それについては後述のＰＡＲＴ８の(2)「憲法改正」と「緊急事態法の必要性」で、さらに詳しく取り扱いたい。

国家のヴィジョンは神の摂理を具体的価値観として含んでいるべきである

東アジアはきわめて不安定な情勢が続いている今日、日本に真の「平和と安定、自由と幸福」をもたらす「国家ヴィジョン」を、日本が「人間の知恵や理性」のみに頼って見出すことは困難であろう。人の知識、知恵や理性も重要であるが、その基盤となるものは現実の人間を超えたものから来るのではないか？

その証左は、自由民主主義国の代表である英国や米国に見いだすことができる。英国は三百数十年、米国は二百数十年も自由民主主義国家を維持発展し続け、いまだに国家として立派に存続している。それのみならず、英国は１２００年以上の歴史があるが、国家として完全に滅亡した経験はない。米国も独立以後２４０年を超えても巨大な国として世界に大きな影響を与え続けている。英国や米国は数々の過ちを犯してきたが、まがりなりにも強国として国家と歴史を維持継続してきた。その理由は、両国の「国家ヴィジョン」には「２０００年近い歴史に育まれたキリスト教の伝統に基づく、人間の知恵を超えた政治哲学が含まれている」からであると考えられる。その「国家ヴィジョン」に基づき憲法が造られ、憲法に基づき政府（司法、立法、行政の）が運用されてきた。

アメリカ合衆国の憲法は２３２年の歴史を持つ、世界でもっとも古くて、かつ新しい、そして現在も生きている成文憲法である。その「国家ヴィジョン」はアメリカ独立宣言（１７７６年）とメイフラワー盟約（１６２０年）によく現わされている。

20世紀を生きた歴史家、アーノルド・J・トゥインビーは彼の代表的著書『歴史の研究』でそれを裏付ける見解を述べている。彼は生涯の歴史研究で到達し発見した歴史の法則を以下のように、指摘している。

〝抑圧、闘争、そして暴力の支配する『闇の国』にのみこまれるか、もしくは自由のなかで自らの努力と創造性により精神の成長と理想の実現を保護してくれる『神の国』へ到達するか、人類に与えられた自由を行使して選択をせねばならない。〟

という原則が人類歴史を支配していると彼は言う。「人類に与えられた自由を行使して選択」するという原則から、人類歴史は逃れられないというのだ。

そしてアーノルド・J・トゥインビーは「この原則は歴史を貫く神の愛の法である」と言う。

〝神自身の、愛の法は、『神の国』へと前進たらしめるか、『闇の国』へと前進たらしめるかの選択を人類の自由に任せているのである。〟

(『図説・歴史の研究』(Ⅲ) 132：アーノルド・J・トゥインビーより)

「闇の国」に陥ることを避ける選択をし、「神の国」に前進するべく、自由のもとで責任を行使する。それにより人間精神が成長し、人間らしくなり得る。「神自身の、愛の法が人類の自由に任せている」と歴史原則を説明している。

このように、「神の意思（願い）に少しでもより近く、人類を適切な自由で平和な国際秩序に導く超自然的な力」と「人間の本性が持つ力」を本書では「神の摂理」と呼ぶことにしたい。国家のヴィジョンは神の摂理（意思、願い）を具体的価値観としてより多く含んでいるべきである。

(3) 神の摂理

人類歴史に働く神の摂理とは

一国家の行く道は、国家や民族の政治的リーダーの意思、大衆世論、あるいは革命やクーデターのリーダー等によって選択され決められているのが歴史的な事実である。人間によって起こされた事実の蓄積が歴史であるかのように思える。しかし、その背後には、人間が認識していようがしていまいが、人間社会を超越した神の摂理（意志）が介在していることを否定することはできない。

これまでに多くの歴史的事件や変革、リーダーたちの判断とその結果を見るにつけて、筆者はその感を強くする。

繰り返すが、国家の栄枯盛衰や歴史の流れには、人類や自然界を支配している法則、すなわち〝神の摂理〟が介在していると考える。人類の背後にあって、長い歴史を通して神の摂理は何らかの形で、人類が少しでもより幸福になる方向へ向けるべく介在してきた。

それは、個人、家庭、民族、国家、世界、すべて幸福を求めて生きている、さらに言うならば戦っている、という人類の意思に神は呼応しようとしていると思えるのである。

日本の「国家ヴィジョン」と国が行くべき方向（未来への道）を明確にするためには、人類の歴史や自然界を支配している法則、すなわち「神の摂理」から見た人類史的位置とその事情が正確に把握されなければならない。「神の摂理」の下に日本の国家ヴィジョンは創設されるべきであるといえる。

今日の人類は、好むと好まざるとに拘わらず、歴史的な大転換期に立たされている。世界平和を今の時代に定着させることができるか、逆に歴史上反復されてきた悲惨な戦争の悲劇を繰り返すのか、その分岐点にいるといえる。

今の時代のリーダーと国民が「邪悪な心を克服」して、「自由意思により責任」を果たし、「正しい進路を選択」できれば、環太平洋には平和秩序が定着しその未来には平和と繁栄の時代が待っている。

人として責任を果たすか否かが神の摂理（意思）によって問われている。

日・米・韓・台の動向が戦争か平和かを決める

昨今の世界情勢について感情を交えずに理性的に冷徹に分析してみれば、現在も中国やロシア等の好戦的な強大国は、虎視眈々と力のない小さな国々の領土と領海の支配を狙っているのである。彼らがその気になれば、周辺のどの国でも短期間に支配できる充分な軍事力を所有している。また、チャンスがあれば、彼らはそれを速やかに実行する決意をもっている。

その根拠が以下の2点にある。

①ロシア連邦と中華人民共和国は共産主義という仮面を脱いだようだが、その本質は何も変わっていない。無神論を信仰し、闘争と謀略を絶対的真理とし、力を神として信仰する国家である。

②ロシア連邦と中共は歴史的に海洋（太平洋）に進出する願望を持っている。

①については、1991年にソ連が崩壊し冷戦終結後、時が経過するにつれて明確になってきた。実際に中国は、特に2010年以後、周辺諸国に高圧的態度をあからさまにし、いたるところで国際法・国連海洋法を無視する拡張政策をとり、領土・領海紛争を起こしてきた。東シナ海での日本に対する中国の行動や南シナ海での東南アジア諸国に対する傍若無人な態度を見れば明らかである。

2016年7月に常設仲裁裁判所は「中国の主張する南シナ海の領土所有権はまったく根拠がない」

とフィリピンやベトナムの主張に軍配を上げた。すると中国はオバマ政権時代のアメリカ合衆国のワシントンに、かつての外交責任者を送り、人民大学主催の講演会で「国際司法裁判所の判決は何の価値もない紙屑のようなものである」とまで公言し、中国は事実上、国際法を無視する宣言をした。

２０１４年3月、ロシアは突如としてウクライナ領クリミア半島を軍事力で併合した。さらにウクライナ東部地域の併合をもくろんでおり、その隠されていた本質が現れてきている。

ロシア、中国では、今もなお両国ともに徹底した「共産主義哲学（弁証法的唯物論）・闘争的無神論哲学」が生きており、共産党の思想的武器となっている。正に、経済体制や政治体制の変革により共産主義国家の仮面を脱いでも、その本質からは脱皮できず、共産主義思想に支配されている。そして、独裁による抑圧と力による支配を世界に拡大することを狙っている。

神や真理、善悪、人間存在の目的等は単なる観念的幻想と思い込んでおり、倫理道徳・良心や自然法、国際法を良心の呵責もなく信念をもって粉砕する。

②については、北東アジアを中心とする西太平洋圏の大動乱時代が迫ってきていることを意味している。原因は中・露が島嶼国家に支配の触手を伸ばそうとしていることだ。彼らが太平洋圏の島嶼国家を支配しようとすれば、第一に太平洋の海上交通線を支配せねばならない。

両国がアジアの海洋島嶼国家群の全体を支配するためには、最初に太平洋への入り口をふさぐ日本と韓国・台湾を支配下に置かねばならない。それを米国が許すことはあり得ない。米国は大陸国家ではあるが、同時に英国の歴史的伝統を受け継いだ海洋国家でもある。

海洋の平和秩序の重要性と海上交通線の平和維持の重大性を熟知しており、あくまでもアジア太平洋圏の平和秩序を維持しようとしている。それが米国の生命線であると認識しているからだ。まして、西太平洋地域は世界でもっとも経済成長の著しい場所であり、大西洋圏貿易量の2倍にもなる地域である。太平洋貿易を妨害されれば、米国経済が重大な打撃を受けるのは必然である。

しかし、太平洋の永続的な覇権を握ろうとする中国・ロシアは、日本・韓国・台湾・米国がすでに維持している太平洋の平和秩序の基盤である海上交通線の保全に対し挑んでくるであろう。

闘争的無神論は神や真理、善悪、人間存在の目的等の普遍的価値観を葬り、良心を殺し、そして倫理道徳・自然法、法律そして国際法を冷徹に破壊する哲学である。特に中華人民共和国は今でも共産主義哲学を党の綱領で〝国民が信仰〟することをあからさまに強制する国家なのだ。中国は近い将来に日本周辺で、我々の想像をはるかに超えた極端な軍事行動に走る可能性が極めて高い。

太平洋の平和と安定のためにはそれを保障するに足る軍事力がなければならない。なぜならば現実の国際世界では、正義や理想は弱ければ叩き潰され、無意味なものとなる。それらは強い力に保護されていなければならない。歴史上、第三者による強制力の裏付けがない弱い国や民族が結ぶ条約や平和の約束は簡単に破壊され、弱小国は悲惨な立場に甘んじなければならなかった。環太平洋に、自由に基づく平和秩序が定着するためには、この地域に充分に強い力にささえられた同盟がその基礎にならなければならない。日・米・韓・台による四カ国の政治リーダーたちと国民の見識がその同盟結成の可否を決定する。これら四カ国の動向が環太平洋と世界の未来を決めることになるとさえ言えるのだ。

環太平洋の新千年時代は、日・米・韓・台が中・ロを治めて結実する

環太平洋文明圏に自由と平和が定着して繁栄する新千年時代を迎えるためには、太平洋圏に世界平和を希求する主役が核として立たねばならない。その主役とは、日本、韓国、米国、中国（台湾）、ロシアである。

これらの5カ国は、すべてが互いに歴史的な怨讐関係になっている。互いに敵国として激しく戦争したり、また支配したりされたりした怨讐国家同士であり、米を除いて隣国同士である。中核となるべき5カ国が過去の怨讐関係を越えて互いに「理解しあい、許しあう」ことが要求されているのである。それが達成されれば、世界のすべての紛争解決の突破口ができる。世界平和はそこから達成されてゆく。このことは人類史に突き付けられたもっとも高度な課題への挑戦となる。

皮肉なことに真の平和は恩讐関係を克服してのみ創られるのだ。

外交的な美辞麗句で覆われた「安易な平和」は、恨み、嘘や謀略を内包したものであるとさえいえる。このような平和は極めて壊れやすい。「真の平和」は「敵を愛する」行為の蓄積の上につくられる。塩分を含む海水が氷るときには、塩分や不純物を押し出して透明な氷となる。純度の高い透明の氷のように、永遠性のある平和は恨みや敵愾心を押し出してしまった愛によって創られる。

現実の世界では中国とロシアが韓国と台湾、そして日本を支配しようとしている。しかし、アメリカ合衆国は日本、韓国そして台湾を保護し、極東アジアの平和を造り維持してきた。しかし今日、米国が頭を悩ませている難しい問題が発生している。それは日本と韓国の恩讐関係である。

日本と韓国はアメリカとの同盟関係から離脱してはならない。対米同盟から離脱して、中国もしくはロシアに接近するならその国は隷属国家となり、環太平洋に戦争を招く道を突き進むことになる。日本・韓国・台湾・米国が一体となり互いに責任を果たし、隙を見せずにチャンスを与えなければ、軍事力を行使しなくても中国とロシアは日・韓・台・米に自然に喜んで従う時が来るだろう。そして分断されていた朝鮮半島が平和的に統一され、半島は一つの国家となる。なぜなら嘘と誤った哲学思想で作られた国は自滅するのが運命であるから……。後に述べるように、もはやその時は近い。

（4）日本には「神風」が吹いたのか！天運が国家の興亡、戦争の勝ち敗けに深くかかわる

「国家の興亡、戦争の勝ち敗け、とその帰結」等は、すでに述べたように人間の力だけで決定されるものではなく、人間の次元を超えた力が加わっていると考えられる。

16世紀以後、世界はヨーロッパ時代に突入した。ヨーロッパは、それまでは貧しく、アジアの大国に押されてアジア大陸内部に進出することはできなかった。しかし、彼らは16世紀にはいると反対側の大西洋に進出し、アフリカ大陸、南米、中南米、北米へと、武力によって植民地を拡大した。富と軍事力の増強は同時に行われたのだ。やがて、ポルトガル、オランダ、スペイン、フランス、プロシア、そして大英帝国がアジアのどの国よりも強大となり、アジア諸国は浸食された。彼らの経済的基盤は、アフリカの黒人と中南米人による奴隷労働と植民地制度であった。加えて科学技術の発展は彼

らの軍事力と経済力を圧倒的なものにした。

実際に、アジア諸国のなかで独立を保てたのは、日本とタイのみであったといえる。他のアジア諸国同様に、日本が西欧列強の植民地となる可能性は充分にあったのである。

世界中に植民地が拡大した19世紀は日本にとってもその危険性がきわめて大きかった。日本では江戸幕府の統治力が行き詰まり幕末を迎えた。しかし日本は独立を保ちながら、大政奉還により徳川幕府の幕藩体制から天皇の下での中央集権的な明治政府（1868年）へと大転換をとげた。そして1889年に大日本国憲法を発布し、立憲君主体制による近代化への道を力強く歩みはじめた。

明治維新から120年間、天運により発展した日本

長い鎖国政策で孤立していた極東の小さな独立国家が、政治権力システムがまったく異なる明治政府へと移行した。明治時代になって武士は士族の身分を与えられわずかながら給料を支払われていたが、江戸時代以来の特権を次々と奪われていき、不満が募っていた。そして9年後、西郷隆盛を擁立する反明治政府勢力が武力蜂起し、西南戦争が起こった（1877年）。それは1万3千人以上の死者を出す内戦となった。

西南戦争とは、明治維新以来、明治政府が初めて本格的に軍事行動を起こした戦いであり、日本史上最大にして最後の武士の内乱であった。さらに全国の士族が同調すれば明治政府が崩壊する危機に瀕していただろう。しかし、明治政府は西郷の挙兵に対し、有栖川宮熾仁親王を総司令官に任じ、山

県有朋を陸軍の、そして川村純義を海軍の司令官として政府軍を擁立した。西郷ら反政府軍は民衆を味方につけて一時形勢を有利にしたが、数に勝る政府軍が態勢を立て直し西郷らは追い詰められた。逃亡中に銃弾を浴びた西郷はついに切腹し、西南戦争は終結した。これをもって武士という職業軍人としての身分が消滅し、徴兵制による国民皆兵がはじまることになった。

そして、その17年後にはアジアの大国「清国」との戦争に突入した（１８９４～95年）。貧しく、小さな、まったくの新興国であった日本が、清国の軍を撃破し、この戦争に勝利を収めた。基礎となったのは黄海海戦であり、清国の北洋艦隊を全滅させて制海権の確保をしたことであった。日清戦争からわずか9年後には、遂に世界の大国「ロシア帝国」との日露戦争（１９０４年2月～１９０５年9月）に突入し、朝鮮半島と満州の覇権をめぐり戦った。当然、苦戦をして甚大な犠牲者を出したのだが、日本海海戦で大勝利を収めた。連合艦隊はこの海戦で主要艦艇の一隻も失わずに、水雷艇3隻が失われただけで、ロシアのバルチック艦隊をほぼ全滅させてしまったのだった。制海権の支配が基礎となり陸戦は有利に行われたが、やがて膠着状態となり、決定的な勝利は得られなかった。結局、米国大統領セオドア・ルーズベルトの講和勧告を日露両国が受け入れて、ポーツマス条約を結んで戦争が終了した。

世界は、小さなアジアの新興国が「世界の大国ロシア」とアジアの大国「清国」を打ち破ったことに驚愕した。さらに驚くべきことには、小さな貧しい小国が40年間で内乱を含め三回にわたり戦争に勝利して深刻な国難を乗り越えたのである。

奇跡はそれだけでは終わらなかった。第二次世界大戦での敗戦で日本国は事実上完全に崩壊した。それからわずか40年で驚くべき復活を遂げ、米国に次ぐ経済大国に成長した。再び世界の舞台に戻ってきたのだ。

第一次世界大戦の勝利の後、世界の強国の仲間入りをしたかのように思えたが、悲惨な運命が待ち構えていた。日露戦争から約40年後、日本は米国、英国と全面戦争に至り、日本全国の都市は焦土と化した。1945年8月15日にポツダム宣言を受け入れ、無条件降伏をした。世界的に人種差別が支配的であった時代に、黄色人種の日本が英・米・中・ソ連等と大戦争を展開して敗戦した結果、その報復により日本が回復する道は失われたかに思われた。しかし日本は、戦勝国から賠償責任が事実上追及されなかった。むしろ逆に日本が国力を回復するための良い条件があたえられたのだった。

その背後には、二つの理由があった。

一つは、第一次大戦後に戦勝国が敗戦国ドイツに対し、報復として莫大な賠償請求と弱体化政策を要求した（パリ講和会議1919年1月）ことが歴史の悲劇を生み出した。「戦勝国の冷酷な行為がドイツにアドルフ・ヒトラーによるナチス独裁政権を生み出した。それが第二次大戦の原因となった」という歴史的認識を、多くの連合国のリーダーが所有していた。

二つ目は、戦後直ちにはじまった米国とソ連の冷戦を勝利するために、米・英・中（中華民国）は日本とドイツの国力を早期に復興させねばならない戦略的事情があった。

このような歴史的・世界的事情が日本を助けることになった。それゆえにその後40年間、日本は黙々と経済的発展の道を歩むことが可能となったのである。敗戦からわずか40年、米国に次ぐ世界第二位の経済大国に成長した。日本は、国防に基づく外交力は貧弱でありさみしい限りであるが、総合的な経済力では一流国となったのだ。敗戦から40年後（１９８５〜90年）に我が国は日本歴史上の絶頂期に立ったといえる。その時は、明治維新（１８６８年）から１２０年後にあたる。

まことに不思議なことだが昭和天皇は１９８９年１月に御逝去された。明治維新からちょうど１２０年である。三代の天皇陛下治世（明治、大正、昭和）の１２０年間には、何度も神風（天運）が吹いたとしか言いようがない。このような経験を持つ国は、他に大英帝国以外は世界の何処にも見当たらない。この１２０年間、天運が日本を保護していた。日本は善い意味で不思議な国だ。

日本近代化の土台となった江戸時代の教育

「日本は明治維新から１２０年間、天運により発展した不思議な国である」とは言えても、地上に発展の土台がなければ天運が結実することはなかった。当然、国家的リーダー達をはじめとする国民の努力や能力が大きな力となって、天運を地上に結実させたことはいうまでもない。

ここで少し歴史をさかのぼって、江戸時代以後の日本について見てみることにしよう。

日本は明治維新以後のわずかな期間に近代化を成し遂げ、アジアの強国となった。その土台はすでに江戸時代に築かれていた。すなわち、江戸時代からすでに築かれていた教育水準の高さが、驚くべき速さで近代化達成の土台となったといえる。もはや就学率は武士階級が１００％、農・工・商人でも70～80％であり、識字率も武士階級が100％であり、農・工・商人でも70～80％であったといわれている。驚くべきことに、江戸時代にはすでに世界でもっとも高い国民教育の水準にまで達していたのだ。

また、江戸時代末期には、江戸幕府の支配のもとにありながらも全国の260の各藩はそれぞれ自治が行われており独立国に近い体制にあった。そのほとんどが、独自に藩校を設立して、武士たちが積極的に学問をする環境を提供していたのだ。それにより、多数の「貧しくても、無私で献身的、かつ情熱あふれる若者達（武士）」が育てられていた。その結果、きわめて高い教育水準と倫理観を持つ国民となり、良質な労働力を供給した。また明治政府が近代的国家を造るために必要不可欠な優秀で献身的、かつ愛国心に溢れた官僚を大量に供給する土台となった。

これらの基盤がなければ、欧米の文化・学問・科学技術を貪欲に吸収し、短期間で自国に適用させてしまい、立憲君主国家として、世界の強国の一つにのし上がることなどありえなかった。

しかし、そのような現実的条件と実力が整っていたとしても、単にそれだけでは、東洋の一角に奇跡ともいえるアジア最初の近代国家の出現という事態は起こらなかったであろう。日本は天運に支えられていたのである。

天運に保護された発展

日本は、明治維新（1868年）以来、約120年間、太平洋戦争による敗戦を迎えるまでのしばらくの期間を除き、不思議な天運の力に保護されていたとしか思えない。生まれたばかりの小さく、貧しい、そして鎖国により世界から孤立していた国が、40年間に二つの大国との戦争に至り勝利したことからも、そのように言える。

基本的な国力の差があまりにも大きな清国とロシアとの二度にわたる戦争に、貧しく、そして小さな新興国が勝利したことは、世界を驚かせた。アジアの非植民地国家には希望を与え、欧米白人国家群には日本に対する警戒心をさえいだかせることとなった。

「歴史の表舞台には縁遠かった極東アジアの無名の小国が、なぜ表舞台に突如として現れたのか？」という疑問は、誰も解けない歴史上の謎となった。外交、政治、経済、軍事力等の歴史をいくら分析しても、その解答は得られないであろう。これを解く鍵は「神の摂理と天運の力」に隠されているといえる。

明治維新以後、日本は英国の多大な協力と援助によって近代化を開始した。日露戦争では英国から莫大な戦費を借り受けて、海軍艦艇および武器を調達した。戦争の勝敗を決した日本海海戦で、ロシアのバルチック艦隊を破り、艦艇のほとんどを沈没させた。しかも、日本の海軍艦艇はほぼすべてが沈没を免れた。世界の海戦史に類のない鮮やかな戦勝であった。バルチック艦隊は日本近海に到達するために、スエズ運河を通過する必要性があったのだが、英国は彼らがスエズ運河を通過する許可を与えなかった。そのため、ロシアの大艦隊は、アフリカ西岸から喜望峰を回ってインド洋に入り、それから極東に到達せねばならなかった。当時のバルチック艦隊の乗組員にとって、あまりにも長い船旅に疲弊していたことは否定できない。地政学的条件が日本を後押ししていたのである。

母親の使命を持った国と神の摂理

江戸時代の高度な教育水準を土台として、明治維新以後はイギリスから西洋文明のエキスを吸収して立憲君主制に基づき、短期間で近代的政治、経済体制を築いた。また、富国強兵策によって軍需産業を中心に工業化を推し進めて発展させ、やがてアジア・西太平洋を中心に覇権を行使するに至った。

このような日本の立場は、ヨーロッパ産業革命の先駆けとなり、世界に進出して植民地支配を広げていった英国に似ている。本来なら、英国はその産業技術と獲得した富を、世界に分け与えて諸国の発展のために使うべきだった。そのような方向が英国の偉大な伝統的政治思想「Rule of Law　法の支配」（神の意思・自然法）に順応するものだった。神の意思に順応すれば天運に保護される。そのような道を選択して突き進んでいたならば大英帝国は、より大きくまた永く栄える国となったのだろう。

英国は母親の立場で世界の弟や妹たちが幸せな国を造れるように、キリスト教の愛の精神を国家的に実践する「母の国」としての責任があったのである。しかし、ＰＡＲＴ４で詳しく述べたように、英国はその責任を全うできなかった。

人類の歴史を俯瞰して見れば神の摂理に基づいた目的性が含まれている。アジアに英国と同様の「母の国」が出現せねばならない摂理があったために、日本は天運に保護されて奇跡的な勝利をおさめたといえるのだ。

20世紀最大の歴史家といわれるアーノルド・J・トインビーは「神が存在するならば、文明史の第三世代である現在の四大文明圏は一大文明圏に到達する」と予言している。それは、やがて世界は共通の価値観を基盤とする文明圏に到達することを意味している。その世界共通の価値観とは「神の下の人類一家族」的価値観ではないか。そして「母の国」の使命を持った国こそが「神の下の人類一家族」理想を実現するカギを握っているといえるのだ。

事実、過去には世界中に奴隷制度が存在していたが、歴史の進展とともに共産主義国家諸国を除き、今やほとんどそのような悲劇は消えた。

軍事的に強い国が弱い国と国民を支配し搾取するのが当たり前だったが、第二次世界大戦後には、小さい弱い国と大きく強い国が対等の立場で尊重するべきだという考えが当たり前になっている。そして国連に193カ国が加盟し、人間の価値の平等を実現する世界を追求している。現実の世界は矛盾に満ち満ちているとしても、世界は少しずつではあるが前進し、発展している。

歴史発展が指向する目標点が「人類が一家族」として存在する世界であると結論づけることができるだろう。ゆえに、大きく見れば、歴史は人の知恵や力を超えた力、神の摂理によって導かれており、一つの方向に向けられている。

世界的歴史観で見れば、日本は明治維新以後、「アジア的英国」の使命と責任を果たす摂理を歩みはじめた。イギリスの対になるのが日本であり、明治維新以後の日本はイギリスの文明を多く受け継いでいる。さらに、西欧キリスト教文明の外的核心をすべて抜き出して、相続することによって日本文明の基礎をつくり上げてきたといえる。

日本は英国と同じ島国であり、両国の発展に女性が大きく関係している。

英国は、不思議なことに女王が収めた時に大発展をしている。特にスペインの無敵艦隊を打ち破りその治世に英国の国際的地位を高めた女王エリザベス一世（在位１５５８年11月〜１６０３年３月）や、大英帝国を象徴する女王として知られるアレクサンドリナ・ヴィクトリア女王（在位１８３７年6月〜１９０１年１月）の治世が、その代表的時代といえよう。大英帝国はその基礎も、実体の覇権も女王時代につくられた。

日本は１８６０年以来、天照大御神（女性の神様）を戴き、立憲君主国家として世界に現われた。第二次世界大戦で敗れ、世界から消えかけた。米国は占領下にある敗戦国に「日本国憲法」を発布させた。それはきわめてゆがんだものであったが、不思議なことに、ダグラス・マッカーサーは日本の統治制度を英国の統治制度ときわめて似たものとしてつくり上げた。このことはマッカーサーの叡智がそのような選択をさせたのだろう。つまり、「日本国憲法」を通して天皇を「国民統合の象徴」とし、政治制度は議院内閣制と定めた。英国の国王は「君臨するが統治せず」の伝統が確立されており、現在の日本の天皇の立場はそれにきわめて近い。議院内閣制は英国の名誉革命（１６８８年）以来、３３２年も続く立憲君主制の伝統である。

その後40年間、今度は米国から学問と科学技術を相続し、経済力を再興しさらに拡大発展させてきた。米国の基盤は総て英国から受け継いだものなので「日本の基盤は英国から受け継いだ」ともいえる。昭和天皇がご逝去された年が１９８９年であり、１２０年期間を満たした翌年（１９８９年1月7日）だった。その時には日本の経済力は米国に次ぐ世界で二番目の規模で、英国を完全にしのぐほどになっていた。

英国は海軍力の成長とともに国力を発展させ、大英帝国の覇権を確立した。日本も海軍力を短期間に拡大させアジアの覇権国として進出した。敗戦で海軍力を失ったが、世界との貿易で、米国が提供する海上交通線の安全を最大限活用しながら科学技術力の進歩による経済発展で世界に進出した。

20世紀末に、日本は英国と双子であるかのようにその文化の核心を受け継ぎ、第二の英国として世界舞台に登場したのだ。

「神の意思、自然法」に反する国は衰亡し、それに順応する国は栄える

神の摂理から現れた母の使命に立つ国も、責任を果たさずに「自国のために他国を虐げる」ことが多ければ、天運を失いその国の繁栄は一時的なものにすぎず、まもなく衰退してしまう。

英国は世界のために大きく貢献してきたが、甚大な被害を与えたのも事実である。20世紀初頭から急激に世界的覇権を失いはじめ、第二次大戦中に覇権国家の立場は英国から米国に替わった。第二次大戦終了後、英国の植民地は次々に独立し、英国は今や小さな普通の国に戻った。未だ世界的影響力は残しているが、ヨーロッパでの孤立化が進み、国家分裂の可能性さえも抱えている。これら衰退の

原因は、「母の国」としての責任から逸脱して天運を失ってしまったことが、見えざる原因となっていることを否定できないであろう。

このように摂理的観点から見れば、日本も英国と同様の運命をたどる可能性があるのだ。急激な発展により英国を追い越して、世界的母の国の栄光を表しつつあるかのように見えても、摂理的使命を果たさなければ、まもなくその栄光と繁栄は跡形もなく消えるだろう。しかし、日本が英国に代わって世界の母親の立場で貢献する道を進めば、大英帝国の栄光にも勝る国家になり得るだろう。それは日本国民が自らの自由意思と責任で選択せねばならない。

敗戦国でありながらも戦争賠償は極力小さく限定された

日本はかつて、大陸政策をきっかけにして英米と対立するようになり第二次大戦に突入した。日本全国の主要都市は総て焦土と化し、兵士たちの死者を含めると約３００万人の犠牲者を出すことになった。敗戦による無条件降伏により日本は滅亡したと言える。しかし、それが終わりではなかった。日本全土は廃墟と化したが、その反面、歴史上にない不思議な恩恵を受けることとなった。そして、それは新しい日本の出発をもたらした。

第一次大戦後、戦勝国はドイツが二度と立ち上がれないほどの賠償金を要求し、また再軍備できないように法的に拘束した。すなわち戦勝国がドイツをいじめ抜いたのだ。ヴェルサイユ条約（１９１９年６月）による戦後処理は戦争をなくすどころか、正反対の結果を生んでしまった。ドイツに対する怒りと恨みによる戦後処理が、ナチス・ヒトラーの出現と第二次大戦勃発の大きな原因の一つとなったのは疑いようのない歴史的事実である。

第二次大戦の終了後、戦勝国の米国、英国、ソ連、フランス、中華民国は、この事実を歴史の重要な警告として戦後処理をせざるを得なかった。１９５１年、52カ国が参加して米国主導でサンフランシスコ講和条約が締結され、日本は独立した。

この時、戦勝国は敗戦国日本からの賠償を基本的には要求しなかった。なかでも、中華民国は日本国に対する賠償請求を総て放棄した。また、当時米ソの冷戦が激しくなり、それが英米の賠償要求を最小限度にとどめる一因にもなったと思われる。これは日本にとりまさに天佑であった。それゆえに、全国民が飢えに苦しむ状態から徐々にまた確実に復興することが可能となった。もし、この恩恵がなければ日本は長期にわたり飢餓の苦しみから脱出できなかっただろう。

米国が援助の手を差し伸べた

米国には建国以来「ヨーロッパの歴史の汚点を繰り返さない」という価値観が根強くある。また、この当時米国はキリスト教が大復興していた時代だった。キリスト教精神が米国政治を主導していた。

米国は怨讐である「敵国日本」の敗戦処理に対し、キリスト教精神を持って対応した。日本にとって歴史はじまって以来の敗戦と事実上の滅亡だったが、怨讐のはずの米国が、なんと日本に援助と救いの手を延べてくれたのだ。

それから70年間、米国は米・ソ冷戦時代から現在まで「安全保証」を日本に提供した。戦後、日本は米国の傘に守られて、ひたすら経済の復興に力を注ぐことができた。ソ連との冷戦下の米国にとって、日本の国力の復興と地政学的位置が利用価値の大きいことも、よく理解していた。１９８５年前後になると、日本は経済大国となり、再び世界史の表舞台に登場するようになった。

日本列島が焦土と化し、日本国民のすべてが飢えに苦しむ状況から、わずか40年で、今度は世界的な経済大国として不死鳥のごとくに蘇った。

もちろん、戦後復興の成功要因として、日本はそのために必要な現実的な基盤を所有していたことは否定できない。終戦後の廃墟のなかで日本復興のために必死に働いた国民の努力、利害を超えた献身的な技術開発、明治以来の学問の蓄積、生き残った高度な技術の所有者たちや経営者の貢献、等々さまざまな要素が発展をもたらした。

しかし、神の摂理による超人間的な力と運に支えられなければ、日本の現在はない。明治維新以降、何回か不思議な幸運がもたらされたが、またしても日本は見えざる天運を受け奇跡の発展を遂げた。

神の下にある信教の自由の国家へ

ポツダム宣言の受諾後、日本人は自らの母国を「神の国」と表現することをはばかるようになってしまった。卑屈に歪んだ教育がもたらした弊害である。

いや、日本は「神の国」でなければならないのだ。日本人は原点に帰り、さらにより高い次元の「神の国」を目指すべきである。

歴史上、「神を敬う国」は栄え且つその寿命も長い。しかし、その反対の国は没落し、国の寿命も短い。また政治権力が狂暴化する。最近の例でも、第二次大戦後の米・英両国とソビエト・中華人民共和国を取り上げて比較すれば、そこに良く現れてくる。

前者はキリスト教を尊重する国家である。「国家の頂点に神と神の意思（普遍的価値）があり、それに基づく憲法と法律がある」という政治思想が確立されてきた。憲法や法律は人間に与えられている不可侵の権利を守るためにある。主権者は国民であり、政府は国民の合意により正当性が保たれる。

後者では国の頂点に専制的独裁者が「神」として立つ。彼の考えと指導が「神の意思（普遍的価値）」である。その下に憲法と法律があり、その運用と解釈権を共産党トップが自由に活用する。憲法と法律は共産党と独裁者を守るためにある。政府は独裁者と共産党の合意によりその正当性が保たれる。

英国は約１２００年間、国家を維持した歴史を持つ。英国の議会制民主主義の時代だけでも３３０年を超えている。アメリカ合衆国は独立以後、自由民主主義の国として２４０年以上繁栄を保ち続けている。国家としての寿命が長いし、繁栄も長く続く。

しかし、ロシアの如何なる時代の国とも、根本的に異なる共産主義国・ソビエト連邦は１９２２年12月30日に建国された後、わずか約70年間で突如消え去った（１９９１年12月25日）。世界は唖然とした。中華人民共和国は建国（１９４９年）から70年を過ぎた。ソビエト連邦のようにあっけなく消える時が近いのではないか。独裁者が神となり血の粛清と殺戮で成り立った国の繁栄は短い。

英国、米国のように神の摂理の方向に一致する側面を持つ国々は天運に保護されて栄える。そしてその寿命が長く保たれる。しかし、正反対の方向を志向する国は天運を受けられずに悲惨な現実に直面して、突如崩壊し消えてしまう。その寿命も非常に短い。

日本は「神の摂理」の方向に極力一致する道をたどり、天運により栄え、長い寿命の国となって、英米両国に勝る国となるべき立場にある。

神の下にある信教の自由の世界へ

第二次大戦後、世界のほとんどの国は国土が荒廃したのだが、米国本土は無傷のまま国力を温存し、圧倒的な経済力と軍事力を所有し万能の国のように世界に君臨することになった。世界大戦後の世界秩序を維持する国際機関として国際連合を提案し、その設立を世界諸国の代表として指導し、まさにアメリカ合衆国は自由と民主主義の保護者として登場した。

１９４５年当時、米国の国内総生産（ＧＤＰ）は世界の主要７カ国（米・英・仏・ソ・日・独・伊）全体総計の59％（OECD 世界経済１８２０～１９９２）を占めていた。戦勝国であり、国際連合設立を主導した米国は、正になんでもなしうる万能の国家だった。しかも米国キリスト教は全盛時代にあり、キリスト教精神は政治の領域に大きな影響力を持つに至っていた。ダグラス・マッカーサーやドワイト・アイゼンハワーはその代表的なリーダーだった。この時代はキリスト教会とキリスト教精神（心）が米国政治（体）と調和し、かつ国民を指導する時代となっていた。このような状況が国として整ったのは2000年間のキリスト教歴史のなかでも初めてのことであったといえる。

キリスト教がヨーロッパを覆うようになって以来、様々なキリスト教国が現れたが、その国々の権力者たちは、例外なく国民の統治や他の国・民族を支配下に入れるため、キリスト教を利用してきた。命の犠牲も惜しまない宣教者たちによる宣教の結実でさえも、国家権力者による支配の道具として利用されてしまった。キリスト教の「神の愛の精神」が国家を導くような事例はどこにも生まれてはいなかった。キリスト教は偉大な宗教ではあるが、王権力、国家主義、民族主義、世俗主義の支配下に閉じ込められていた。

そういう意味で、米国は例外的な国であったといえる。第二次世界大戦の終了直後に、あらゆる高等宗教が歴史を通して追求してきた願いを果たしうる高見に立っていたのだ。

宗教が願ってきた基準とは、一言でいうならば「心が主体であり体は対象として調和する」することであり、それを個人的にのみならず国家的に実現できる寸前にいたといえる。

なぜ、米国がそのような立場に立ち得たのだろうか？　ピューリタンが「神の下にある、信教の自由の国家」を求めて大西洋を渡ってきて、米国の東部で建国のための種を蒔いた。加えてヨーロッパからやってきたいくつもの宗教圏が奴隷制とその結果としての南北戦争のような巨大な矛盾と葛藤を抱えながら多くの犠牲を払ってきた。ピルグリム・ファーザーズのみならず、彼らも現実世界での愛の実践を重視し、地上の「神の国」を求める傾向があった。彼らはたゆまぬ努力により社会的・経済的基盤と国民の信頼を得ていた。第二次大戦終了後には世俗権力の支配から宗教圏が解放される寸前の場所に到達していたからだ。

具体的には、「信教の自由」から始まる自由を追求する米国民と宗教的価値観を尊重する政治リーダーは政府が司法、立法、行政権の三権が分立して運用されているか否かを厳しく監視してきた。彼らは独裁者の出現を激しく嫌ってきた。人間が神になることを拒否したのだ。三権が互いにチェックをしあい、バランスを保ち、いずれの権力も他を支配することがないようにしてきた。その目的は、信教の自由を始めとする幾多の自由を保護することであった。

かくして、特定のドグマや組織を持つ宗教が、政治的に他の宗教の自由を奪うことを除去するための政治的処置として「政教の分離政策」をとり、結果として信教の自由はもちろん、言論の自由、学問の自由、企業活動や政治活動の自由が保障される、自由な社会環境を拡大してきた。

こうして、第二次大戦後の米国はあらゆる高等宗教が歴史を通して追求してきた願いを果たしうる高見に立つことになった。宗教が願ってきた基準であるところの「心が主体であり体は対象として調和する」ことを個人的にのみならず、国家レベルで実現できる国家環境が整っていた。

米国はこの時、歴史の先頭に立っており、「神の下にある、信教の自由の国家」の実現から「神の下にある、信教の自由の世界」へと発展させられる力を持っていた。「神の下にある、信教の自由の世界」とは、その後結成されるべき「本来の国際連合の下の世界」を意味している。

しかし、残念ながら国際連合は「神」を無視してしまった。世界人口の90%は特定の宗教を信仰し、その多くが神の存在を信じている(ブリタニカ国際年間2017年版)。国連は人類のほとんどの人々の心情を無視して出発してしまった。

国連憲章は「神と宗教」を除去して創られ、国連組織は世界の宗教とのかかわりを断絶してしまった。そうなった原因は、創設者であるフランクリン・ルーズベルト大統領の世界観にある、そして国連安全保障理事会の「常任理事国」に共産主義国・ソビエト連邦のジョセフ・スターリンを据えたことにあった。このことは米国が犯した歴史的過ちだった。これにより世界が共産主義による悲劇に見舞われ、米国自らも長期間苦しむこととなったのである。

PART8　日本の行くべき道

（1）日本の安全保障

戦争の中心地が移動する

経済成長を中心とする歴史は環太平洋時代にむかって流れてきた。それは同時に世界的戦争の重心が、太平洋に接するアジア諸国に移動してくることを意味する。

第一次世界大戦は激しい戦争のほとんどが大西洋とヨーロッパ大陸が中心であり、一部、中東やアフリカ・アジアで行われた。アジア地域はヨーロッツパと大西洋側に比べれば戦争の規模は小さかったといえるだろう。戦争の主役は大英帝国・フランス・ロシアに対決したドイツ・オーストリア・トルコであり、主たる戦場がヨーロッパとアジアの西の一部で、しかも陸地だったのだから当然のことだ。

しかし、第二次大戦では戦争の中心地がヨーロッパとアジアの2地点だった。それは、米国・大英帝国・フランス・ソビエト連邦・中華民国からなる連合国とドイツ・イタリア・日本の同盟国との戦争であったからだ。米国と日本が参戦することで西太平洋が戦争の大舞台となったために、勝敗の帰趨を決める重点が海洋になった。米国が連合国側に軍事的援助を提供できたことで、連合国に勝利をもたらしたのだった。

東西で同時に激しい軍事的対決

第二次大戦終了後、世界は直ちに二分された。英国・米国・フランス・中華民国の自由主義国家群とソ連・中華人民共和国等の共産主義国家群に二分され、さらに軍事的にも深刻に対決するにいたった。しかし、米・英・仏が共産主義国家の脅威に目覚め、震撼したのは朝鮮動乱によってであった。

第二次世界大戦終了後の新しい悲劇は、ヨーロッパと極東アジアの2点でほぼ同時期にはじまった。1945年のヤルタ会談（米国・ルーズベルト、英国・チャーチル、ソ連・スターリン）で、連合国による戦後処理として「敗戦国ドイツを4カ国で分割管理」をすることに決めた。その後、ベルリンも分割管理されることが決定されたことにより、1945年5月7日ドイツが降伏した後、「米英仏の占領地域」は自由主義経済の下で自由な地域として存在することとなった。しかし、ソ連の占領地域はことごとく社会主義化され、ソ連の支配下に入った。それらの国は、自由のない、激しい監視と統制社会となった。

1947年、米国トルーマン大統領時代に、当時の国務長官ジョージ・マーシャルがマーシャルプランと通貨改革を発表した。マーシャルプランとは第二次世界大戦で被災したヨーロッパ諸国の復興支援計画のことだが、この支援計画の背景には、大規模援助によってヨーロッパ経済を復興させて、共産主義の侵攻を抑え込もうとする狙いがあったと言われている。

ソ連にとっては「ソ連封鎖政策」となったために、それに対抗してソ連は、東ドイツ内にある西ベルリンを封鎖して陸の孤島とした。こうして東西の対決と分裂は決定的となった。

その結果、米国を中心とする北大西洋条約機構（西欧諸国の軍事同盟North Atlantic Treaty Organization）とワルシャワ条約機構（ソビエト連邦とその衛星国家群の軍事同盟Warsaw Treaty Organization）が40年以上も激しく対決することになってしまった。両者は膨大な核兵器と通常戦力で対峙したが、不思議なことにヨーロッパ大陸と大西洋では、その時から現在まで大規模な戦争は起こっていない。そして、1991年12月25日にソビエト連邦は突如崩壊した。その後まもなくワルシャワ条約機構は形骸化し、東西ドイツの対立を中核とするヨーロッパの東西対立は消滅した。

戦争の重心がアジア太平洋地域に移動した

一方、極東アジアでは、朝鮮半島に統一された独立国家を樹立すべき時を迎えていた。ヤルタ会談（1945年2月）で「朝鮮半島は当面、米・英・ソ・中の信託統治下に置く」ことが決められていた。しかし、米国（フランクリン・ルーズベルト）とソ連（ヨセフ・スターリン）が、大戦終結の直前になって秘密協定を結んだ。「北緯38度線を境として暫定的に南側をアメリカ、北側をソ連へと分割占領にする」と決定したのだった。

ソ連軍は1945年8月には直ちに南下を開始、38度線以北の支配を固めた。後に主席となる金日成は、この時にソ連軍88特別旅団の第一大隊長として帰国した。やがて、ソビエト連邦共産党・中央委員会書記長ヨセフ・スターリンとソ連軍政の保護を背景に足場を固めた。1948年9月9日に「朝鮮民主主義人民共和国」の樹立を宣言し、自らは主席となり、同時に朝鮮労働党委員長となった。

38度線以南は1945年、日本のポツダム宣言受諾後、国連の「信託統治」下に入って、米国による軍政が敷かれた。政治的分裂と混迷が生まれたが、独立要請が高まり、米国の提案により（1947年11月）、国際連合監視下で「南北統一選挙の実施」と「統一国家の樹立」を実現しようとした。しかしソ連は国連が送った「国連朝鮮統一復興委員会」の北への立ち入りを完全に拒否した。それゆえ、独立国家建国のための自由選挙は38度線以南のみで1948年5月10日に行われた。その結果、李承晩が選挙で勝利を収めて大統領に就任し、新政府を組織することになった。その年の8月15日に「大韓民国」は独立を宣言した。国連は大韓民国が朝鮮半島全体を代表する独立国家であるとして承認した。

一方、ソ連は金日成を主席とする「朝鮮民主主義人民共和国」を全半島代表の主権国家であるとして承認をした（1948年9月9日）。

こうして朝鮮半島の南北に、正反対のイデオロギーによる米国（国際連合）とソ連を背景とする二つの国が出現し、朝鮮半島の分断がはじまったのである。しかしその時、アメリカをはじめとする西側の自由主義諸国は、未だ共産主義の真の恐ろしさを知らずにいた。西側が共産主義国家の脅威に目覚め、震撼したのは朝鮮動乱によってであった。

1950年6月25日、日曜日の早朝に朝鮮民主主義人民共和国は38度線を越えて大韓民国に侵入した。当時、北の人民共和国と南の大韓民国とは圧倒的な軍事力の差があった。大韓民国は国防のための武器装備がきわめて乏しかったのだ。わずか2カ月間で韓国軍は最南端の釜山市周辺まで追い詰められてしまった。

その時、国連の安全保障理事会が開かれ、軍事介入することが決定された。7月7日に米軍を中心に国連軍（多国籍軍）を結成し、朝鮮戦争に介入した。1950年9月15日、ダグラス・マッカーサーは仁川で大胆な上陸作戦を敢行し、華々しい成功を収めた。韓国軍は連合軍とともに釜山から北上した。しかし、ソビエト連邦の軍事援助と中華人民共和国の参戦により戦線は膠着し、38度線を中心に上下を繰り返すことになった。そのため多くの市民は逃げ遅れ、何度も戦場に置き去りにされ、多数の市民が犠牲となった。そして1953年7月27日に米国、英国と中共、北朝鮮そしてソ連が休戦協定に署名し休戦に至った。

この戦争で、大韓民国を守るために米軍を中心に16カ国から93万人以上の兵士が動員された。死者は（米軍約4万人・中国軍40〜50万人・北朝鮮軍29万人）、負傷者は（国連軍36万人・韓国軍20万人）とも言われる。一般市民の犠牲が兵士よりもはるかに多く、南北双方で200万人におよぶという。離散家族は1，000万人に至り、現在も多くの家族が別れ別れになった悲劇が続いている。

この戦争の犠牲を目の当たりにして、アメリカをはじめとする世界のトップリーダーたちが共産主義国の正体に目覚めた。ソ連と共産主義諸国に対して一歩も譲らない米国および西側諸国との激しい対決はこの時からはじまった。

極東アジアは地球上でもっとも危険な地域

朝鮮動乱から70年を経て、現在の極東アジアは世界でもっとも繁栄する地域となっている。１９７０年代後半に太平洋時代の到来が指摘されはじめてからすでに40年以上が過ぎた。環太平洋時代の到来は時の経過とともにますます現実味を帯び、今や、否定できない事実となった。

１９６０年代には日本、１９７０年代から韓国、台湾、香港、シンガポール、そして１９８０年代にはＡＳＥＡＮ諸国、１９９０年代末から２０１０代末までは中華人民共和国が経済成長を遂げ、アジア全体が経済成長の活力に満ちている。これは、大西洋を基盤とする西欧諸国が栄える時代から、太平洋を囲むアジア諸国が発展し栄える環太平洋時代がはじまったことを意味する。

明らかにアメリカ合衆国にとって経済的重みは太平洋側が大西洋側のそれに勝るようになっている。

繁栄の裏には、悲劇と滅亡の要因も生まれ育ってゆくものだ。また、安全保障と政治的安定のないところでは経済の発展や繁栄はあり得ない。敗戦後、日本の一貫した経済発展には、政治が安定し米国の恩恵を受けた安全保障があったからである。

ところが、日本・韓国・台湾には、中国・北朝鮮・ロシアが接している。この三国は、未だに共産主義哲学が政治文化として濃厚に残留しており、世界でもっとも攻撃的で、また力を信奉する国家である。おまけに自由主義諸国のどの国よりも軍事力の強化に経済力を注ぎ続けている。もっとも深刻な事態は、今や中・北・ロの三国が核兵器の大量所有国となってしまったことである。

このことが、極東アジアと西太平洋地域を地球上でもっとも危険な地域となさしめており、巨大な戦争の発端になろうとしている。世界戦争が起こる可能性の地域はヨーロッパや中東ではなく、今や極東アジアと西太平洋である。それが世界の火薬庫になっているのだ。もしも、いまこの地域で戦争が勃発したなら1950年の朝鮮動乱よりも大きな戦争となるだろう。それは、核兵器が使われる可能性が充分に考えられるからである。

第二次大戦後の75年間に世界で多数の戦争や紛争が起こった。しかし戦争勃発の原因は、核兵器の出現とその世界的拡散により変わってしまった。戦争は核兵器所有国と非所有国、または両者が核兵器の非所有国間で勃発し、大量殺戮等もなされてきた。しかし、核兵器所有国間では戦争がなかった。否、できなかったのである。このことは歴史の事実であり、皮肉な現実である。（PART2（4）政治目的を果たすための核兵器を参照）

核兵器の所有国家が、それを持たない国を「核兵器を使用するぞ！」と恫喝をして、通常兵器による侵略や、外交上の有利な条件を得るという政治的目的のために使われてきた。核兵器は政治目的を果たす手段として使われてきたのである。また、自国の安全保障のためにもっとも確実で安価なものとして活用された。

現実の国際情勢を見つめてみれば、日本・韓国・台湾はきわめて危険な立場にある。国際法や人権主義を守ることなど眼中にない中華人民共和国・朝鮮民主主義人民共和国・ロシアに隣接しているのである。

日・韓・台の平和は自国の力のみでつくり上げたものではない。アメリカ合衆国の圧倒的国力とその軍事力による保護ゆえに、彼らは手を出せなかったに過ぎない。外交交渉や相手の平和を愛する心に支えられたものでは決してない。ひとえに米国の圧倒的軍事力（戦略核戦力と通常兵力）に支えられて得た平和だったのだ。

２０２１年現在、米国は急速に後退してゆこうとしている。短期間の間に国力も失われ普通の国になるだろう。中・朝・ロが日・韓・台に対し自国の野心を満たすために、恫喝や軍事侵攻を自由に実行できる時が急速に近づいている。

現在の「極東アジアの繁栄」と「環太平洋時代の平和と繁栄の定着」はきわめて危うい立場に立たされている。後退してゆく米国をつなぎ留めて、日本・韓国・台湾が海洋国家同盟を造るしかない。そこから外れる国は中・朝・ロのいずれかに吸収されることになる。安全保障の確保によってのみ、環太平洋時代が継続されることは否定できない。

国家の興亡と安全保障

安全保障問題は如何なる時代や国においても国策の最重要課題である。外交政策や経済政策等は失敗しても、国家が滅びることはめったにない。しかし安全保障政策を間違えば国家は滅亡する。明治維新以後わずか70年で日本は滅亡した。外交政策の過ちが安全保障政策を破壊したためである。米国や英国の野心について日本の政治リーダーたちが誤って認識していた。日本が中国大陸に権益を求めたが、歴史的にその何倍も英国やアメリカは国益を大陸に追求していた。ところが新参者で未熟な国に見える、しかも黄色人種の日本が彼らの大陸利権を脅かした。

日本は幕末から明治維新にかけて、深い関係を持った米国や英国（海洋国家群）との関係を生命視することを捨てて、大陸に独自の活路を求めた。そして英・米と国益が対立する道を進んだ。そのような外交政策と安全保障政策の選択の誤りが、日本に滅亡をもたらしたといっても過言ではない。

安全保障は人間の体にたとえれば免疫システムの働きと良く似ている。地球環境には無限といっていいほどのウイルスや細菌が存在する。それらが人体に侵入し、繁殖すれば生命を破壊する危険性がある。人体に備わっている免疫システムはその全ての情報を所有し、有害な侵入者をキャッチして、直ちにそれを退治する武器を製造し、その繁殖を抑え、人体から取り除く。

このような人体の免疫システムと非常によく似ているのが、国家の安全保障システムである。他国の軍事的攻撃や脅迫、大自然災害等により国家や社会の健全な機能が奪われ、国民の生活や生命、財産が侵害されるような事態の発生は何時でも起こり得る。むしろ、それが歴史上繰り返されてきた人間社会の現実である。それを除けるために有効な政策をとるのが安全保障政策であり、軍事・外交・経済・国内行政の総合的政策にならざるを得ない。

歴史上多くの場合、軍事・外交が安全保障政策の中心的役割を果たしてきた。安全保障政策を失敗すれば国家は崩壊し、経済の繁栄が一瞬に失われ、自由と平和のなかで価値ある文化社会を造ろうとする国民生活は踏みにじられることになる。

ヒトラーの野望を見抜けず眠っていた英国議会

自由主義による議会制民主主義制度はもっとも戦争に向かない政治制度である。なぜなら、危機的状況に迅速に対応できにくく、合意を得るのに多くの時間がかかる。また、その過程で多くの機密情報が漏れてしまう可能性があるからだ。

一方、独裁国家は戦争にもっとも適している。戦争を密かに準備し、一糸乱れずに攻撃を開始できるからだ。それゆえ、自由民主主義に基づく議会制民主主義国では、国民の一人一人が大統領や首相であるかのように安全保障問題に敏感であり、責任を持つ必要がある。そうでなければ国家を保護し、維持することはできない。このことは民主主義国家の国民が負わねばならない不可避の責務である。

英国は世界でもっとも古くから議会制民主主義制度を発展させてきた国である。もうすでに320年以上の歴史を持つ。その歴史のなかで国家存亡の最大の危機をわずか70数年前に経験した。

1933年1月にドイツではアドルフ・ヒトラーが政権を掌握し、6カ月後には一党独裁制を完成し、密かに軍拡をすすめ、1935年春には徴兵制を施行し再軍備をあからさまに実行しはじめた。蒸気機関車の工場は戦車の製造工場、そして自動車エンジンの製造工場は戦闘機（メッサーシュミット等）のエンジンの製造工場に変わった。ドイツのトラックや乗用車の製造技術は世界で初めての「近代的な機械科師団」を誕生させた。それらの技術を用いて、ヒトラーは全力で戦争準備に突っ走り、1938年までには戦争準備がほぼ完了した。ヒトラーは自らの野望を果たすべく直ちにオーストリアを併合し、チェコスロバキアを解体支配した。そしてポーランドに侵攻した。

この間、英国は眠っていた。目覚めていたウインストン・チャーチルが議会でただ一人「ナチスドイツの脅威」と「英国の軍拡、徴兵制の施行と戦争準備の必要性、国際連盟は頼りにならない」などを訴えていた。マスコミや世論は彼を「戦争屋・軍国主義者、国連を無視する者」として扱った。英国民にとり、脅威はヒトラーのナチスドイツではなく、むしろチャーチルと彼の主張「軍拡と増税」だった。チャーチルに賛同することは選挙に敗北することを意味した。政治家にとり脅威は「国家の滅亡」ではなくて「選挙の敗北」だったのだ。英国は眠っていた。そして眠り続けた。

ネヴィル・チェンバレン英国首相はヒトラーに脅迫されても事態を深刻にとらえずいた。妥協して要求を飲み、英国の国民には「戦争を避けられた」と勝利宣言までしたのだった。実際には英国の領土ではないズデーデン地方（チェコスロバキア）をドイツに割譲することを認めた（ミュンヘン会談1938年9月）。ヒトラーはその6カ月前にオーストリアをすでに併合していた。アドルフ・ヒトラーは「これが最後の領土要求である」とチェンバレン首相に妥協を迫り、ズデーデン地方の割譲を認めさせたが、それはまったくの嘘だった。翌39年にはチェコスロバキアを解体して支配した。

さらに同年9月、ポーランドに侵攻し、遂に英国とフランスはドイツに宣戦布告した。しかし、フランスは、そのわずか9カ月後にはパリをドイツ軍により占領され、英国は1940年9月から1941年5月まで行われたドイツ空軍による大規模な空襲により、ロンドンと多数の都市が焼け野原となり、破滅の一歩手前だった。

しかし、1940年5月10日に首相にウィンストン・チャーチルが首相に就任して、滅亡の危機を救った。チャーチルはこの時の状況を後に「イギリスの最後の審判の時が刻まれたと全世界が思いこんでも何の不思議があろうか。」と語っている。

勝敗を分けた要因の一つに、海が英国本土の最後の防波堤となったことが挙げられる。海がドイツ軍の侵攻の力を削いでくれたのだ。さらに、運のよいことに北大西洋の西岸には無傷の米国が巨大な国力を蓄えていた。これらのことが英国を滅亡の淵から救いあげてくれたのだった。

平和ボケしている日本の危機

しかし、民主主義は大きな欠陥を抱えている。自由主義と議会制民主主義の国は、急速に迫ってくる戦争の危機に対し、きわめて弱い。

国民が弱点を克服する意思と英知を所有し、国家の安全保障に深い関心を持っていなければ、独裁国家の攻撃により滅亡する可能性が大きい。英国の歴史的事実がそれを実証している。

日本はかつての英国と良く似た地政学的立場にある。闘争的無神論による徹底した独裁国家が周辺に2カ国もある。2021年現在、北朝鮮は今や核弾頭の小型化に成功し、量産化して日本を壊滅させるに十分な核戦力の所有国家となった。一方、中華人民共和国は25年以上にわたり急激な軍の近代化と拡大を続けてきた。米国にも対応可能な充分な戦略核戦力を所有し、周辺国を飲み込むほどの陸・海・空の通常戦力を整え、戦争の準備を終えた。現在、中国共産党と人民解放軍は、周辺の国々を恫喝し、いつでも侵略できる段階に入っている。

中国が軍事行動をとるときには、ロシアが極東の軍事力を動員して北海道を占領して自国の領土とするだろう。しかし、日本国民は中国の脅威に直面しながらも、まったく脅威としては感じていない。異常な平和主義的民主主義国家となっている。

ヒトラーやスターリンの脅威にさらされた英国や米国とは比較にならないほどボケているのだ。ポピュリズムの確信犯たる政治家や左翼学者たちが「憲法九条があったから70年間平和でいられた」と叫び、それを多数のマスコミが支持する。彼らは「紙の上に書かれた文字と、自分たちの一方的思い込み」が、日本に侵攻しようとする他国の力を拘束できると信じている。平和憲法という御利益信仰の極致である。

歴史の現実は厳格かつ冷酷である。日本の平和は「日米安保条約とアジア最大の米軍駐留」によって維持されてきたことを忘れてはならない。ところが、前述したように、米国の国防政策は歴史的転換期を迎えており、西太平洋での平和の維持基盤に黄信号がともっている。アメリカの傘の下で膨大な安全保障上の課題解決を先延ばしにしてきたが、もはやそれが許されない時を迎えている。日本国家として自ら独立を維持する以外に選択肢はない。日本国民が自ら責任を果たす覚悟を示さねば、アメリカ合衆国は日本を見放し、極東から去るだろう。

この試練を克服せねば日本国は滅亡し地球上から消滅することになる。チベット、ウイグル、そして香港の人々を襲う悲哀が日本人を支配することとなる。

極東三国…日本・韓国・台湾の実質的な安全保障体制の確立

米国が近年強く求めはじめたこと、そして今後もっと強く求めるものは、西太平洋のアジア諸国（米国の同盟国および友好国）の「自立と責任」である。具体的には日本、韓国、台湾、タイ、フィリピン等の米国の同盟国と、インドネシア、シンガポール、マレーシア等の友好国がどのような犠牲を払っても自力で「自由と独立と平和」を守る信念を実行することである。米国は今後ますます強くそれを要求するようになる。

今や米国は東アジア地域で「相互の防衛協力体制」を造ることを期待せざるを得なくなっている。その中核となるべきものが、三国（日本、韓国、台湾）における安全保障の確立と相互の協力体制である。

米国は韓国と韓米相互防衛条約、台湾とは台湾関係法（米華相互防衛条約）、日本とは日米安全保障条約を結んでいる。日・韓・台の三国はそれぞれが米国との相互の安全保障条約を持っているのに加えて、三カ国は相互に交流も活発であり経済的な深い関係がある。

しかし、政治的には関係が薄く、日本、韓国、台湾は互いに安全保障にかかわる条約や約束はほとんどないといえる。日本と韓国との間で日韓秘密軍事情報保護協定（GSOMIA・General Security of Military Information Agreement・２０１６年11月）はあるが、韓国大統領府は２０１９年８月22日、国家安全保障会議（NSC）の常任委員会を開き、GSOMIA の破棄を決めた。ところが11月には当分維持すると発表した。文在寅政権下では果たしてGSOMIA が機能するのか当てにならない状況となっている。これでは日韓の安全保障関係はきわめて希薄であり、全くあてにしてはならない関係である事が明らかである。

また、韓国・台湾の国民と政治家たちに認識されていない重大な事実が一つある。朝鮮半島や台湾の有事の際に、韓米相互防衛条約や台湾関係法が効力を充分に発揮されるために、すなわち、有事に米軍事力が韓・台防衛に大きな力を持つか否かは、日米安保条約がどのように実行されるかによって決定されるのだ。すなわち、米軍は日本の基地から出撃することになる。

そのため平和時に、きわめて良い友好関係が国民世論や国政レベルで保持されていることが重要である。ところが、現在、憂慮すべきことに韓国と日本の関係が世論と国政の両レベルで難しい関係にあり、米国の大きな懸念となり、フラストレーションとなっている。

「日米安全保障条約の実効性」が米軍をアジアに定着させる

繰り返すが韓国に対する北からの侵攻や台湾への中国の侵攻の際、きわめて大きな影響を与えるのが「日米安全保障条約の実効性」である。現在の日米安全保障条約は岸信介首相（安倍晋三首相の祖父）の時代、1960年に日米間で結ばれたものであり、吉田茂首相時代に締結された（1951年）旧安保条約と大きく異なる。旧安保条約はきわめて不平等な条約であった。米国は日本の保護のため米軍基地を日本に置き、必要に応じて自由に活用できるが、日本の防衛と安全を守る米国の義務はなかった。

ところが、１９６０年の新安保条約では「締約国は、日本国の施政の下にある領域における、いずれか一方に対する武力攻撃に対し、共通の危険に対処する」と米国の義務が規定された。また基地使用の日米の事前協議事項が加えられた。

「日本国から行なわれる戦闘作戦行動（前記の条約第五条の規定に基づいて行なわれるものを除く。）のための基地としての日本国内の施設及び区域の使用は、日本国政府との事前の協議の主題とする。」（日米安全保障条約第六条の実施に関する交換公文　岸信介日本国首相、クリスチャン・Ａ・ハーター アメリカ合衆国国務長官、１９６１年1月19日）

事前協議の事項に入る重要課題とは「朝鮮半島と台湾有事の際の戦闘作戦行動」である。韓国・台湾の有事に際し、日本の基地から出撃する総ての米軍の戦闘作戦行動が事前協議の対象である。

現在の日本周辺の安全保障環境は安保条約締結時（60年前）と大きく変わった。日本政府が事前協議で「日本の基地からの米軍の出撃と作戦行動」を拒否する可能性は当時よりも何倍も大きくなっている。条約締結時にはそのような可能性はほとんどなかった。日本は中国や北朝鮮の直接攻撃の到達圏外にあったのだ。

当時の日本列島は「朝鮮半島や台湾有事の際の安全な兵站基地」になりえた。しかし、今や安全保障環境はまったく変わってしまった。北朝鮮までもが大量のミサイルや核兵器を所有、しかも核兵器の小型化を成功したため、有事の際には、日本が韓国や台湾と同様に前線地帯となる。米国の対韓国もしくは対台湾防衛作戦行動に協力すれば、日本本土の都市部や軍事基地が中国や北朝鮮のミサイルにより直接攻撃され、日本国民が甚大な被害に襲われる可能性がきわめて高い。中国や北朝鮮が韓国や台湾に軍事侵攻する場合、米国の軍事力展開を足止めすることが彼らにとってきわめて有効な戦略である。日本への直接攻撃は恐怖を与え、日本政府と国民を「日米安全保障条約の事前協議」に走らせる十分な力を持つ。日本の米軍基地からの出撃を反対させ、さらに停止させるだろう。だが、もし日本政府がそのような決断と行動をとれば日米同盟は永遠に消滅することになる。

2021年現在、北朝鮮ですら全日本列島を射程内に入れるノドンミサイル（準中距離弾道弾）を約500発所有している。小型化された核弾頭を積載したノドンが急速に増加中である。飛来する弾道ミサイルの弾頭が核弾頭、毒ガス（マスタードガス、サリン、VXガス）弾頭、それとも通常弾頭なのかは認識不可能である。イージス艦に積載されるABM（anti-ballistic missile）とイージスBMDシステムは信頼するべき防衛システムではあるが、果たして弾道ミサイルの弾頭の違いを見抜いて核弾頭を有効に破壊できるだろうか？　日本の防衛能力を超えた攻撃、すなわち飽和攻撃をどのように克服できるのか？　一発の核弾頭を破壊し損なって東京などの大都市に落ちれば、広島や長崎以上の悲劇となる。

中国は長射程の巡航ミサイルを含め大量の弾道弾ミサイルを持つ。特に、大陸から発射する大量の巡航ミサイルで全日本の重要拠点をピンポイントで攻撃可能とする力を有するようになった。

1960年当時には無視しても良いと思われた日米安保の「事前協議事項」が、国民主権を預かる日本政府にとって、現在ではきわめて重要な事項となっているのだ。米軍に日本の基地から発進する許可を出すとすれば「国民の甚大な生命の犠牲を覚悟して、基地使用の許可を出さねばならない」という、客観的情勢が出現しているのである。

　ここにおいて二つの要素が日米安保条約の実効性にきわめて大きな影響を与える。

　一つは韓国と台湾に対する日本国民と行政府の感情である。悪感情が強ければ「日本国民の生命を多数犠牲にすることになるのに、米軍が日本の基地から作戦行動をすることは許されない？」として。日本基地からの作戦行動は事前協議で拒絶される可能性が極めて高い。国民感情が良好であり、日本政府が強い決断力を所有していても、その決断は簡単ではない。韓国と台湾に対する日本全体の国民感情は、両国有事の際の日米事前協議に極めて大きな影響を与えることになる。

　二つ目は民主党政権であった２００９年～２０１２年のような親中的政権、あるいは親北的な政権が日本に誕生することである。もしそうなれば、その政権は、事前協議事項を政治的に最大限利用するだろう。朝鮮半島有事の際には、北朝鮮による日本攻撃を避けることと、国民の安全確保を理由に、米軍の日本基地使用を一切拒絶するだろう。それにより日米関係は破壊される。

　この場合、朝鮮半島や台湾はきわめて深刻な事態に陥る。米軍は兵站基地を失い、前戦の海空軍戦力への増強や補強ができなくなる。また米国太平洋海軍の第七艦隊・空母機動部隊が、韓国周辺や台湾に駆けつけることが間違いなく難しくなる。今や、中国の潜水艦戦力やミサイル戦力が増強され、確実に米国空母の脅威となっている。米国海軍は東シナ海と南シナ海において日本の海上自衛隊の持つ対潜能力に頼らざるを得なくなっている。米国は、日本で上記のような危険な政治的選択が行われる可能性を非常に憂慮している。米軍が極東アジアはもちろん、西太平洋から撤退し、全てを中国に明け渡さざるを得なくなるからである。

米国は特に日本と韓国の行方に注目している。日本と韓国の分裂、日本での親中政権や親北政権の誕生は「日米安保条約の実効性」を失わせ、米国のアジアでの軍事的影響力を困難にさせる。逆に日韓の友好と安全保障上の条約および協力が日米安保の実効性を高め、米国の軍事的影響力を確固たるものとする。

また、日本の行政府が保守系の安定政権でなければならない。なぜならば、韓国・台湾の有事の際、事前協議で日本が受けるリスクを押し切って「米軍の日本基地からの作戦行動」を受け入れる決断をせねばならないからだ。現在の日本では野党のほとんどが、もし政権を担当した場合、そのような決断を期待することは絶望的である。根拠は単純明白である。日本の野党のほとんどがマルクス主義思想を基盤にしているからだ。残念なことに、それが理由で日本では超党派で安全保障政策を実行できる野党が育っていない。

むしろ、彼らがもし政権を掌握するならば有事の際には中国や北朝鮮に呼応して、米軍による日本基地の使用を拒絶すると断言せざるを得ない。日本で健全な保守政治勢力が不動の安定基盤を造ること、そしてそれによる安定政権が維持されることが、環太平洋時代の到来と平和構築を確固たるものにできるのである。

（2）「憲法改正」と「緊急事態法」の必要性

日本国憲法の改正

日本国憲法は改正されねばならない。その重大な理由がいくつかある。

第一に、現日本国憲法に日本が縛られる限り、日本が独立国として生存するために必要な行動をとれないからである。「日本国憲法第九条」が日本の憲法を世界に例のない特異な憲法としているのは周知の事実であろう。自由を基盤とする民主主義国家の憲法が例外なく主張している「国民の生命と安全を守るために、軍事力の行使による自衛のための権利」を放棄するかのような表現になっている。

日本国憲法の原則ともいえる前文では「平和を愛する諸国民の公正と信義に信頼して、われらの安全と生存を保持しようと決意した。」と高らかに謳う。憲法前文と九条と合わせて読むと、日本国憲法は「日本国の行政府・立法府・司法府は国民の安全と生存を保持する義務はない。日本国民の安全と生存を諸国民の公正と信義に全てゆだねる。」と主張しているとしか読めない。この憲法が現在まで日本に大混乱を起こしているのだ。「日本国民が憲法のために存在するのではなく、日本国憲法は国民のために存在する」ということは自明の理である。しかし日本国憲法では「憲法による規制を受け、人権を放棄するために日本国民が存在する」という強いニュアンスを持つ。そして、その規制は空想的概念である。日本国民は空想に仕えさせられているのだ。歴史上これほど大きな人権無視は例がないだろう。

日本国憲法は「日米安全保障条約」の実効性を揺るがそうとする左翼勢力に最大限に利用されてきた。

戦後70年間も、ソ連や中共の支配下に組み入れようとするマルクス主義政党が野党第一党であり続けてきた。彼らは日本国憲法を最大限利用して国民的基盤を造り、そして革命を起こそうとしてきたのだ。しかし、国民は彼らの意図を知っていた。そのため日本の政党政治は、二大政党による相互の政権交代がほとんど起こらなかった。

２０１０年に民主党による政権交代が起こったが、その政治はひどいものであり、すぐに国民の心が離れ、２０１３年には当然の結果として自由民主党が政権政党として返り咲いた。

多くの政党や学者・評論家達・労働組合の論客たちがマスメディアで不思議な安全保障論を展開している。その多くの主張が、日本国憲法の「前文」と「九条」を利用したものであり、世界の現実と離れすぎた、意図的な空想的思い込みに基づくものとなっている。その主張を国が実行したとしたら、日本に悪意を抱く国の支配下に速やかに入るようになるだろう。多くの日本国民はそれに気づいて落胆と危機感を持って、マルクス主義的政党の政権を拒絶した。

現憲法をこのまま持ち続けたならば、日本はどうなるのだろうか。

日本は他国の侵攻により滅亡するか、もしくは、軍事的クーデターにより強力な民族主義的強権国家に変革されることになるだろう。日本民族は危機に直面すれば生き残るために急激な方向転換をする柔軟性を持っている。「幕末から明治へ」、「明治から軍国主義的時代へ」、そして「敗戦から自由民主主義へ」と、日本は三度にわたり自ら極端な大変革を行い、それに順応して生き延び、さらに発展してきた。

日本国民は変化せざるを得ない状況になると、きわめて迅速に変化をする国民性のようだ。日本周辺に重大な脅威が現れれば、それに対応するべく極端な方向へ突き進むであろう。そして、すでに日本を取り巻く周辺の安全保障環境においては、重大な脅威が現実となりつつある。

この現実のまま現憲法を持ち続けたなら国民は憲法の九条を、いや憲法全体すらも無視し、重大な脅威を克服すべく行動するようになるかもしれない。それを大多数の国民が支持することになるだろう。なぜなら誤った空想に自分の命を預けることは誰しも拒否するだろうから。

その到着点は「強力な民族主義国家」となる可能性が高いと考えられる。その時には、平和時に「過激だ」として関心も持たれなかった思想（正義感・怒り・憎しみ）に基づく闘争的イデオロギーで結束するだろう。日本のヒトラーが生まれるかもしれない。

他方、日本には、憲法九条を遵守したまま他国の軍事進攻により滅亡する可能性が残されている。香港の市民やウイグル自治区の人々、あるいはチベット民族のように支配され虐げられる運命に身を委ねなければならなくなるかもしれない。

いずれの道を進んでも日本は、英国を超えた世界的母の国として環太平洋時代を主導し、世界の平和と安全に貢献して繁栄する可能性が失われる。

ゆえに、日本は日本国憲法を健全な普遍的価値観に基づいて改定せねばならない。その普遍的価値観とは歴史と世界に通ずる原則であり、その価値観の中核はアメリカ合衆国憲法の原則でもある、「神の下の家族主義」である。

「日本国憲法」の成立過程

日本国憲法の成立について見ていくには、GHQの日本占領政策とその事実に触れねばならない。GHQの残した当時の記録を明らかにしなければ、この実態を正確に知ることはできない。幸いなことに、スタンフォード大学のフーバー研究所教授の西鋭夫氏がダグラス・マッカーサーとGHQによる日本占領政策の記録を世界で初めて明らかにした。この記録は米国に保管されていたものだが、西鋭夫教授が著書『国破れてマッカーサー』で以下のように指摘している。

（文責：筆者）

……現在の日本国憲法は1947年（昭和22年）5月3日に施行された。敗戦国日本が、国家としての独立を承認（サンフランシスコ講和条約締結・1951年9月8日）される4年以上も前に、GHQの占領下で発布された。当然、独立国として国民の代表者が憲法を造る権限がまったく与えられていない状況で作られた。

ダグラス・マッカーサー総司令官が指導するGHQが造り日本側に押しつけたものと言える。占領軍の支配下でその政治機構がつくり上げた憲法を、70年後の今も言葉の一言も改定することなく奉じている国は、現在の世界に存在しないし、歴史上もなかったであろう。

マッカーサー総司令官は幣原喜重郎内閣の松本憲法問題調査委員会に憲法草案の起草を命じた。ところが、提出されたものはまったくマッカーサーの意に沿わないものだった。そこで彼は自ら新憲法の骨子をメモで現し、直ちにそれに基づき草案を作成するよう、民政局長ホイットニーに命じた。彼はそれを6日間で憲法の草案として造り上げマッカーサーに提出した。このマッカーサー憲法草案は日本政府に提示され「論議をして48時間以内に返答をせよ」と命じた。

「連合国と極東委員会（特にソ連とオーストラリア）が、将来の日本の復讐を恐れており、天皇の裁判を要求し、死刑にすることも考えられていた。それを抑えるために、この草案を受け入れるように。受け入れなければ天皇に何があっても知らない」との脅迫が外務大臣・吉田茂を通して幣原喜重郎総理にまで知らされた。実際にはダグラス・マッカーサーは極東委員会をまったく無視していた。この幣原総理への通達は彼の策略だった。しかし、昭和天皇は自らマッカーサー草案に提示された「象徴天皇」の位置を受け入れられた。そのため幣原内閣が日本国憲法草案として公式決定した。そして1946年3月7日に全国に公表された。

同年4月10日に敗戦後初めての衆議院総選挙が行われた。この選挙はGHQにより「国民投票と同様のものである」と位置づけられた。マッカーサーの占領軍総司令部は選挙の全立候補者の人物調査を徹底的に行い、彼らにとり好ましくないと考えられる候補者を追放した。この選挙では「思想と言論の自由」という日本国民の権利は無視された。こうして日本国憲法は1946年8月24日に衆議院で採決された。驚いたことに421対8で新日本国憲法として承認された。反対8票のうち6票は日本共産党だった。日本共産党は「皇室の廃止と自衛権の承認」を要求していた。……

マッカーサー草案憲法に対する賛成比率を見ても、背後に新憲法承認への強制性があったことは明らかである。しかし、この時点ではGHQによる日本共産党への干渉や追放はなかった。あたかも共産主義独裁国家の議会採決かのようだった。次いで10月に貴族院が採決し、日本国憲法は翌年（1947年5月3日）から施行された。

合衆国憲法とはほど遠い日本国憲法

日本国憲法原案はダグラス・マッカーサーの手書きのメモであった。その内容は以下の通りである。

「天皇は国家の元首の地位にある」「皇位の継承は世襲による」

「天皇の義務と権能は憲法によって行使され、憲法に示された国民の意思に応じたものでなければならない」

「国家の権利としての戦争行為は放棄する。日本は（国際）紛争解決、および自衛のためでさえも、その手段としての戦争を放棄する。国の安全保障のためには現在世界に生まれつつある高い理念、理想に頼る」

「陸、海、空軍は決して認められない。また如何なる交戦権も与えられない」

他……

（国破れてマッカーサー　西鋭夫・著より）

この手書きのメモを読めば日本国憲法前文と憲法九条の真意が良くわかる。

マッカーサーとGHQによる日本占領政策は日本の民主化であったはずである。その政策的意図は、彼らが自分の母国を「神に選ばれた特別な国」と信じており、敗戦国日本を米国型民主主義国に近寄らせるべく、米国の文化や政治的価値観を相続させようとしたのではなかったのか？

しかし、現実に行われた占領政策とその中心実績である「日本国憲法制定」は、それとはほど遠いものだった。その動機は日本に対する憎しみや悪意により、「日本国民を永遠に立ち上がらせまい」と試みたのか？　もしくは、彼らが有色人種に対する人種差別や優越意識に支配されており、「日本人が米国民主主義の伝統など理解できようはずがない」と考えたために、米国の伝統的価値観とはまったくかけ離れた憲法を日本国民に押し付けたのだろうか？

米国民主主義の伝統的価値観はアメリカ独立宣言（１７７６年）とアメリカ合衆国憲法（１７８８年発効）に良く現れている。この憲法は世界でもっとも古い成文憲法である。２３０年以上も前に制定されながらも未だ新しさを失わない、普遍的価値観に貫かれた素晴らしい憲法である。

合衆国憲法前文は、日本国憲法におけるマッカーサーの手書きのノートメモと日本国憲法前文に相当する。そこに憲法施行の目的が記されているからだ。前文では「より完全な連邦を形成し、正義を樹立し、国内の平和を保障し、共同の防衛に備え、福祉を増進し、国民とその子孫に自由の恵沢を確保するためにアメリカ合衆国憲法を制定する。」としている。憲法の施行とアメリカ合衆国の設立（より完全な連邦を形成）目的の一つが「国内の平和」と「共同の防衛に備える」ことであると明示している。

これは米国民主主義の重要な価値観を表している。日本国憲法と正反対だ。

エイブラハム・リンカーン大統領がゲティスバーグの演説で米国民主主義の真髄を訴えた（1863年11月）。それは「人民の、人民による、人民のための政府」という言葉で端的に表現されている。同様の意味の言葉が、その94年後に、日本国憲法の前文にGHQにより活用された。しかし、ある一面だけが強調されて前文に挿入されたが、他の重要な側面はまったく無視された。それにより意味がまったく変わってしまった。

リンカーンのゲティスバーグ演説は1863年11月19日に行われた。ゲティスバーグはペンシルベニア州の小さな村であった。そこは南北戦争の激戦地であり両軍の16万5，000人が激突した。わずか3日間で死傷者は4万6千人（死者と行方不明者1万9千人）におよんだ。しかもこの演説は同じ激戦場で4カ月後におこなわれたものである。それも米国で最初の国立戦没者墓地の奉献式での演説である。わずか2分間（272語）というきわめて短い演説だった。しかし、この演説は米国人の心を動かし、国民全体に広がった。アメリカ独立宣言に続く米国民主主義の価値観を代表するものとなった。

この演説の言葉の一つ一つの背後には「深い悲しみ」と「決意」が秘められている。米国の大義、すなわち「神の下の自由（黒人も含む）」と「米国の統一」を実現するために「戦争と多数の若者たちの死」がもたらされた。しかし、それでも大義を実現するべく、その死の犠牲と悲劇を直視しつつも、戦争を勝ち抜く決意を固め、彼らの死を無にしないことを誓ったものである。エイブラハム・リンカーン大統領はアメリカ合衆国憲法（前文）の体現者としての立場で、残された米国人全てに、国民として責任を果たすことを訴えた。

「人民の、人民による、人民のための政府」は「人民の自由意思に基づく死をも超えた犠牲によりもたらされ、かつ保護される」ことを伝えたものだ。これは米国憲法の大前提となっているものであり、多くの米国人たちが世界に対し誇りとしてきた価値観である。

合衆国憲法前文やエイブラハム・リンカーンによるゲティスバーグ演説は日本国憲法とまったく異なる価値観を示していることを無視してはならない。

マッカーサーはなぜ日本国憲法を押しつけたのか？

なぜ、ダグラス・マッカーサーは米国民主主義とまったく異なる日本国憲法を日本に押し付けたのだろうか？　彼は米国軍人であり米国の大義のために命を捨てる覚悟を持つ、勇敢な人であった。誰よりもゲティスバーグのリンカーン演説の意味を正確に受け止めていた。否、エイブラハム・リンカーンに並ぶその体現者であったと言えるだろう。

しかし、彼が日本に押し付けた憲法はおよそ米国民主主義の価値観とは異なり、反米国的なものだった。日本国憲法の特徴は第九条に代表されている。彼は、日本が自由民主主義国家として「自己防衛の権利」を行使することさえ認めようとしなかった。現在も日本共産党や共産主義革命を夢見る人たちが、マスメディアを通し日本を共産主義中国の支配下に入れるために国民世論に働きかけている。彼らの最大の武器が日本国憲法第九条である。

再び問わざるを得ない。なぜ、ダグラス・マッカーサーはこのような憲法を、占領軍総司令官の権力を用いて全く無力な敗戦国日本に押し付けたのか？　筆者の推察を以下に述べてみたい。

推察1：日本が、欧米諸国と彼らが支配する世界秩序に復讐をするかもしれない。再挑戦による復讐を避けようとしたためであろう。有色人種の新興国、しかも小国の日本が、英米と全面戦争を行い、約4年近くも見事に戦い続けた。それは彼らにとって大きな衝撃だった。当時の世界は人種差別意識がきわめて強かった。アメリカの国内政策でも敵国出身である米国籍のドイツ人やイタリア人への対応と米国籍日本人への対応はまったく異なっていた。またこの戦争中に、あえて日本の民間人を大量に殺戮した。人種差別意識が災いしたとしか思えないのである。二発の原爆は最初から日本に落とすために開発された。しかも落としたのは広島・長崎であり、一般民間人の大量殺戮（約21万人）を狙ったものであった。

１９４２年2月下旬、アメリカ西海岸沿岸州とハワイに住む、日系アメリカ人と日本人移民約12万人が、全財産を没収され強制収容所に収容された。彼らには米国籍を持っていても法の下の平等は適用されなかったのだ。

東京大空襲（１９４５年3月10日・死者10万人）からはじまる主要都市への爆撃は苛烈を極めた。被害市町村は４３０におよび、ほとんどの都市は瓦礫と化した。民間人の死者は総計で約58万人におよんだ。

民間人に対する大量の殺戮や極端な差別的扱いは、冷静な理性で考えれば、政治的に実行された大規模な戦争犯罪である。「やがて日本が報復するときがくる。彼らは虐待された有色人種の国々を扇動して英・米による世界秩序に再び挑戦してくる」と恐れたのではなかろうか？

ＧＨＱ憲法草案、すなわち日本国憲法（特に第九条）はその危険性を取り除く手段であり、米国政治勢力と国民、そして戦勝国の不安を取り除くための政治的手段として作られたと思われる。

推察2：日本国に天皇制を持続させ、混乱と無秩序に陥ることを除去し、廃墟からの復興を成功させる。そのために米国大統領と議会、さらに極東委員会を説得できる根拠を創る。

連合国軍最高司令官ダグラス・マッカーサーは日本の戦後処理のために設立された極東委員会が機能を発揮しはじめるときが近いことを恐れていた。それは彼とＧＨＱの上位組織であり大きな権限を行使できる。彼らは天皇を戦犯として裁判にかける恐れがあった。

マッカーサーは米国陸軍士官学校（United States Military Academy at West Point）の歴史上、最高の成績優秀者の一人といわれる。また軍人として戦場でも恐れを知らずに前線で働き、カリスマ性を持つ偉大な実績を誇る指導者だった。彼は敗戦直後の日本に来てすぐに、当時の日本の重要な本質を見抜いていたと推察できる。それが以下の事柄である。

（1）戦争責任を天皇に帰すべきでないこと。
（2）天皇を失うことになれば日本国民が再度徹底抗戦を開始するか、もしくは無秩序状態に陥る可能性があること。
（3）当時の日本の政治リーダーたちが米国や英国の自由民主主義をまったく理解できないこと。
（4）このままでは天皇を裁判にかけようとする米国大統領と議会を説得できない。アメリカ議会では、昭和天皇を戦犯として裁く決議案が提出されていたため、ダグラス・マッカーサーとGHQは極東委員会の強い圧力に耐えられないこと、等。

昭和20年（1945年）9月27日、昭和天皇はダグラス・マッカーサーを米国大使公邸に訪れ、会見された。会見は15分の予定だったが35分におよんだ。

この時の経験がもととなり彼は天皇を守ることを真剣に考えるようになった。マッカーサーはその時経験した心情を彼の回顧録に残している。

「天皇の話はこうだった。『私は、戦争を遂行するにあたって日本国民が政治、軍事両面で行なったすべての決定と行動に対して、責任を負うべき唯一人の者です。あなたが代表する連合国の裁定に、私自身を委ねるためにここに来ました』……大きな感動が私をゆさぶった。死をともなう責任、それも私の知る限り、明らかに天皇に帰すべきでない責任を、進んで引き受けようとする態度に私は激しい感動をおぼえた。私は、すぐ前にいる天皇が、一人の人間としても日本で最高の紳士であると思った」（『マッカーサー回顧録』1963年）

虎ノ門の米国大使館でのマッカーサーとの会見で、昭和天皇に随行した藤田尚徳侍従長が歴史的証言を残している。

「『かつて、戦い破れた国の元首で、このような言葉を述べられたことは、世界の歴史にも前例のないことと思う。私は陛下に感謝申したい。

占領軍の進駐が事なく終わったのも、日本軍の復員が順調に進行しているのも、これすべて陛下のお力添えである。これからの占領政策の遂行にも、陛下のお力を乞わなければならぬことは多い。どうか、よろしくお願い致したい』とマッカーサーは言った。」（藤田尚徳『侍従長の回想』昭和36年・WEB歴史街道9月27日 This Day in History）

1946年2月13日、外務大臣公邸でホイットニー民生局長が吉田外務大臣、松本烝治憲法問題調査委員長、白洲次郎と通訳官に伝えたといわれる言葉があった。

「マッカーサー元帥は、天皇陛下にお会いした時から、天皇を守ることを絶えず考えておられる。」（GHQスタッフによる極秘録）

この言葉は真実を伝えたものだった。

ダグラス・マッカーサーは昭和天皇との会見により、何故深い感動を覚え、心を突き動かされたのだろうか？

彼は若い時代に日本と忘れられない出会いをしていた。1905年、父親が日露戦争観戦任務で大使館付き武官として着任したが、ダグラスは父親の副官として来日した。日本滞在中に日露戦争終結直後のトップ司令官（東郷平八郎、乃木希典、大山巌、他）たちに直接面談することができた。彼は永遠に忘れられない感銘を受けたと述べている。

ポツダム宣言受諾後の日本本土に上陸する前に沖縄で幕僚たちが「日本軍が暴動を起こすかもしれない。危険だ！」と深く心配した。彼は「天皇の命で降伏した。そのようなことはあり得ない」と悠々と厚木の海軍航空基地に降り立った。

おそらく彼は米国人たちの誰より良い意味で日本の本質を理解していた。

昭和天皇との会見で、前述のようにマッカーサーには全く想像もしなかった言葉が伝えられた。彼は深い感動を覚え、心を突き動かされた。思わず「かつて、戦い破れた国の元首で、このような言葉を述べられたことは、世界の歴史にも前例のないことと思う。私は陛下に感謝申したい。」と述べたという。彼は昭和天皇の態度と言葉の中に、聖書にある最大の中心人物「モーゼやイエスの姿」を見たのだろう。ご自分の命を犠牲にして、日本国民を生かそうとしておられる姿に感動で本心が突き動かされたのだ。

天皇制は初代の神武天皇が即位した皇紀元年（西暦・紀元前660年）から数えると、令和2年（2020）で2680年になる。その精神伝統の極みに触れたダグラス・マッカーサーはこの経験により天皇制を保護せねばならないと固く心に決めた。少なくとも昭和天皇と国民の精神的つながりをなくしては、日本民族と日本国の復興はあり得ないと決断した。

「政治家・吉田茂」の謎

最高司令官ダグラス・マッカーサーは吉田茂を傀儡として立てて日本の改革を実行しようとした。ポツダム宣言受諾と連合国軍最高司令官総司令部（General Headquarters, the Supreme Commander for the Allied Powers）の占領下に日本が入った後、日本が独立するまでの重要な時期に、吉田茂が安定した政権（１９４６年5月22日～１９４７年5月24日・１９４８年10月15日～１９５４年12月10日）を維持できた理由は、連合国軍総司令官ダグラス・マッカーサーが吉田茂を活用したことにある。

吉田茂はＧＨＱ憲法草案オリジナル（5部の内の１つ）を受け取り、外務大臣公邸（１９４６年2月13日）で開かれた日本国憲法草案検討会議以前にすでに熟読していた。さらに、彼はそれ以前にホイットニー民生局長から説明まで受けていた。マッカーサーが説明させたのである。彼はその時すでに吉田茂以外に対応できる政治リーダーはいないと結論付けていたのだろう。

連合国最高司令官マッカーサーにとって日本が混乱と無秩序に陥ることを除け、廃墟からの復興を成功させねばならなかった。そのためには天皇制を持続させねばならないと、見抜いていた。それゆえに天皇が戦争犯罪人として裁かれることを何としても避けたかった。そのために米国大統領と議会、さらに極東委員会を説得できる憲法をつくり、一時も早くそれを日本国議会に承認させ、そして施行させねばならなかった。日本が立たされていた難局を打開するために、ＧＨＱ憲法草案が必要不可欠なものだったのである。

皮肉なことに「日本国憲法はＧＨＱ憲法草案を日本語に翻訳したもの」という仰天すべき歴史的事

実が日本を救うことになった。

外務大臣公邸での日本国憲法草案検討会議の時に、吉田茂が不思議な発言を切り返したことが極秘資料に残されている。

「『これは極秘にしてください』と(吉田茂は)何度もGHQ側に確認した。」(『解禁・日本国憲法秘史』フーヴァー・トレジャー 西鋭夫)

これは、すなわち未曾有の混乱を除けるために、日本国民には日本国憲法草案の正体を隠したまま、議会と国民に受け入れさせるようにGHQ側にお願いし、さらにそのための協力を求めたことを意味する。それは厳格にGHQ側に受け入れられ、彼らの巨大な力によりその秘密が守られながら、日本国憲法施工までのプロセス全体が実行された。

「GHQ憲法草案を日本語に翻訳して日本国憲法とした」ことはその時点では正しかった。吉田茂がそれをそのまま受け入れたことが日本を救ったとさえ言える。ダグラス・マッカーサーは強い責任感と果敢な判断で驚嘆するほどの正当な判断をしてくれた。この憲法は最初から「日本が独立をするまでの一時的なもの」「危機を乗り越えるための憲法」として作られたものだった。当然、この憲法の寿命は日本国が独立するときまでに限定されねばならなかったのだ。

ダグラス・マッカーサーは日本の独立の時が近いことを明確に知っていたと言える。彼は「その時に日本が独自の憲法を定め、施行する」ことを前提にして、「日本国憲法」を臨時的なものとして造らせた。

彼がその時の近いことを知っていた根拠がある。それは「フランクリン・ルーズベルト米国大統領とウインストン・チャーチル英国首相との大西洋憲章・合意がなされた。1941年」という歴史的事実である。米英両国は「合衆国と英国が領土拡大意図を否定する。政府形態を選択する人民の権利を認める」等を合意した。第二次大戦後、アジアの英国植民地に「民族自決の精神」による「民族独立運動」が起こった。英国はインド（1946年）、インドネシア（1949年）、パキスタン（1947年）ミャンマー（1948年）等の独立を承認した。この動きは世界に広がり、アフリカや中東の植民地諸国も1950年～60年代にかけて次々と独立した。マッカーサーがこのような歴史の風を感じられないリーダーであったとは考えられない。

吉田茂も同様の風を感じていたであろう。もし、そうでないならば、彼は「無知な似非内閣総理大臣」だったといえる。

吉田茂が政治家として新憲法創設に係わり、GHQ憲法草案の翻訳文に過ぎない日本国憲法を発布し、施行へと導いたことに、やましいことは見当たらない。ダグラス・マッカーサーと吉田茂とは、その時点においては最大限の〝より良い道〟を選択し、そして実行してくれたのではないだろうか。「日本国民から感謝を受けるにふさわしい政治リーダーだ」とさえ思える。しかし、吉田茂首相によるその後の行動を見ると以下の二つの大きな謎が生じる。

謎1：絶好のチャンスに「GHQ下での日本国憲法の改正」を要求しなかった吉田茂

1951年1月25日、吉田・ダレス会談が開かれた。ジョン・フォスター・ダレス（後に国務長官）は特使としてトルーマン大統領の意図を伝え、かつ交渉するために来日した。ダレス特使は対日講和条約特使として「講和条約締結の交換条件としての日本の再軍備」を強く要求した。その背景には国際政治の大きな変化があった。

1950年6月25日早朝、朝鮮民主主義人民共和国の人民軍大部隊が38度線を越え、大韓民国へ侵略を開始した。わずか3カ月で韓国軍は釜山に追いつめられ、赤化統一寸前となったが、米国をはじめとする国連の介入とマッカーサーが指揮する国連軍の仁川上陸作戦の成功により戦況は逆転された。この時に、米国はソビエト連邦と国際共産主義の世界的脅威に初めて目覚めたのだった。そして、米国は対共産主義世界戦略のために日本を防波堤にしようとした。そのため「日本の独立を公認するための講和条約締結の交換条件として、日本が再軍備をすること」を強く要求したのである。

公式的には、「アメリカは吉田・ダレス会談では再軍備を要求しなかった」とされた。しかし吉田茂は回顧録で、ダレスは米政府の要請として日本の再軍備を要求したと明確に記録している。また「吉田はそれをあくまでも拒否し、ダレス特使はそれを受け入れた」と述べている。実際には「再軍備はしないが、時間をかけて徐々に限定された軍備を備える。」と秘密の約束をしたようだ。彼は「経済成長と国力の回復を優先し、安全保障は米国に依存する」という政策を選択したが、それは後に吉田ドクトリンと呼ばれるようになった。

吉田茂は、「再軍備を要求するならば、まず米国による日本国憲法改正の承認をせよ！」となぜ強く要請しなかったのか？

なぜ、「合衆国政府の再軍備の要求を断ることだけ」にこだわったのだろうか？

日本はその時には未だにGHQの配下にあった。「日本国憲法は、マッカーサー・ノートをもとにできたGHQ憲法草案を、英文から日本文に翻訳したもの」であることを誰よりもよく知っていたのは吉田本人だった。その事実を極秘にするようGHQに何度も頼んだのは当時の吉田茂外務大臣だった。

それはダグラス・マッカーサーと吉田茂首相が守った大切な秘密だったはずだ。その共通の目的は「昭和天皇を戦犯として裁くことを阻止する」ことと「それにより日本国民による日本の復興を速やかに行う」ことにあった。目的を果たすためには米国政府を納得させることが絶対条件であり、その武器が日本国憲法（象徴天皇と国民主権、憲法九条）であった。そしてその目標は見事に達成された。加えて、日本国民による国民憲法を造る絶好のチャンスがやってきたのだ。

しかし、吉田首相はダレス特使との会談で再軍備問題への対応論議だけにこだわり、日本国憲法の改正をあえて要求しなかった。その理由は、吉田が「日本国憲法九条」を保護したかったからではないだろうか？　米国が憲法の改正を認めることを、喜ばずに恐れたのではないか？

「再軍備」には選択肢が無限にある。軍事力強化を何よりも優先する軍事国家への道から、自国を保護するにさえまったく不足するレベルの再軍備の仕方もある。独立国は自らの政治的自由意思により どの段階でも選択できる。「再軍備すれば経済力発展と国力の回復ができなくなる」などという考え方は如何にもばかげているのではないだろうか。論理的にも破綻しているものだ。

ダレス特使は「憲法改正に触れないで、再軍備を強調した」提案をしたようだ。そうだとすればきわめて奇妙だ。吉田ダレス会談は秘密会談であったため明確ではないが、「日本国民の基本的人権を保護する権利」を認めずに、再軍備だけを認めようとしている。なぜなのか？　日本に深い不信感を抱いていたのだろうか？　「国民の基本的人権を保護する権利」を認めて憲法を改正すれば、人間の普遍的な人権よりも日本国民の人権のみを強調して、日本が再び軍国主義に走る時がくるとみていたのではないだろうか？　日本国憲法第九条をそのまま残して、米国が日本を軍事的にコントロールできるような日本の再軍備を考えたのかもしれない。

日本国憲法九条はアメリカ合衆国から見ても笑わざるを得ないほど異常なものである。マッカーサーは、それが地上には存在し得ないとんでもないものであることを知っていた。彼は「本来、戦争行為は国家の権利」であるが、「日本はあえて国家の権利を破棄する」とマッカーサー・ノートで新憲法のあり方を指定した。〝マッカーサー・ノートⅡ　国家の権利としての戦争行為は放棄する。〟

（『解禁・日本国憲法秘史』フーヴァー・トレジャー　西鋭夫）

ダグラス・マッカーサーは「〝神に与えられた国民の基本的人権〟を保護するための戦争は国家の権利」として認めていた。彼は「アメリカ独立宣言」とアメリカ合衆国憲法の信奉者であったから当然のことである。

アメリカ独立宣言には「人民の安全と幸福をもたらす可能性がもっとも高いと思われる形の権力を

組織する権利を有する。、、」と記されている。神から与えられた国民の人権が侵害される場合に備えて、戦争をしてでもそれを保護できるもっとも有効な権力を組織する「権利」を有するとしているのだ。アメリカ合衆国憲法は、国民の権利である〝神に与えられた基本的人権〟を保護するための戦争を、国家の権利として認め、それを基盤として作られている。

一方、日本国憲法第九条は英・米の自由民主主義の政治原則と相いれない正反対のものとなっている。それは「日本国は日本国民の人権を保護しない」と宣言しているに等しいのだ。ダグラス・マッカーサーが日本の困難な立場を解決するために一時的なものとして作らせたため、世にも不思議な「日本国憲法」になってしまった。

謎2：日本の独立後も「秘密」を隠し憲法九条を保護し続けた

1951年9月8日、サンフランシスコ平和条約が、米国をはじめとする日本と48カ国との間で締結された。これにより日本の独立と主権が公認された。それでも吉田茂首相は日本国憲法の改正を拒否し続けた。そして、憲法誕生の背後にある秘密を日本国民に隠し続けた。彼はそのまま、1967年10月に89歳で没した。この事実が現在も日本が混迷し続ける大きな原因を作ったといえる。

サンフランシスコ講和条約が締結され日本の独立が承認された時期には、日本国内外できわめて危険な状況が生まれ、かつ進行していた。以下に述べるように、日本の独立は未曾有の危機の真っただなかでなされたのだった。

1950年の6月25日、ソ連と中共の軍事力とその援助を背景に北朝鮮が韓国への大規模侵略を開始し、朝鮮動乱という大戦争が勃発した。危険性を強く感じたマッカーサーは8月10日、日本に警察予備隊（7万5千名）を設立させた。

米国は、日本の駐留米軍を含めて総計30万人以上を国連軍として朝鮮半島に動員・配備した。やがて中華人民共和国が参戦し80万以上の人民解放軍が攻撃してきた。米軍は半島での戦争に対応することで精いっぱいとなったため、日本本土の防衛は危機に瀕した。ソビエト連邦は、中国とは異なり北朝鮮に対し武器の援助をしたが、ソ連軍を朝鮮半島にはほとんど配備していなかった。ソ連が軍事的決断をすれば、極東ソ連軍を北海道に上陸させ、さらに東北地方まで侵攻できる絶好のチャンスだった。日本は丸裸になっていたのだ。

しかも、強力な脅威は日本国内にもあった。当時、日本共産党は23万6千の党員を要していた。ソビエト連邦共産党書記長ヨシフ・スターリンの意向を受けた日本共産党の指導下で、少なくとも2千名の非合法軍事委員が地下活動に専従していた。加えて、彼らの下に約1万人の軍が組織され日本での暴力革命を成功させるために動いていた。日本共産党は51年綱領（1950年10月）において暴力革命必然論に基づく武装闘争方針を宣言し、暴力革命路線へと舵を切っていたのだ。

1945年には共産主義思想に傾倒する「在日朝鮮人連盟」が組織されたが「暴力主義的団体」として同年に解散させられていた。その後、改名して「在日朝鮮統一民主戦線」としたが、吹田事件（1952年）のような大規模な暴力的騒乱事件を起こした。彼らは日本共産党以上に北朝鮮の軍事進攻に共振して行動した。当時、北朝鮮系の在日朝鮮人総数は53万人に上ったといわれる。

　このような未曾有の危機の真只中の1951年9月8日、サンフランシスコ平和条約の締結により日本の独立と主権が公認された。

　この時、日本にはGHQの占領政策から解放され、自由にはばたく絶好のチャンスがやってきていた。この時に至るまで、日本の抱えた国際的な特殊事情により、マッカーサー・ノートの指令（国家の権利としての戦争行為の放棄）に基づく日本国憲法九条に縛られていた。前述したように日本国憲法九条は、「日本国は日本国民の基本的人権を守らない」と宣言しているに等しい。日本国民は、憲法九条により自らの基本的人権の保護を放棄させられている。

　しかし、今や日本は独立国として承認され、GHQの占領支配から解放された。ハリー・S・トルーマン米国大統領からもジョン・フォスター・ダレス特使を通じて、日本の再軍備支持の意図が伝えられていた。平和条約締結後、独立国日本として最初の一歩は、「憲法九条をはじめとする日本国憲法の改正」だったのだ。

　しかし、日本はその最初の第一歩を間違えてしまった。それは、吉田茂首相の選択した政策によるものだった。すなわち、彼は「日本国憲法の改正」よりも「日本経済の復興と国力の回復」を優先した。そして、安全保障を全面的に米国に依存する道を選択した。これは後に「吉田ドクトリン」と呼ばれるようになる。日本国民に「安全保障基盤に基づく経済の繁栄」を造ろうとせずに、「米国頼みの経済発展偏重政策」を選択した。それゆえ、日本は憲法を改正するための絶好のチャンスを失ってしまった。

「戦争に負けても外交で勝った歴史がある」と吉田茂がたびたび繰り返したセリフがある。彼の歴史認識は、英国歴史の部分的事実を根拠にしているのだろう。しかし、実際の歴史的事実と大きく異なる。つまり、英国は18世紀以後、他の諸国を圧倒する海軍力で世界貿易の生命線である海上交通線を保護し、外交を展開し発展してきたが、敗戦の経験はない。また米国は今や英国に代わり世界の海上戦を圧倒的海軍力で支配している。では米国は何時「戦争に負けて」外交で勝ったのだろうか？米国は外交でたびたび失敗しているが、もちろん米国に敗戦の経験はない。むしろ、他国を圧倒してきた。

吉田ドクトリンは政策とはいえないものだった。新憲法に基づく再軍備をしながら、経済成長と国力回復を追求することはいくらでも可能だった。なぜならば、再軍備には無数のレベルがあり、独立国であるため日本がどのようなレベルの再軍備でも自由に選択する権利があるからである。

吉田茂首相はこの時に「日本国憲法誕生と出自の秘密」を堂々と国民に対してあからさまにできたはずだった。ありのままに国民に説明すれば、圧倒的多数の国民は、彼に感謝したであろう。彼を責めて攻撃する人々は極少数であったと思われる。彼が「日本国憲法の改正」を訴え、「憲法九条を破棄し、憲法に基づく再軍備」を主張する時、どれだけの人たちが明確に反対できただろうか。反対することは国内の暴力革命集団（共産主義者たち）や共産主義国家群（北朝鮮・中共・ソ連）の代理人になることを意味していたのだから。

しかし吉田茂首相は、日本がGHQ支配から解放されたその後も、再軍備を拒否し続け、そして日本国憲法の改正を拒んだ。日本国憲法の背景にある秘密を隠し続けたまま、遂に89歳で没した（1967年）。

こうして、日本が政治的混迷から抜けられなくなる原因を作ったのである。彼は、一面では戦後の荒廃からの復興という偉大な仕事を果たしながら、他方で日本国民に巨大な頸木（くびき）をかけたといえる。

緊急事態法制定の必要性

日本は自由民主主義国家として、巨大な自然災害や悪意による他国の侵攻等の国家存亡にかかわる緊急事態に直面した時に、「国民の生命・自由と財産、安寧と独立を維持するために、政治権限の集中や緊急事態システムを構築するための根拠となる法律」・「緊急事態法」がない。

発達した民主主義国家は権限が分散している。そのため、国家的大災害に直面すると、大混乱に陥る傾向がある。たとえば現在の日本では、巨大地震によって被災地が緊急に必要とする水、食糧、生活必需品、燃料等を政府の強制権限で接収（買い上げを）して、現地に届けることはできない。また輸送には膨大な数の船舶や飛行機が必要だが、大多数が個人や法人の所有財産であり、その所有権を侵害できない。緊急事態が発生して、多くの命を救うためであっても、強制や買収をすることができない。所有者の自発的同意がなければならないのである。

恐怖と混乱が拡大し、悪意による嘘やデマが人心を撹乱しても、「言論の自由」を侵害できないために、個人や組織が特定されても、それを強制的にやめさせることはできない。

また、日本本土への他国の軍事進攻が行われた場合でも、膨大な数の輸送船、航空機が必要であるが、行政府や担当官庁がそれらを強制的に接収することはできないのだ。

現状では民主主義国家の存立や国民の生命よりも、個人の所有権が優先されている。自衛隊の軍事力だけでは手段が限られてしまうため、目前で多くの国民が犠牲となる危険にさらされているのが現実である。

緊急事態法は、議会制民主主義の国家システムが持つ弱点を補うための法体系である。民主主義国家が緊急事態に陥った時に、「個々人の基本的人権を犠牲（一時的停止状態）にして、政治的独裁体制を造り、国家と国民の生命を守り保護する」ための法体系である。発達した民主主義国家は権限が分散しているため、その弱点を補うものである。

また、安全保障上の重大事態や大きな自然災害が発生した場合の首相の権限、各大臣省庁の権限と秩序、中央政府と地方自治体の権限の区分け等の様々な決定をしておかなければならないことがある。一般的に、権限が中央に集中され、個人の要求を抑えて全体の保全を計る。

アメリカ合衆国では、きわめて迅速にそのような体制を造ることができる。緊急事態においてはほとんどの権限は行政府の長、かつ米軍の総司令官たる大統領に合法的に集中する。核戦争の脅威は恒常的なものなので、核弾頭積載の大陸間弾道弾ミサイルの発射命令は、３６５日間そして24時間、大統領の専権事項である。米国では緊急事態時の大統領権限がほぼ無制限になるため、それを恐れる人々が「緊急事態時における大統領の権限を限定するための緊急事態法」を造ろうとさえしている。

英国では、ナチス・ヒトラーの脅威を抑えるために、歴史的伝統と方法に従い、議会を停止してウインストン・チャーチルによる戦争内閣を造り、ほぼ独裁体制をとって戦争を勝ち抜き、自由主義による議会制民主主義制度と国民の生命を保護した。

ドイツは第二次大戦後に「ドイツ連邦共和国」として独立したが、「緊急事態を克服し、かつ自由民主主義体制を維持」した経験がない。そのため、危機を克服して、しかもナチスのような独裁体制の出現を防御するために、非常に緻密な「緊急事態法」を造り上げた。50年以上前（1968年）に「非常事態に関する基本法」と食糧、水、交通などの保全のための「個別的非常事態法」を立法した。

日本では敗戦から70年を過ぎた今も、未だに議会で本格的に法案として討議されたことがない。マスメディアではこの法律に対してタブー視する風潮がある。不思議なことだが、マスメディアは人権の擁護者であることを自認している。しかし、緊急事態法は危険であり、ないほうが良いと考えているようだ。

いったい、緊急事態を迎えた場合に緊急事態法なしで、どのように国民の人権を守るのか。2020年から21年にかけて武漢ウイルスにより世界は強力な感染爆発に襲われた。日本はその対応により行政府が強い処置をとれない国であることを世界に暴露した。個人の人権への侵害を恐れて、外国からの入国さえも抑えられない。国民の賢明さに頼りながら限界状況で持ちこたえている。武漢ウイルスに対しては越えられるかもしれない。しかし、天然痘のようなさらに高い感染力を持ち、死亡率も高いウイルスが日本に持ち込まれればどうであろうか？　国民はパニックに陥り、秩序を維持できなくなるなる可能性が高い。悪意でそうすることを狙っている国があるかもしれない。「最大多数の最大安全」を追求せずにどうして人権主義といえるのだろう。

国家的緊急事態はいつか必ずやってくる。日本国民の安全保障実現のために不可欠なものが緊急事態法の制定である。「日本の緊急事態法は１９６８年に成立したドイツ共和国連邦の法制を参考に造ることが最短距離である」と指摘される方々がいる。筆者はそのご指摘を「偉大な指導である」と思う。時間的な猶予は与えられていないのだ。最短時間で日本に適した緊急事態法を造らねばならない。

新型コロナウイルスで政治も国民も混乱しているが、この法律があれば事態は変わっていた。日本にとって難しいことではなかっただろう。

（3）防衛体制の確立

新時代に必要な防衛哲学

日本の防衛戦略は「専守防衛」を基本としている。日本国憲法九条の制約下での最大限の防衛戦略であると位置づけられている。しかし、世界の国防戦略の常識では理解不能のものでもある。英訳表現が非常に難しい「Exclusively Defense-Oriented Policy」といわれる。外国人たちにはチンプンカンプンなのだ。事実、英語で表現しても、どの国の安全保障関連の専門家たちも意味が解らない。「専守防衛」の言葉は憲法九条への配慮により創り出された日本独特の政治的造語である。「戦略守勢」という軍事用語は歴史的に存在してきた。しかし、意味は全く違う。守勢をとっていても必要あればいつでも攻撃する。「専守防衛」は日本以外には存在しない。

この奇妙な言葉は、昭和30年（１９５５）に杉原荒太郎防衛長官が国会答弁で活用したが、それ以後しばらく消えていた。ところが昭和45年（１９７０）、中曽根康弘防衛長官が任期1年半の間に33回も国会答弁等で使い「専守防衛」が定着した。しかし、この日本防衛の基本方針は多くの混乱をもたらしてきた。

今ではそれが「我が国の防衛の基本的な方針である」とされている。政治的妥協の産物であり、自衛隊員と国民の命を危険にさらす「防衛方針」に他ならない。

令和2年の防衛白書2〝憲法九条の下で強要される自衛の処置〟によると「専守防衛とは、相手から武力攻撃を受けたときにはじめて防衛力を行使し、その態様も自衛のための必要最小限にとどめ、また、保持する防衛力も自衛のための必要最小限のものに限るなど、憲法の精神に則った受動的な防衛戦略の姿勢をいう。」となっている。

しかし、現段階ではその解釈は「戦略守勢」という一般的軍事用語と似た意味で使われるようになった。

また、集団的自衛権の行使も国際法に基づくものであり、憲法九条の下にあってもその行使は当然のこととして認める段階に至った。安倍晋三内閣総理大臣の長期安定政権時代（２０１２年12月26日

〜2020年9月16日）がなければ、このような解釈の実現にさえも到達できなかったであろう。

2014（平成26）年7月1日の閣議によって「武力の行使」の三要件が決定され、以下のように表現された。

「国の存立を全うし、国民を守るための切れ目のない安全保障法制の整備について」において、

①「わが国に対する武力攻撃が発生したこと、又はわが国と密接な関係にある他国に対する武力攻撃が発生し、これによりわが国の存立が脅かされ、国民の生命、自由および幸福追求の権利が根底から覆される明白な危険があること」

②「これを排除し、わが国の存立を全うし、国民を守るために他に適当な手段がないこと」③「必要最小限度の実力を行使すること」

上記の三要件を満たす場合には、自衛の措置として「武力の行使」が憲法上許容されるべきであると判断するに至った。

わが国による「武力の行使」が国際法を遵守して行われることは当然であるが、国際法上の根拠と憲法解釈は区別して理解する必要がある。憲法上許容される上記の「武力の行使」は、国際法上の集団的自衛権の行使が根拠となる場合がある。この「武力の行使」には、他国に対する武力攻撃が発生した場合を契機とするものが含まれる。（令和2年防衛白書2・憲法九条の下で強要される自衛の処置）

しかし、それでも未だ「専守防衛」が、防衛の基本的あり方を縛り続けている。

「専守防衛」という防衛の基本的な考えは、国民の人権が侵害される危険を公認するものに等しい。

「相手から武力攻撃を受けたときにはじめて防衛力を行使する」という概念にとらわれている。「専守防衛」を言い換えるならば、「最初に日本国民、戦闘機のパイロット、そして自衛艦乗組員たちの生命が脅かされる。『先制攻撃のチャンスは日本の敵側にあり、日本国民と自衛隊員を最初に犠牲とする』」と宣言しているに等しい。

「専守防衛」の言葉は消えなければならない。

防衛戦略は世界の状況や周辺の安全保障環境に大きく左右される。自国に悪意や恨みを持つ国が近くにあり、しかもその国が侵略や軍事紛争を起こした事実をいくつも持つならば、日本は待ったなしで充分な防衛力を抑止力として持たねばならない。充分な防衛力とは、侵略する国が耐えられないほどの報復を与えられる軍事力と、それを決行する政府と国民の意思、さらに抵抗を継続できるためのエネルギー資源、食料の確保、そして海上交通線の支配と安全等が絶対的な必要条件である。

脅威を与える国の「攻撃的意思の強さ、軍事力の質の高さと量、戦略戦術、戦争継続能力」に対して日本の防衛戦略、防衛力の質、そして規模が構築されねばならない。偏見や独断、そして思い込みや希望的観測でそれらが決定されるべきではない。

「国民が憲法のために存在する」のではなく「憲法が国民のために存在する」

防衛戦略の基本は日本側のみの独断と思い込みで決められるものではない。冷静な情報に基づき他国の能力を正確に把握して、相手が悪意を持たない状況であっても、最悪の状況を前提にして、相手がどこまで攻撃可能かを見極め、まったくの平和時から有事の対応準備を怠ってはならない。

それは、他人や他国を猜疑心で冷視せよということではない。国民と母国への愛情があればそうするのが自然である。母親が愛する幼子を24時間、何処でも見守り、保護してやまないのと同じである。母は、幼子に起こるだろう最悪の状況を心配して最大限の注意を払い保護しようとする。これは、動物でもよく似た行動をとる。これは自然の摂理である。人の母親の如く、国民とその生活環境を365日間休みなく責任を持って守ることが、政府の崇高な義務であり責任でもある。

しかし、日本での安全保障論議では令和2年の防衛白書でも〝防衛力を行使する態様は自衛のための必要最小限にとどめ、また、保持する防衛力も自衛のための必要最小限のものに限る〟が国防の基本となっている。一体、誰がどのように「必要最小限度の防衛力やその行使」の量・質をともに定めることができるのか。

……できるはずがない。「必要最小限度の防衛力」とは現実には存在しない幽霊のようなもので、実体のない概念である。未だに「専守防衛」が亡霊として生きて働き、政治的妥協をもたらしている。

「相手から武力攻撃を受けたときにはじめて防衛力を行使する」というが、現在の強力な軍事的攻撃能力からすれば攻撃を受けた時には、自衛隊員は直ちに死ぬことになる。大量破壊兵器が相手により活用されれば、一瞬で大量虐殺が完了し、我が国は破壊される。専守防衛とは「自衛隊員がまず、死になさい。国民が先に犠牲になりなさい」というのと同じなのだ。

「武力行使は自衛のための必要最小限度にとどめる」とはどのようなことか？　強力な武器で殺そ

うと攻撃してくる相手に、必要最小限度にして、相手の攻撃を抑える？　そんな神業があるのだろうか？　存在もしない幽霊の助けにたよれというのだろうか、それとも禅の問答なのか？

これでは「憲法を守るために自衛隊員と国民が先に死になさい」というが如しである。日本国憲法の本質は「憲法は主権者たる国民のために存在する」と主張したかったのかもしれない。しかし現実には、前述したようにその正反対になっている。

国民が憲法のために存在するのではない。もし「国民が憲法のために存在する」のだとすれば、憲法は誰のために存在するのか？　どこかの独裁者のためか？　そして日本国民はその奴隷だというのだろうか。憲法は国民のためのものであり、また日本国防衛の前線にある自衛隊員とその家族のために存在する。彼らは日本国の主権者である。憲法が主権者ではない。主権者である国民の「神により与えられた不可侵の人権を保護する」ために存在する。その為に憲法は文字で表され、高度な意味を持った言葉として構成されたものである。

国防の国民的エネルギーは「神の下の家族主義」から

国防のエネルギーは家庭が生み出す家族の愛情から生まれる。命を懸けて守りたいものがあるとすれば、家族間で育まれた愛情で結ばれた自分の家族である。誇りたい自分の父母、兄弟姉妹、そして親族、さらにその家族の拡大としての日本国であり、その先に世界がある。家庭の愛が崩壊すれば、人は守るべきものを失う。懐かしく忘れられない故郷さえ失う。

父母、兄弟、親族、そして、恩師や幼い時代の友人たちとの絆が、故郷の山や海、町や村の佇《たたず》まいを私たちの心に深く植え付けてくれた。これらの愛情が国の安全保障のエネルギーとなる。

日本の家庭が崩壊し、家族の愛が失われれば、愛郷心も失われ、国民の愛国心や公的精神は死んでしまう。大切な家族と子供たちの未来、友人や恩師たち、そして故郷があるからこそ、故国の危機に自らの命を懸けても守ろうとして立ち上がるのだ。子供を連れた雌熊は雄熊を非常に恐れる。雄熊は雌熊が面倒を見ている子供を殺すからだ。母熊は子供の命を守るために、自分よりもずっと巨大な雄熊に戦いを挑む。

人は熊以下の存在だろうか?

人は決して熊以下ではないはずだが、人間社会は家族を自壊させる要因を多く内包している。家庭が崩壊し果てた時代がきたなら、人は熊や動物以下の社会を造るようになるだろう。

マフィア、イスラムの過激派、そして過激な民族主義集団や国家も、その根底は家族的な愛とつながりによるもので、敵に対して爆発的エネルギーを発揮する。それら家庭的愛情に基づく拡大家族的集団が、普遍的価値観を排斥し、または喪失したならば、結局「破壊的自己中心集団」となる。彼らの目的は「違法行為と暴力を厭わずに富を拡大すること、敵に対する怒りと恨みで暴力による復讐の達成、民族や人種の優越性主張と覇権の拡大」等に帰着する。これらは歪んだ家族主義がもたらす結果であり、私たちが避けるべき価値観だ。

歴史を見れば、それらの終着点は分裂と破滅、悲劇、そして混沌であった。「普遍的な価値の下にない自己中心の家庭主義」は対立、紛争、そして不幸をもたらす。

数千年の間人類の精神を導いてきた世界的宗教の教える価値の中心はほぼ共通している。仏陀の教え「慈悲・慈愛」、キリスト教の「アガペー（無償の愛）」、儒教の「仁」、そしてイスラム教の「ラヒーム（慈悲）、ザカート（喜捨）」である。

この価値の中心を貫く原則は「他者のために生きる」である。これらこそ永遠に存続する普遍的価値であり、その価値に近づくために人は家庭、社会、民族、国家、そして世界等が普遍的価値観（他者のために生きる）の上に作られるべきことを教えてきた。

「他者のために生きる」といっても、平凡な生き方から、きわめて高い生き方まで様々である。その頂上は「恩讐を越えて他者のために生きる」ことに到達する。

普遍的価値観の頂上への到達は遠い道のりだが、人としての本性がそれを追及してやまなかった。到達できないとしても、頂上に一歩でも近づこうとして生きた多くの人々がいた。そのような人たちの意思は、同時に神の意思であり、宇宙の法でもあった。「神の下の家庭主義」は普遍的価値観に根差すものであり、神の意思とともにある。それは民族、人種、文化、宗教の違い、時代の違いをも超えて調和し、そして歓迎される普遍性を持つ。

真の国防のエネルギーは「神を根とする、普遍的価値観に基づく家庭主義」が生み出す愛である。

第二次大戦時に以下のような軍人と御家庭があったことを、残された手紙によりご紹介したい。読者の心に留めていただけたらご遺族が力づけられるかと思われます。

『愛児へ
児等よ嘆ずること勿れ。父の死は決して汝等を不幸にはしない。

汝等は父の死によって何でもよいから一つの教訓を得よ。そして立派な人間となれ。

汝等よ。汝等の母は日本一の母なることを汝等に告げる自信あり。

母の言はすなわち父の言だ。和幸君、瑞子様、誠子様、仲よく、よき母の許にてよく勉強して立派な人となれ。

人間は何も高位高官の人となる義務はない。国家のため、人のためになる人になるのが人間の義務だ。

和幸君よ、、、弱きを助けるのが男だ。父は軍隊生活中この気概を持してやって来た。

（中略）汝未だ五才と雖も父の言を忘るる勿れ。

瑞子様はお姉さまだから父の心がよく判るであらふ。

和幸や誠子が成長するに従ひ父の心を傳へて下さい。（後略）』

（陸軍少佐　海野馬一命　昭和23年4月3日ボルネオ島にて法務死　歩兵第五十四聯隊　岡山県出身）

（4）日本を取り巻く防衛環境…中国・北朝鮮の動向とその軍事戦略

朝鮮民主主義人民共和国による脅威…核弾頭積載弾道ミサイル

日本周辺で日本の脅威となり得る国は、中国と北朝鮮である。北朝鮮は差し迫った日本の脅威ではあるが、韓国が日本の盾のような地政学的役割を果たしている。日本は、半島有事の際に米軍が出撃する後方基地を提供し、韓国を保護する関係にある。北朝鮮は２００６年、２００９年、２０１３年、２０１６年１月、２０１６年９月、２０１７年に核実験を実施した。金正恩は核保有国であることを２０１６年時点において認めている。そして核兵器の小型化に成功し、ミサイル核弾頭の量産化に突入している。さらに米国に到達する大陸間弾道弾ミサイル開発を進め、目標を達成しつつある。きわめて近い未来に、日本や韓国に対し米国が提供する「核の傘」に穴が開く段階が来る。なぜなら、米国が米国本土の大都市部を核攻撃の危機にさらしてまでも日本や韓国に核の傘を提供することを躊躇するようになるからだ。

すると北朝鮮は日本や韓国を脅迫できるようになる。核の使用をちらつかせれば最新鋭の「強力で圧倒的通常兵器」も北朝鮮に対する抑止力を完全に失う。核兵器による脅迫は圧倒的なものとなる。韓国は首都ソウルを無血開城し、日本は従順にどんな要求にもこたえるようになるだろう。

すでに、現在でも数百発あるノドンミサイルに核弾頭を積載して直接日本を狙うことが可能になっている。現在の弾頭保有数からみれば、米軍と自衛隊のイージス艦による弾道弾ミサイル迎撃システムが充分有効であるという。また日米ともにその弾道ミサイル防御能力を増強しつつある。さらに北朝鮮に対する国連の経済制裁により経済力の弱体化が急速な攻撃能力の拡大を阻んでいる。しかし、日本は、北朝鮮が同時に数十発撃ち込んでくるノドンミサイルの弾頭をどのようにして核弾頭、毒ガス、そして通常弾頭と区別して、それぞれにふさわしい迎撃攻撃で撃ち落とせるだろうか。一発でも打ち漏らしたなら核ミサイルによる大量殺戮がもたらされる。

中国軍事力の拡大と米国軍の弱点

習近平が中国共産党中央委員会総書記（２０１２年11月15日〜）になると毛沢東時代の再現がはじまった。その経緯は「ＰＡＲＴ２（２）中華人民共和国とその未来・皇帝になった習近平」に詳述している。

中国は驚くべき経済発展を続けてきた。１９９０年代後半に入り急速な成長がはじまり、同時にすさまじいスピードで軍事力の拡大をもたらした。安い商品で世界市場を席捲して獲得した米ドルにより「軍事力の近代化と拡大」を国策の最優先課題としてきたのだ。２０１９年には軍事費が26兆１０００億円相当（ストックホルム国際平和研究所SIPRI、２０２０年４月発表）にもなったとしている。

軍事予算の拡大と相俟って、中国が非常に侵略的であることを歴史的事実は示している。国境を接するほとんどの国と戦争や紛争を起こしてきた。現在でもその体質は変わっていない。建国以後わずか65年間にインド、ベトナム、韓国、ソ連、台湾と戦争および軍事紛争を起こし、東トルキスタン（現在のウイグル自治区）とチベットを併合し強圧支配と大量殺戮をしてきた。現在では南シナ海、東シナ海での中国の行動は非常に暴力的、攻撃的であり、他国の領海領土を自国のものといい、南シナ海では公海を自国の領海と称し軍事施設を建設している。

A2/AD戦略（Anti-Access/Area Denial）とは米国防総省において「中国人民解放軍の戦略」を指して使われる呼称である。日本語では「接近拒否／領域排除」戦略と言われる。その中身の概略は以下の通りである。

「西太平洋の第二列島線内の海域で行なわれる中国の軍事作戦に対するアメリカ軍の介入を阻止し、同海域から米軍を排除する。そのために必要充分な戦力を増強し配置する。」

驚くべきことは、中国共産党政権はA2/AD戦略を達成するために、25年間も軍事費を年間10％以上増加し続けてきたことである。共産党トップが代わってもそれはまったく変わらなかった。急速に人民解放軍の近代化と装備強化がおこなわれ、遂にその目標達成に近づいてきた。

元米国海軍作戦本部長ロウグヘッド（Gary Roughead）が米国の対中戦略である「海空戦闘戦略」について述べている論文『Air Sea Battle: A point-of-Departure Operational Concept』において中国人民解放軍のA2/AD戦略の核心を次のように述べている。

〝中国の軍事的文書に基づく全体的戦略は、「人民解放軍は、紛争時にきわめて短時間に西太平洋で行動する米軍に巨大な先制攻撃をしかける。そして米国に回復できないほどのコストをかけさせる。

第二列島線（Second Island Chain）と A2/AD 戦略　図形

Joint Air-Sea Battle Concept

Center for Strategic Budgetary Assessment, 2010

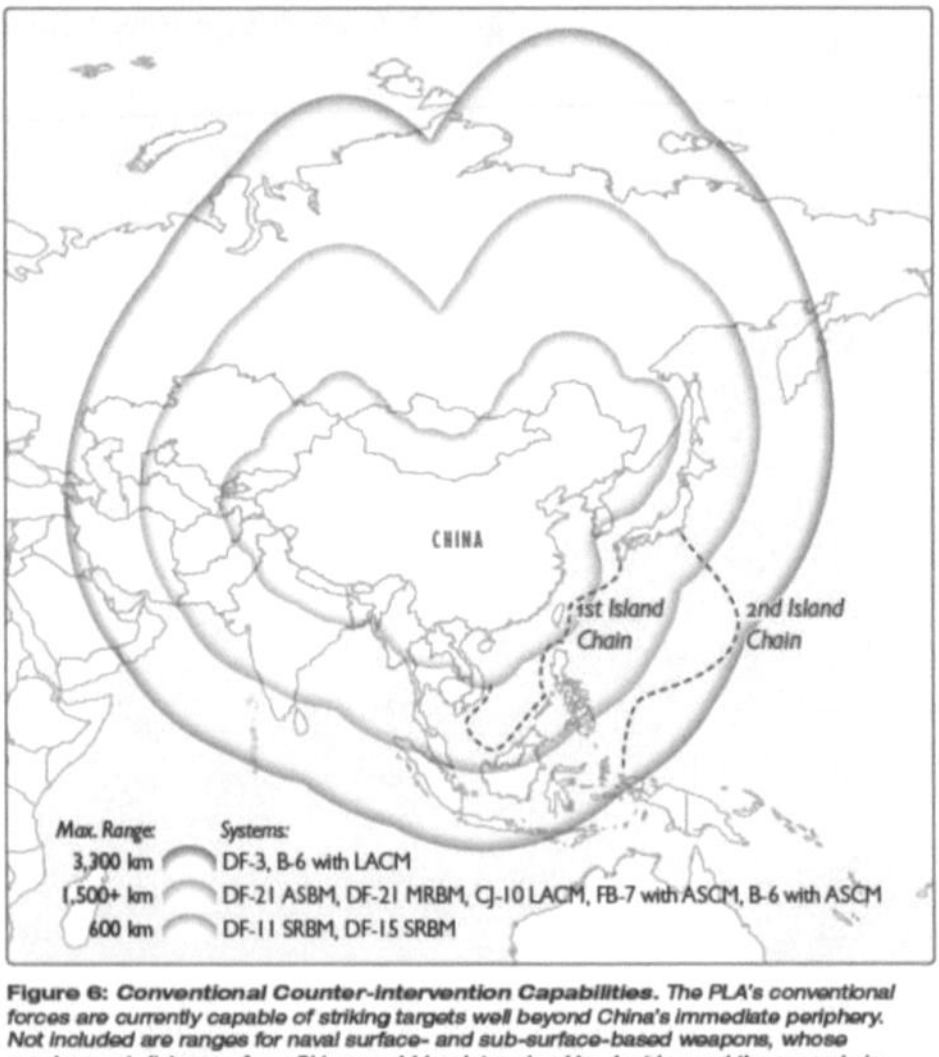

Figure 6: Conventional Counter-Intervention Capabilities. The PLA's conventional forces are currently capable of striking targets well beyond China's immediate periphery. Not included are ranges for naval surface- and sub-surface-based weapons, whose employment distances from China would be determined by doctrine and the scenario in which they are employed.

米国防総省 ANNUAL REPORT TO CONGRESS　２０１２

それにより米国の海・空軍を領域の外に排除し、中国本土への攻撃を不可能にする。さらに米国の命令とコントロールのネットワークを崩壊させる。米軍が運用を回復するのに時間をかけさせ、そして、米国が同盟国を守る能力がないと明らかに知らしめる。これにより中国は戦略的防衛を堅持する。また北京の既成事実（第二列島線内の中国の支配）を受け入れさせる」〟

ロウグヘッド元海軍作戦本部長の論文は、要約すると「A2/AD戦略の目標は西太平洋地域の米軍に短期に回復できないダメージを与えて、米国が同盟諸国を守れないことを知らしめ、北京の支配下にいれる。」としている。特に人民解放軍の近代化と軍事力の拡大は急速であり、中国のA2/AD戦略は進展し強化されており、米国とその同盟諸国にとって非常に深刻なものになりつつある。またそれの「短時間の巨大な先制攻撃」とは「長射程の弾道弾（通常弾頭）ミサイルと巡航ミサイルによる攻撃」である。米軍基地はそれらの攻撃に対し脆弱性があることを指摘している。なぜならば米軍基地が分散しないで一カ所に集中し大きすぎるのだ。中国は中距離・短距離弾道弾ミサイルをすでに約2，000発所有している。各種の巡航ミサイルも膨大な数量を保有し、中国内陸部から発射されるものが日本の米軍基地、自衛隊基地および戦略的ポイントの大多数がピンポイントで攻撃破壊される恐れがある。

大転換をする米国の国防戦略

〝非常に深刻なA2/AD戦略〟による人民解放軍の挑戦が米空軍と米海軍に投げかけられている。

今こそ西大平洋の地政学的特性が考慮されなければならない時にきている。特にヨーロッパやペルシャ湾地域と比べて、西太平洋の米国の同盟国と友好諸国は長大な距離にわたり存在していることが問題である。米国の基地は数が少なく、集中し過ぎていて非常に大きい、そして効果的には防御されていない前線基地となっているのだ。しかもそれらは幾つかの少数の孤立した島にある。それら米軍基地の全ては、西太平洋に於いて急速に成長しつつあるミサイルをはじめとする中国の攻撃システムの領域のなかにある。〃(Air Sea Battle: A point-of-Departure Operational Concept)

米国は、強化される中国のA2/AD戦略に応戦するために、第二次大戦後70年間採用してきた戦略を変更せねばならなくなった。過去において主な戦争に適用されてきたものは「空陸戦闘原理」であった。米ソ冷戦時代に東西ドイツを中心とするヨーロッパ正面(北大西洋条約機構軍とワルシャワ条約機構軍の軍事的対決)、朝鮮半島の38度線を中心とする朝鮮動乱、そしてベトナム戦争等においても「空陸戦闘原理」が採用されてきた。空軍と陸軍が統合されて戦闘の主役であった。しかし、西太平洋において米国の同盟国は海洋国家であり5，000㎞にわたって分散し、しかも同時に中国の脅威を受けている。そのため戦略の転換が求められ「海空統合戦闘概念・Joint Air Sea Battle Concept」を採用せざるを得なくなった。圧倒的に重要な領域は、海軍、空軍、宇宙、サイバー・スペースである。この転換は陸・海・空三軍の予算の配分重点順位や人員の削減、開発する武器体系の重点順位の変更等が絡み、米軍内に複雑な課題を提起している。米軍は海軍、空軍、宇宙、サイバー・スペースの領域で、人民解放軍のA2/AD戦略を無力化するために海空統合戦闘概念に基づく能力強化を実行中である。

海空統合戦闘概念の実際

Air Sea Battle: A point-of-Departure Operational Concept,　Gary Roughead

・第1段階

＊最初の大規模な先制攻撃による米軍、同盟国軍とその基地に対するダメージを限定し、持ちこたえる事。

＊人民解放軍の戦闘ネットワークを盲目・無力にする一連の軍事行動を展開する。

＊人民解放軍の長距離ＩＳＲ（諜報、監視と目標補足、偵察）と攻撃システムを鎮圧する。

＊空・海・宇宙とサイバー領域で指導権をつかみそれを継続・維持する。

・第2段階

＊いくつもの領域で指導権を維持し且つ利用する。

＊遠方からの封鎖を実行する。潜水艦、ステルス爆撃機、無人システムによる機雷設置。

＊兵站運用を維持する。

＊特に精密誘導兵器等の工業製品を準備および手配する。

今や中国のミサイル技術の進歩により日本列島からフィリピンに至るまで、さらに太平洋のグアム島（米軍アンダーセン基地）までが、絶対安全ではなく、韓国や台湾と同様に前線基地となっている。もはや、中国がいう第二列島線内の海域が、中国の弾道弾ミサイルと長射程の巡航ミサイルの攻撃圏内に入っている。

第二次大戦後、米軍は日本本土や沖縄、フィリピンに基地を置き、それらの後方基地の安全を保障されて韓国や台湾の有事に出撃できた。最近までそれらの米軍基地は、敵の攻撃圏外にあった。しかし、今や米国が、まったく直面したことのない事態に直面しているのだ。

中国は米国軍事力とまともに戦うことは勝ち目がないことを認識している。そのため、米国軍事力の弱点を狙い、非対象領域の武力に重点を置いて武器開発をし、装備を拡大してきた。その中心がDF21・DF26等の対艦弾道ミサイルであり、米空母を第一と第二列島線内で破壊する能力を開発してきた。また爆撃機による空中発射巡航ミサイルや海軍艦艇発射の対艦巡航ミサイルを開発し配備している。日本列島の全ての日・米の戦略的拠点を確実に破壊するために、地上発射の長射程の巡航ミサイル（DH-10、射程1，３００km以上）を大量に配備しつつある。中国大陸から日本の重要戦略拠点までの距離は全て1，１００km以内（沖縄６００km、佐世保６４０km、青森・三沢７６０km、神奈川・横須賀1，０６０km）である。さらに、中国人民解放軍はサイバー攻撃能力や人工衛星の攻撃システムを急速に開発している。

日本の新防衛戦略

西太平洋における米国の安全保障環境は、同時に日本の安全保障環境である。米国がこの地域を失っても自らの自由、独立、国民生活が破壊されることはない。しかし、西太平洋の自由航行を失えば、日本はそれらの総てを失う。中国共産党は日本に対して、核兵器を使用せずに、通常兵器による軍事力で日本を降伏させ、政治的に支配できると考えているようである。中国は核兵器を使わずにA2/AD戦略の目的を果たそうとしているのだ。

一方、中国が米国を直接攻撃することはあり得ない。米国や日本に対し、核兵器による攻撃は可能だが、中国が一発でも核兵器を使えば核の報復が拡大して、圧倒的な米国の核攻撃により中国全土が消滅する可能性が高いからだ。

米国民は戦争により大英帝国から独立を得、奴隷制度を克服し、自由の保護のために遠い他国まで軍を派遣し幾多の戦争を継続してきた。また、国民の多くが銃を所持し自分の安全を保護しようとする。アメリカ合衆国の安全保障に対する敏感さは他の民主主義国家に類例をみないものだ。中国は米国が恐ろしい国であることを知っている。米国と互いに核兵器を使用することなく、米軍を第二列島線から追い出すことが、中国のA2/AD戦略の目的である。しかしそれは過程であり、最終目的ではない。

通常兵力の強化拡大とA2/AD戦略の狙う目標の核心は日本の支配である。通常兵器を強化している目的は、政治目的を達成することにある。中華人民共和国が日本を政治的に支配すれば、西太平洋のアジア諸国は必然的に支配下にはいる。人民解放軍のA2/AD戦略による脅威は米国よりも日本が格段に深刻なのだ。

さて、米国防総省が「絶対に見逃せない、そして直ちに克服するべき」であると認識する中国の「A2/AD戦略」の脅威とは何か?

それは、人民解放軍による「短時間の巨大な先制攻撃」である。それは、日米のミサイル防衛システムの能力を超えた状態にする「集中した大量のミサイル（中距離、短距離弾道ミサイルと長距離射程の巡航ミサイル）攻撃である。これらのミサイルは、日本本土の陸・海・空（米軍と自衛隊拠点）と幾つかの戦略的都市が目標となる。前述したが、中国大陸から日本の重要戦略拠点までの距離は全て1，100㎞以内である。

さらに、中国人民解放軍はサイバー攻撃能力や人工衛星の攻撃システムの開発により、一瞬にして、日本の神経系統をずたずたにできる能力を持とうとしている。すなわち「日本国のIT技術に依存する全てのシステムを破壊し国家機能を停止させる」、「軍事GPSを破壊し、防衛システムを盲目にする」等を目的としているのだ。

防衛戦略の重点をどこに置くか

日本の防衛戦略の重点を、「中国および北朝鮮の大量のミサイルによる先制攻撃を抑止し、無力化する」ことに置くべきである。また、「敵策源地（敵基地）攻撃力」を持ち、強力な「ミサイル防衛

システム」を構築することに重点を置く必要がある。そのためには、

①弾道弾ミサイル、航空機攻撃、巡航ミサイルによる「敵策源地攻撃能力」を高め抑止力を強化する。

②大量の弾道ミサイルと巡航ミサイルを短時間内に撃ち落とす「地対空ミサイル防衛システム」の配置と規模の急速な拡大。島嶼部と本土西岸に大量の「移動式ミサイル防衛システム」を配置。そのための緊急・特別・防衛予算を組む。

③大量のミサイル攻撃を受けてもダメージを最小限にとどめて機能を残存する。戦略的都市、原発、航空自衛隊と民間飛行場、海上自衛隊の基地、発電所、原油保管所等の抗坦性（攻撃に耐えて存続できる強靭性）を高める。

現在の日本の防衛戦略では、「短時間の巨大な先制攻撃」に対する防衛戦略と防衛体制ができていない。

人民解放軍は前述したように、現在の状況では核弾頭積載の弾道ミサイルによる攻撃はしないであろう。大量のミサイルによる日・米に対する飽和攻撃（日・米の防衛能力を超えた攻撃）は「通常弾頭」によるものである。核弾頭の攻撃はないが、弾道ミサイルが飛んでくることは間違いない。

繰り返すが、敵策源地攻撃能力がなければ、敵の攻撃に対する抑止力はまったく働かない。日本の自衛隊はこれらの各種ミサイルを撃ち落とす迎撃ミサイルを所有している。最近は改良を加えて優れた迎撃能力を持っている。しかし、それだけでは有効な抑止力にはならない。防御だけではこちらは

必ず破壊される。充分な「敵策源地（敵基地）攻撃能力」がなければならない。

ミサイル防衛システムは、多重防衛構想に基づいている。中・長距離の弾道ミサイルに対し、イージスBMD（SM-3 BIIA）が配備されている。ＩＣＢＭ迎撃実験も成功（２０２０年11月）し、やがて実践配備される。このシステムで撃ち漏らしたものはPAC-3が撃ち落とす。また巡航ミサイルは低速であるが低空で侵入してくる。81式短距離地対空誘導弾（改）が中距離（60㎞以上）で撃ち落とす充分な能力がある。外れたものは93式近距離誘導弾等で落とす。さらに至近距離は各種機関砲で落とせる。日本は充分な機能を持つシステムを所有している。しかし規模（量）が不足している。敵の攻撃規模に対応する量の配備がされていないのだ。

ゆえに、地対空ミサイル防衛システムの規模を急速に拡大せねばならない。これは攻撃のためではなく防衛のためのもので、国民の生命と生活を守るためであることは明らかである。大胆な国家予算の投入が絶対的に必要とされているのだから、誰も反対できないだろう。

もし、このまま自衛隊の防衛戦略が変わらなければ、日本の防衛力は単なる自己満足となりガラパゴス化する。大量のミサイルによる巨大な先制攻撃を受ければ、優れた航空戦力を持ち、海上戦力を持っても、航空機が離着陸するための飛行場と滑走路が破壊され、水上艦艇の基地が破壊され帰港場所が失われるだろう。また燃料や武器弾薬の補給ができなくなる。そうなれば非常に高価で精強な戦闘機や海上戦力も意味を失う。戦闘機が飛び立つことさえできなくなり、出撃さえできなくなる。制空権を完全に失い、その結果日本の海上自衛隊の水上艦艇とP3cが持つ対潜能力も力を失うだろう。

中国のA2/AD戦略の狙いはそこにある。

新防衛戦略は、現在保有する陸海空自衛隊戦力のいずれかを削減せよというものではまったくない。むしろ現状の戦力すべてを急速に増強せねばならない。今後の西太平洋、インド洋、そしてアジアでは「政治目的を果たすために通常兵器による戦争」が容易に起こり得る。ミサイルによる巨大な先制攻撃能力が、日本の新防衛戦略により無力化されれば、中国はA2/AD戦略の目的を果たすために、今度は圧倒的な陸海空戦力の増強を開始するだろう。もはや、すでにそれは実行中である。また新技術の開発により形成を一変させる武器体系をつくりあげる可能性もある。日本はそれらすべての状況に対応し克服せねばならない。

防衛戦略における三つの重要ポイント

日本の防衛戦略をより完璧なものにするには、精神力、科学技術力、経済力そして政治力を総合して、犠牲的投入を覚悟するしかない。

ここで、重要な防衛戦略を以下の3項目にまとめた。

①潜水艦戦力の強化
②米国との軍事衛星GPSの共用
③サイバー攻撃に対する防御力と攻撃力の強化

以下、これらを詳しく見ていきたい。

①潜水艦戦力の強化

人民解放軍と中国の海洋輸送能力を奪い、長期にわたる海上封鎖を可能にするには、さらなる潜水艦・戦力の増加と対潜水艦戦・戦力の強化が重要である。近未来に原子力潜水艦へと転換してゆく必然性に迫られている。

潜水艦は、きわめて水面近くを潜行しているか、もしくは浮上している時以外は、レーダーで捕捉することが不可能である。それに加えて、日本の潜水艦は敵の攻撃が到達できない深海の絶対安全圏で敵を待ち受け、攻撃し、そして戦闘行動を継続できる能力がある。しかし通常型動力であるため潜水継続時間が原子力潜水艦に比較して圧倒的に短い。また海中で、遠方の敵をソナーで捕捉するには膨大な電力が必要であるが充分な電力を供給できない。潜水戦闘継続時間の圧倒的延長と膨大な電力供給のためには原子力化することが不可避である。それが乗組員たちの生命を保護し、戦闘能力を圧倒的に高めることになる。原子力潜水艦は早急に建造されねばならない。

また対中国戦略上、驚くほどの抑止力となる。敵は日本の原子力潜水艦からの正確で有効な攻撃の標的になる以外、選択肢はない。しかもその状態は長期に継続されるのだ。全ての中国艦船の第一列島線内への封鎖を可能にする。日本はきわめて有効な対中国・北朝鮮抑止力を、潜水艦戦略により所有することになるのだ。

現在の中国は潜水艦戦力と対潜水艦戦・戦力の能力は低く弱点となっている。逆に日本の能力ははるかに中国を凌いでいる。潜水艦艦長と乗組員達の指導力と精神性、潜水艦の性能、経験の蓄積、武器体系の全ての側面で中国を圧倒している。日本の対潜水艦戦能力は世界一であると言ってよいが、今後もさらに潜水艦戦力を強化するべきである。

かつて、米・ソ冷戦時代に日本の対潜水艦戦能力は強力なソビエト原子力潜水艦の太平洋進出を大きく制約した。日本の潜水艦は原子力潜水艦ではないが、当時は完全なステルス性（敵のレーダーに探知されにくい性能）を持ち、魚雷の性能と相まって、有事の際には彼らが日本海内に事実上閉じ込められる可能性が高かった。

当時より今日に至るまで、日本が所有する潜水艦による戦闘能力はきわめて高く、米軍との共同作戦をとれば中国人民解放軍を第一列島線内に封じ込め、海上封鎖をできる能力を十分に持っている。海上封鎖が続けば、海外からのエネルギー資源輸入に頼る中国経済が崩壊し、民衆の暴動により短期間で共産党独裁体制は内部崩壊するだろう。

中国潜水艦と海軍水上艦艇は、日本からフィリピンの間にある島々に挟まれる狭い海域を通過しなければ、太平洋に出られない。その通過海域の半分ほどでは１５０kmもの遠方から低空で飛来するきわめて制度の高い攻撃が可能な「地対艦ミサイル」が襲ってくる。海面すれすれで飛来するために、波によりレーダー波の干渉が起こり、中国海軍艦艇のレーダーではミサイルを正確に捉えられない。

有事の際には「91式機雷」が航空機、水上艦艇、そして潜水艦により短時間のうちに第一列島線に沿って敷設され、それは封鎖される。91式機雷は中深度に敷設され、敵水上艦艇・潜水艦を音紋により識別し、中深度から浮上しながらミサイルのように目標を追尾し破壊する。世界に例のない最新式の機雷である。

さらに、所在をとらえることのできない日本の潜水艦が待ち受けている。完全ステルスとも言われ、米軍の潜水艦でもとらえることが困難のようだ。世界のどのような魚雷や爆雷でも攻撃不可能な深度から発射される深深度魚雷が、40㎞も先から動く敵を追尾して正確に目標を破壊する。第一列島線は中国海軍にとり、もっとも危険な場所となる。ステルス性がきわめて高いと彼らが評価する中国の潜水艦でさえも、いままで海上自衛隊に捕捉されず太平洋に出て自由に行動できた実績はきわめて少ないようだ。

たとえ第一列島線から太平洋側に出られたとしても海上自衛隊の水上艦艇群が待ち受ける。彼らは世界一と言われる対潜戦闘能力を持つ。多くの大型護衛艦が対潜水艦哨戒ヘリコプターを積載している。一護衛艦隊群で19～22機の対潜哨戒ヘリコプターを持つ。護衛艦群の旗艦は対潜空母になりつつあり、単独で11機～14機の対潜ヘリコプターを運用する。ヘリコプターは潜水艦を索敵し直接攻撃できるし、水上艦艇用の対艦ミサイルをも搭載している。対潜ヘリコプターは母艦である自衛艦から行動半径が３００㎞におよび、他の水上艦艇が発射した対艦ミサイルの誘導まで行える。

広大な海域と遠方は対潜哨戒機Ｐ３Ｃ（航続距離６，０００㎞、対潜爆雷、対潜短魚雷、対艦・対空ミサイルを積載）90機が空から潜水艦を追う。やがて国産の最新哨戒機Ｐ１（70機）に代わる（現在進行中）。これによりさらに能力が高まる。高い捕捉能力を持ち潜水艦が逃げることは不可能のようだ。最新哨戒機Ｐ１は水上艦艇軍も攻撃できる爆撃機としての能力も持つようである。

中国の潜水艦を抑えれば、第一列島線の外側は日本の潜水艦が支配する海となる。水上艦艇軍が外洋に進出できたとしても中国の水上艦艇は短期間で日米同盟軍により全滅するだろう。日米の潜水艦により、なすすべもなく破壊される。中国水上艦艇軍の対潜能力では日本の潜水艦を捕捉する能力はまったくない。すなわち中国海軍は完全なステルス性能を持つ敵と戦うことになる。中国海軍の水上艦艇が生き残ることは不可能である。中国海軍はそれを認識しているようである。この事実は人民解放軍に対する日本の大きな抑止力となっている。

中国大陸内への攻撃をせずとも、経済崩壊をもたらし、共産党政権と政治組織を崩壊させることも可能となる。

②米国との軍事衛星GPSの共用

人工衛星がとらえる情報、陸海空の各種航空機のレーダー情報と本土ミサイル防衛システムとのリンクによる統合運用の保全と強化の必要がある。

日本の民間GPSの精度は、米国の軍事衛星のGPSを超えるところまできている。しかし、戦闘時には強力な敵の電波妨害（Radar jamming）により民間GPSは使用できない。米軍のGPSに依存し敵を認識しミサイルを誘導するしかない。しかし最近、中国は衛星破壊能力を所有したといわれる。米軍GPSもその安全性が万全とはいえないのだ。日本の衛星情報と並行して、米軍の軍事衛星が機能不全に陥る可能性がある。

不測の事態に対応するため、地上情報網の抗堪性を高めるべきだ。各種地上レーダー、早期警戒機、無人偵察機（グローバル・ホーク等）、イージス艦、Ｆ35、対潜哨戒機P3Ｃ・P1等の膨大なデータをあらゆる分野にリンクさせて有機的関係を保ちながら戦闘できるようにしたいものだ。一つの情報に頼らず、複数の情報を所有し、打撃による損傷があっても何らかの健全な情報を所有し続けることが不可欠だ。

③サイバー攻撃に対する防御力と攻撃力の強化

急速に現実化されつつある新しい戦争の領域がサイバー戦争である。

今や世界の数十カ国が他国を破壊する意図を持ってデジタルのコード（プログラム）を蓄積している。彼らはそのための専門組織をつくり正規軍や情報機関の下に所属させている。そして、その成長拡大は加速されつつある。

サイバー攻撃を受けた場合、その攻撃源を突き止めることが困難なため、報復が成立しにくいという現実がある。また攻撃を止めることができず、追跡するのも不可能だ。サイバー武器やその部隊の編成には通常の軍編成や兵器の配備のように膨大な資金と経験や技術を必要としない。資金と有能な人材を投入すれば、小国であっても巨大な攻撃力を持つことが可能だ。中国、ロシア、そして北朝鮮もこの分野に人材と資金を投入している。その能力は飛躍的に拡大している。

しかし、この領域でも米国は世界の先頭を走っている。２０１３年6月、米国ＮＳＡ元契約職員エドワード・スノーデンが、「NSAが外国の数万台のコンピュータに侵入し、秘密裏にデータにアクセスし、情報を収集していた。」と暴露した。米国政府関係者がそれを事実上認めた。驚いたことに、トランプ政権時代でもG7首脳たちの電話内容はことごとく盗聴されていた。安倍首相のスマートフォンも盗聴されていたのだ。

米国が行動を起こせば、多くの国の戦略的インフラにアクセスして破壊することも可能だ。

2009～10年、特定の標的だけを狙う「スタクスネットStuxnet」がイランの核開発を妨害するために使用された。イランの核兵器製造関連施設でウラン濃縮用遠心分離機だけの周波数変換装置が乗っ取られたことにより、約8，400台の遠心分離機の全てが破壊された。イランは破壊されていることすらわからずに、1年以上も正常運転されていると誤認をさせられていた。結果的に、約8，400台の分離機の全てが破壊されたのである。ドイツのシーメンス社製の遠隔監視制御・情報取得（SCADA）システムが部分的に乗っ取られたのだった。

また、元NSA職員のエドワード・スノーデンは、「スタクスネットStuxnetは米国NSAとイスラエルが共同で開発した」と語っている。

米国は以前から国防総省サイバー司令部を持っていたが、2016年にはその規模を3倍に拡大し6，200人態勢とした。米国が最大の懸念としているのは、中国、ロシア、イラン、北朝鮮が保有するサイバー攻撃能力である。

マーク・ウェルシュ米空軍大将は記者会見で「相手に『鈍器損傷』を負わせる能力を持ったサイバー

兵器の開発を望む。『たとえば敵の防空システムを完全に真っ白にする』、もしくは『（敵の）レーダーの画面上にまったく本物に見える偽の標的を無数に表示させる』ことを可能にするようなプログラムである。」と述べた。（Wall Street Journal　２０１５，10，16）

このようなサイバー武器を、すでに所有しているか否かについて、米国は何も触れていない。しかし、これに近い、より高い能力のサイバー武器を所有しているに違いない。

「中国や北朝鮮、そしてロシアが、マーク・ウェルシュ米空軍大将が述べたようなサイバー兵器を開発しようとはしていない」などと、絶対に考えてはいけない。むしろ、しのぎを削って開発していることを前提に対応するべきである。

特に中国は人民解放軍の中にサイバー攻撃の専門部門があり、米国や日本に対してもあからさまに攻撃を仕掛け、情報を盗み出している。彼らは膨大な予算を投入して〝戦争のあり方を根本から変えてしまうサイバー武器（ゲームチェンジャー）〟を開発しようとしていると想定すべきである。

日本の防衛戦略はこのような事態に対応できねばならない。座して待つならば、ある日ある時、日本が武力攻撃を受け存立危機に直面した事態に「自衛隊司令部と陸海空・前線部隊等の重要機能が麻痺して何もできない」という状態になりかねない。その時には、物理的武力攻撃の前に、まずサイバー攻撃が仕掛けられ、国の通信、鉄道、空港、金融、原発、発電所等々のあらゆるシステムが麻痺または破壊されるであろう。

今や世界の国々の国防は、サイバー戦争能力の向上により、まさにターニングポイントに立っているのだ。日本がこの事実を正面から直視し、防衛戦略として有効な対応をしなければ、高価で強力な最先端の技術による武器体系や、世界でトップクラスの錬度を誇る自衛隊員を有していても、それらが無意味なものとなりかねない時代に突入したのである。しかしその反面、日本は高度な情報技術を所有している。それらの手助けにより日本にとってそれほど大きいとはいえない資金の継続的投入により、強力な国防力を手に入れることも可能である。

(5) 安全保障条約充実の重要性
集団的自衛権は国際連合がもたらした当然の処置

防衛戦略の充実は、日本が独自に確立すべき平和国家への道である。だが、自国の平和の維持には一国だけの力では限界がある。特に日本は天然資源や食料生産に乏しく、自国だけでは生存と繁栄はできない。日本国の生命と繁栄は、地球的海洋の安全、具体的には世界の海上交通線の安全に依存している。近年、中国のように自国ですべてを所有していると思われた国が、急速に海洋を通じ世界に依存するように変貌をした。

どのような国も繁栄すればするほど海洋と海上交通線の安全に依存せざるを得なくなっているのだ。

世界は二度の世界大戦という未曽有の経験を経て、国連憲章において集団的自衛権を認めた。「国際連合加盟国が、他国から武力行使を受けた際に、安全保障理事会が国際の平和および安全の維持に必要な措置をとるまでの間」、それに対処するために複数の国々が集団で軍事的対抗をする権利が認められている（国連憲章第51条）。

戦争が二国間にとどまらず、まさに世界的規模で行われるようになった歴史的経験により、国際連合がもたらした当然の処置である。

集団的自衛権と個別的自衛権

世界は、自国の生存と平和を維持するために、「共通の価値観を持ち、共通の国益を分かち合える」国同士が平和時から軍事的な同盟関係を結び、集団的自衛権を行使するようになった。集団的自衛権は国際法にその正当性の根拠を求めるものではない。すでに世界の現実は「既成の国際法」だけでは対応できない時代に突入したために、国際連合の国連憲章がそれを補う形をとったものである。

20世紀は人類歴史上最大規模の大戦争が何度も行われた時代だった。そして2021年を迎えた今も、歴史的に最強の軍事力を持つ国家が対決状況にある。第一次世界大戦（1914，7～1918，11）は第二次世界大戦（1939，9～1945，9）への道をもたらし、第二次世界大戦はその終了が第三次世界大戦の開始をもたらした。米国とソビエト連邦の対決が急速に激しくなり、朝鮮半島で朝鮮動乱（1950，6～1953，7）として爆発した。

その直後、米国とソビエトは核兵器により対決をはじめた。もはや地球上のどの国も核兵器を持つ米国とソビエトの脅迫には屈する以外に道はなくなった。ソビエト連邦の侵攻から自国を守るために西欧諸国は米国を中心に北米とヨーロッパの30カ国による軍事同盟（北大西洋条約機構 North Atlantic Treaty Organization　1949年4月）を結んだ。ソビエト連邦はその軍事的力に対抗するべく、自分の支配下にある東欧諸国を8カ国の軍事同盟（ワルシャワ条約機構 Warsaw Treaty Organization　1955年5月）を設立した（オブザーバー・モンゴル人民共和国と朝鮮民主主義人民共和国）。

この二つの大きな同盟は、圧倒的な軍事力を持つ米国とソ連から自国を守るべく、有効な集団的自衛権を行使できるように設立された。

アジアではいくつかの国が米国との間に安全保障条約を結び二国間同盟を結んだ。

1951年：日米安全保障条約（1960年に改訂）

同年：米比相互防衛条約

同年：太平洋安全保障条約（ANZUS オーストラリア・ニュージーランド・米国）

1953年：米韓相互防衛条約

1954年：米華相互防衛条約（1973年〜台湾関係法）

日米安全保障条約は日米が同意のもとに集団的自衛権を行使して互いの国益と安全を守ろうとするものである。しかし日本は日本国憲法九条のゆえに「必要最小限の個別的自衛権を設定」して、「それ以上の軍事力の行使は米国の義務」であるとしてきた。日本は、その代償として「日本国内に、米軍の巨大な基地の存在を受け入れ、保護し、そして多額の費用を負担」してきた。米国側もそれを現在まで70年間も受け入れてきた。

しかし、米国は国力が世界のNo.1であっても、かつてのように圧倒的なそれではなくなり、複雑な事情をかかえたため急激に変化をしつつある（PART2 米国の繁栄と後退参照）。「資金と基地を提供するから、日本の安全のために米国青年の血を流せ」という日米関係はもはや受け入れられない。米国兵士たちの命と血の犠牲がお金や物の提供で測られては米国民が納得できるはずがない。

原油や天然ガスを運ぶペルシャ湾から日本までの海上交通線の安全保障は、日本にとり死活問題である。それが他国の軍事的攻撃の危機に直面するとき、米軍に防御を要請し、自衛隊が後ろで何もしないことは許されない。当然、米軍、いや米国民が日本に対して、ともに戦うことを要求する。米国民が同盟国日本に「集団的自衛権の責任」を果たすことを要求するだろう。もし、日本がそれを拒否すれば間違いなく米国世論は「日米同盟の破棄」を強く要求し、政府はそれを実行する。私たちはそういう時代の真っ只中に立たされている。

集団的自衛権は同盟国を持つ国が所有する権利と責任でもある。集団的自衛権には、もともと「同盟国が互いに自らの責任を果たすべく、相手の防衛のために軍事力を行使する」ことも含んでいる。それは国際慣習法に基づく個別自衛権を自国で単独に行使することとは異なる。国家の安全保障環境と事情は第二次大戦前とはまったく変わった。個別的自衛権の行使は当然であるが、それと同時に、同盟国とともに集団的自衛権を行使せねば有効な対応にならないのである。現在では、同盟国の危機は自国の危機となるため、集団的自衛権の行使と個別的自衛権の行使を分離することはできない。グローバル化した世界の現実は、「個別的自衛権だけの行使により自国の平和と生存を維持することはできない」という事実を我々に突きつけている。

「国家の本質」は「性悪」か「性善」か？

一つの人種・民族と共通の文化により形成された民族国家は、程度の差があるが「自国第一主義」である。何よりも国家利益を優先する。すると国民が満足して政権を支持する。それにより政権は安定して権力を強める。

また、多種多用の民族や人種により作られた国家であってもそれは同様である。やはり「国家利益第一主義」である。」歴史上、その例外はないといえる。ここでは、自国第一主義の善し悪しを述べているのではなく、現実の歴史的事実認識が重要であることを言っている。他国のために惜しげもなく善きものを与える国家については神話としての歴史物語には出てくるだろうが、現実にはその国家の存在は確認できない。

これまで国際主義やグローバリズムが唱えられてきたが失敗し、実現されていない。実際のところは、それらのプロパガンダがもたらしたものは正反対のことが多かった。唱えられた国際主義やグローバリズムのプロパガンダは、まったくの巨大な偽善であった。侵略と血塗られた歴史的事実をつくり上げてきたのだ。しかし、国家の組織や機能はあくまでも人間の集合体によるものである。犯罪行為を実行してきたのは国家ではなく、それを構成する人間であった。その意味で「国家性悪説」は誤っている。

悲しいかな、この国際主義やグローバリズムの理想と現実の巨大な矛盾は、人間の罪深さと弱さに由来する。人間によって国が構成され、人間により国家が指導される限り、この現実から逃れられないのだ。キリスト教、仏教、イスラム教、ヒンズー教、儒教・道教等の宗教、そしてマルクス主義（闘争的無神論）や各種思想や哲学に導かれた国家も「国家利益第一主義」に封じ込められてきた。

キリスト教や仏教、イスラム教そしてマルクス主義（共産主義）で武装した国々もひどい「民族主義」や「国益第一主義」となり、多民族を殺戮し、富を収奪した。宗教も国家集団としての人間が持つ「国益第一主義」に閉じ込められてしまい、かつ「特定宗教の利益第一主義」に支配されてきた。

しかし一方で、国家はもう一面で善い結果も残してきた。歴史を通し、無数の国民大衆の保護と安定した生活をもたらしてきたのである。それが理想的だとはいえないまでも、その貢献は大きかった。国家の政治的リーダーたちが国民に対し、倫理道徳や教育や法による統治を提供し、父母が幼子を保護するように整えられた環境を提供することもあった。多民族に対してそれらを提供することは及ばなかったにしても、自国の民に提供することはあり得た。そのような国民は幸福であったといえるだろう。

国を喪失した民族や、国家が崩壊状況に瀕した民族の姿を見ればそれはあきらかである。国を失い放浪の民となったユダヤ民族はその代表的例だろう。人種的・民族的差別と憎しみを受け、無慈悲で不当な取り扱いをされても、法による保護を受けられなかった。第二次大戦中のナチスによる無法な大量殺戮は誰しもが知るところである。しかも、ユダヤ人たちはナチスドイツによるほどではないがヨーロッパ各地のキリスト教国家下や帝政ロシア統治下でも多数の受難があった。ユダヤ人の処刑が儀式化されたこともあった。

ユダヤ人は、その歴史的に悲惨な運命を脱出するために女性や少年まで銃をとりイスラエルの独立（1948年5月）のために闘った。保護をしてくれる母国を求めて闘ったのだ。

優れた文化、才能、そして宗教を所有していたにもかかわらず、とてつもない長期間にわたり国なき悲哀を味あわされた。今なお、中東諸国やアフリカ諸国では政治の混乱が内戦や戦争をもたらし、多数の国民が職と生活を失い難民化しつつある。自分たちを保護してくれる国を失った多くの民が周辺の国に難民として押し寄せている。また、中東やアフリカから政治経済の安定したヨーロッパへと、海を越え、命を懸けてやってくる。

このように「国家」は、重要な存在である。その善悪は別にして人間にとり不可欠のものである。国家は「国民の文化、経済、歴史の揺籃の地」と成り続けることが可能であるから……。

その国家の良し悪しは、その国に住む国民の責任により決定される。

摂理的に見た「日米安全保障条約充実の必要性」

国際政治の現実は、強大な軍事力こそが最も重要な外交力であることを示している。第二次大戦後の米国の軍事力が、もしもひ弱であったならば、とっくに世界はソビエト連邦や中華人民共和国の支配下に入っていた。日本はソ連により北海道から上陸侵攻され、日本全域がソ連のコントロール下に入り、ソ連の属国になったであろう。韓国は北朝鮮の支配下にはいり、南北は共産主義の旗印の下で統一されていたし、台湾も中華人民共和国に併合され一つの中国（中華人民共和国）となっていたのは間違いない。

ソビエト連邦、中華人民共和国、そして北朝鮮に対しては、外交交渉、国際法、そして国連の説得等はまったく力を発揮できない。国際世論に対しても馬耳東風である。しかし、米国の軍事力に対しては恐れを抱いており、米国との軍事力の直接対決につながるような行為は極力避けてきた。アメリカ合衆国は近年にいたるまで「世界の警察官」としての圧倒的力を行使してきたのだ。

ソビエト連邦、中華人民共和国、そして朝鮮民主主義人民共和国は世界を共産主義化すべく強烈な情熱を燃やし続け、チャンスを狙い続けたが、米国と安全保障条約を結んだ同盟国に対しては結局何もできなかった。強力な「世界の警察官」の睨みによって、彼らは法の支配に従わざるを得なかった。

1950年1月、米国トルーマン政権のディーン・アチソン国務長官が、ナショナルプレスクラブで米国戦略「不後退防衛線（アチソン・ライン）」について演説した。「(日本防衛のための）この防衛線は、アリューシャン列島に沿って日本、そして沖縄に到るものである。アメリカは、この沖縄に重要な軍事基地を維持しており､、この防衛線は沖縄からさらにフィリピンに伸びている。太平洋のその他の地域の軍事的安全保障に関しては、これら地域を防衛すると保障できない。」と述べた。

日本は米国による軍事的保護により、その後70年にわたり順調に発展することになった。しかし、この時のアチソン国務長官の声明は、ソ連と北朝鮮の野心を駆り立てた。韓国が防衛線から除かれていたからだ。米国が朝鮮半島を防衛する意思がないと知ったソ連のジョセフ・スターリンは北朝鮮の金日成主席に南進を支持し、１９５０年6月25日の早朝に38度線を越えて北朝鮮軍の軍事侵攻がはじまった。朝鮮動乱の開始だった。

きわめて明確なことは、米国が「米国の防衛ラインの外側に韓国を置く」という意思表示をしたことが、北朝鮮の軍事侵攻を引き起こしたのである。朝鮮戦争休戦協定が１９５３年7月に結ばれ、同年10月に米韓相互防衛条約が結ばれた。韓国はこうして、米国の同盟国家となり安全圏に入るための門を通過した。

米国と集団的自衛権を分かち合い、「韓国の安全」のために「米国の軍事力行使の責任を保障」されたことが、その後の韓国の発展の基盤となった。

西太平洋にある日本、韓国、そして台湾は米国の同盟国であり米国と安全保障条約、もしくはそれに準ずる同盟を結んでいる。それにより平和が守られ、経済も発展してきた。

集団的自衛権の充実のためには、互いに相手の国の安全のために責任を果たすことが必須要件である。相互の責任遂行なしには同盟は崩壊する。

特に日本と韓国は米国の義務により一方的に守られてきた。かつての日本や韓国は本当に貧しかったこともあり、米国側は、日、韓を守るための負担を当然の義務として受け入れてきた。しかし今日、状況が大きく変わりつつある。米国の国力は相対的に低下しはじめており、今度は日本や韓国が集団的自衛権の充実のために負担を当然の義務として果たすべき時を迎えている。

このことを怠れば、日米安全保障条約と米韓相互防衛条約のどちらも自壊する運命にある。一方、日本や韓国が義務を果たす道を歩めば、アメリカ政治が革命的極左に支配されない限り、米国との安保条約は充実し、そして同盟は強化される。

日米安全保障条約の事前協議

韓国や台湾が有事の際に出動する、米軍の海・空戦力の主力は韓国や台湾には存在しない。その主力はほとんどが日本の米軍基地に駐屯している。すなわち、日本全体の米軍基地が、半島や台湾の有事の際に自動的に巨大な兵站基地の役割を果たすようになっている。

陸海空で約5万人（第七艦隊の洋上兵力を含む）の軍人が滞在しており韓国駐留米軍の約2倍となる。さらに、米国海軍最大の主力部隊である第七艦隊の空母ロナルド・レーガンが横須賀を母港としている。戦時には第七艦隊は50～60の最新鋭の水上艦艇、３５０機の強力な航空兵力を擁する規模となる。このような強力な海軍力を持つ国は米国を除いて他に一国もない。人的勢力も6万の水兵と海兵隊を動員する。平時の兵力数は約2万であるが、有事になれば米軍が日本から出撃するようになるため、韓国や台湾に侵攻しようとする側の最大の脅威となる。

韓国や台湾に侵攻しようとする国は、日本にある米軍基地からの出撃を止めるために有事の際にはあらゆる手段を使うであろう。彼らにとってもっとも有効な攻撃は日本の諸都市に対するミサイル攻撃であり、当然、日本へのミサイル攻撃を準備している。また、日本国内を混乱させるためにテロ、破壊活動、サイバー攻撃を仕掛けると考えられる。在日朝鮮人連合会や在日中国人、さらに左翼過激派や日本共産党が統一戦線を形成し武力闘争や暴動を起こすだろう。このような事態は、かつて韓国動乱勃発とともに実際に日本で起こったことである。

日本を政治的パニックに陥れ、国民に恐怖心を与えることは、米軍の日本基地使用を停止させるためにはきわめて有効であり、現実的な可能性をもつ。この方法は日本政府が軟弱な左翼的政権（かつての鳩山・菅首相の民主党政権）である場合にはきわめて有効である。日本政府が左翼的政権になっていたなら、ただちに米国に対し「日米安保条約発動のための事前協議」を要求し、米軍による日本の基地使用を拒絶するだろう。また左翼政権が誕生しないとしても、日本側に嫌韓感情が高い場合には同様の結果となる可能性が高くなる。たとえ、安倍政権のように安定して一貫した外交姿勢を持つ政府であったとしても、今や日本にある米軍基地使用は絶対的に保障されるものではなくなってきている。それは、首相および日本政府の「韓国や台湾の平和と独立」を守ろうとする強い態度と、日本国民が犠牲を払ってでもそれを支持することで、可能となる。ゆえに日本政府と国民の韓国・台湾への信頼と親近感情が決定的な要素となるのである。ところが、現在の日韓関係ではこれらの事情に対する韓国側の配慮がまったく欠落しており、日本国民の中に強い嫌韓感情が生まれ広がっていることは、深く憂慮すべきことである。

日米安全保障条約が日本、韓国、台湾での有事の際に有効に機能するためには、「米軍が日本の基地を使用する場合の事前協議」という課題が克服されねばならない。事前協議制度は、条約の付属文書である「条約第6条の実施に関する交換公文」（岸・ハーター交換公文１９６０年１月）に定められている。その交換公文が以下である。

「合衆国軍隊の日本国への配置における重要な変更、同軍隊の装備における重要な変更並びに日本国から行われる戦闘作戦行動のための基地としての日本国内の施設および区域の使用は、日本国政府との事前の協議の主題とする」。

日米安全保障条約、韓米相互防衛条約、台湾関係法が環太平洋とインド洋の平和形成の基盤

韓米条約は日米安保条約により補完されるようになっている。それがなければ、前に触れたように、韓米相互防衛条約が有効な力を発揮し得ない。いくつかの理由を記したい。

第一に、米国から韓国や台湾への距離は遠すぎる。米国から直接に朝鮮半島や台湾に出撃することは不可能である。半島や台湾の後方基地として日本の在日米軍基地を使用する以外に道はない。半島有事において戦闘と混乱を最終的に決着させるためには、かなりの数の陸軍が出撃せざるを得ない。6個師団（10万人以上）を大きく超える人員、戦闘車両そして武器弾薬を運ばねばならない。さらに空軍航空機から第七艦隊の空母と支援空母等が投入される。これらが出撃する拠点は韓国ではない。後方基地として比較的安全な日本にならざるを得ないのだ。燃料、武器、弾薬、戦闘車両、輸送車両、膨大な食糧の補給から航空機、艦船の修理、負傷者の療養まで日本にある米軍基地や日本の自衛隊施

設、および民間施設が兵站基地としての大きな役割を果たす。

第二に、半島有事の際に重要なことは「如何にして、アメリカ合衆国第七艦隊の空母打撃軍と海軍艦艇群が、韓国周辺の軍事戦略上必要とされる場所に、しかも短時間に進出できるか?」である。このような事態において北朝鮮や中国の潜水艦、さらにはロシア潜水艦による米空母群に対する軍事的脅威を除かねば、半島や台湾に接近すらできない。なぜなら空母打撃軍は潜水艦による攻撃にもっとも脆弱であるからだ。急激に強化されている中国の潜水艦の能力は米空母群にとり、きわめて危険な侮れない存在になりつつある。第七艦隊単独では有事の際に半島に接近できない事態が起こる可能性が充分にある。

このような場合に日本の海上自衛隊の対潜水艦戦闘能力が圧倒的な力を発揮する。海上自衛隊の構成は第七艦隊を補完する軍事的編成になっている。実際、海自の対潜哨戒機（P3C、P1）、護衛艦隊群、潜水艦隊群が、敵潜水艦を発見し、攻撃し、破壊する能力は米国を入れても世界1位か2位である。日本の海上自衛隊は高度な対潜水艦戦の作戦能力を持つ。実際、米ソ冷戦時代にはウラジオストックから出動するソ連の潜水艦にとり、日本の潜水艦が大きな脅威だった。もっとも深刻な軍事的側面で、日米安全保障条約が韓米相互防衛条約を事実上補完しているのである。

第三に「親密な日韓関係と有効な日米安保」が「アジアの平和と繁栄」を実現する。親密な日韓関係は即「韓米相互防衛条約」を強力に補完する。それは半島の安全と平和を確定させ、さらに中国による韓国への軍事的圧力を大きく軽減する。韓国にとり重要な米国第七艦隊群の半島へのアクセスが確実になることと、米軍の巨大な兵站基地の確保は「北朝鮮や中国に対する大きな抑止力」となるからである。親密な日韓関係がそれをもたらすのである。

また親密な日韓関係は日本にとっては日米安全保障条約をきわめて有効なものとする。「北朝鮮の核ミサイル攻撃の脅威の除去」や「南シナ海とインド洋に至る海上交通線に対する中国の脅威を取り去る」ことになるだろう。核の小型化に成功した北朝鮮が出現したことは、日本にとり極東アジアの安全保障環境が新しい局面に突入したことを意味する。彼らは、小型核弾頭を搭載する弾道弾ミサイルで日本や韓国を政治的に恫喝できる段階にはいった。日本は有効な弾道弾迎撃ミサイル防衛システムをもってはいるが、ミサイルの発射段階での情報把握能力がより向上すればより有効なものとなる。

インド・太平洋地域に「自由で開かれた平和秩序の形成」を保障すべきである

米国を背景にして日・韓・台の三国が、大陸からの脅威に対して海空軍力の強い連携を構築すれば、強い抑止力が生み出され、第一列島線に沿った海上交通線の安全が保障される。それが「自由で開かれたインド・太平洋戦略」を確固たるものに押し上げることになる。

今後、世界の活力の中心となるのはインド・太平洋地域である。世界の平和と繁栄のためにもこの地域に「法の支配」に基づく「自由で開かれた平和秩序の形成」を保障することが極めて大切である。それを創建する中核が安全保障協力のための「四カ国戦略対話」(Quad：Quadrilateral Security Dialogue、日本、米国、豪州、インド)である。これは、第一次安倍晋三内閣の時に設立された(2007

年）。ともに軍事演習に参加し、物品役務相互提供協定を推進中である。食料、燃料、弾薬、輸送、医薬等の物品や役務を相互に協力し合っている。

今後、Quad（クワッド）に韓国、台湾、英国が加わることが願われている。

中国の弱点を抑える「海洋の安全保障」

中国は地政学上大きな弱点をもっている。大陸中国は日本列島に囲まれており、きわめて多数の島に挟まれた海峡を通過せねば太平洋に出ることができない。さらに、台湾とフィリピン諸島に囲まれている。日本の海上自衛隊の能力はこれら多数の海峡を封鎖できる能力を持つ。ここでは結論のみを記し、その内容については述べないこととする。

すでに中国は国家経済が必要とする石油の60％以上は輸入に頼っている。ペルシャ湾やアフリカから南シナ海と東シナ海までの海上交通線の安全確保が中国の生死の鍵を握っている。石油をはじめとするエネルギー資源の輸送が止まれば、直ちに産業活動は大きな衝撃を受け、パニックに陥る。経済は崩壊し、同時に共産党政権は国民の暴動と内部蜂起で壊滅状態となるだろう。

中国には膨大な数の農民工（農業を放棄して都市部の工場等の労働者となった人々）がいる。国家統計局の発表によると、２０１４年に農民工が約2億７０００万人である。そのうち、都市部で働く農民工が、１億５０００万人以上を占める。原油の輸送が止まれば、彼らは直ちに生活の見通しがつかなくなり、飢えに直面する。共産党政府当局への不満と怒りが組織化され、暴徒化し、そして爆発するだろう。

中国の海外からの輸入原油の輸送は、インドネシアがかかわる三つの海峡（マラッカ、スンダ、ロンボク）を通過するしかない。この海峡は米国、日本、オーストラリア、インドが何時でも封鎖できるので、中国にとってのチョークポイントとなっている。この4カ国（クワッドQuad）はこのことについて共通の戦略を所有し、ますます連帯を強めている。平時にもこれらの三海峡の封鎖能力を維持し、広い西太平洋での海上交通線の安全を保護するためには、潜水艦の能力が非常に重要である。チョークポイントの封鎖能力の維持は中国に対する大きな抑止力となる。

現在、海上自衛隊が運用している潜水艦は、前述したように原子力潜水艦ではなく通常型のものだが、能力がきわめて高く世界でも突出している。潜水艦の生命である静寂性が高く、探知することはきわめて難しい。また、現存する機雷や魚雷による攻撃が不可能な深度に潜水して、かつ、ディーゼル機関とＡＩＰ機関を併用し3週間も潜航し航行が可能である。すなわち、深海で絶対安全圏を保ちながら、3週間も航行する。かつ、魚雷の能力も卓越しており、40㎞も先の潜水艦およびあらゆる水上艦艇を攻撃することが可能である。中国も潜水艦を急激に近代化し、強化しているが、原子力潜水艦であっても当分の間、人民解放軍が日本に追いつくことは不可能だろう。

重複して記すが、日韓が親密な関係を造れば「韓米相互防衛条約」を強力に補完することができる。日本政府が日米安保条約発動に必要な事前協議を通過させることがたやすくなるからだ。半島に有事が発生し、米国の第七艦隊の空母艦隊群が韓国近海に駆け付ける時にもっとも注意すべきは中国の潜水艦群である。最短時間で東シナ海から日本海域に潜む潜水艦を破壊して、安全な海域を提供せねばならない。その結果として日本の海・空自衛隊と米軍との連携作戦が強い力を発揮することができる。

日韓関係が悪化すれば、米軍が韓国周辺に接近するのは、簡単なことではなくなってしまう。韓国が孤立して北朝鮮（中華人民共和国）に吸収され、南北が統一されてしまう可能性も否定できない。

日本、韓国、そして台湾が親密で信頼関係を維持できれば、米国の集団的自衛権の責任の発動により、西太平洋からインド洋に至る海の平和が米国によってもたらされ、アジア全体の経済繁栄までもたらすこととなる。「4カ国戦略対話」による安全保障協力は「自由で開かれたインド・太平洋戦略」の目的を達成する。

太平洋島嶼国家群の「経済の繁栄」と「安全保障」

２０１５年10月、環太平洋戦略的経済連携協定（Trans-Pacific Strategic Economic Partner ship Agreement 略称ＴＰＰ）が参加12カ国により大筋の合意がなされた。同協定はもともと、シンガポール、ブルネイ、チリ、ニュージーランドの4カ国の経済連携協定として、90％以上の関税撤廃を約束し、すでに２００６年5月に発効している。それをより拡大し、世界経済に対するその影響力と効果を強めるために、米国をはじめとする8カ国が加わり、枠を拡大しての交渉が継続されてきた。そして米国、豪州、ペルー、ベトナム、マレーシア、カナダ、メキシコおよび日本を加えた12カ国で２０１５年に大筋合意が達成された。

ＴＰＰ合意に至った「環太平洋国家群」の経済規模は世界のＧＤＰ総計に対し40％を占める。世界最大の自由貿易圏が環太平洋圏に出現したのである。ちなみにＥＵの経済規模が世界の約24％である。米国と日本が主導し、12カ国で合意を達成した直後に、日本代表の甘利明・経済財政再生相は「我々の造ったルールが21世紀の世界のルールとなってゆく」と述べた。「経済活動の自由度が高く、平和と安全が保たれた地域がもっとも経済力が成長した」という歴史の事実からしても甘利氏の言葉は根拠があるといえるだろう。

ＴＰＰ加盟国の域内ではもっとも高いレベルで関税が撤廃された。たとえば日本の輸入関税は95％が撤廃された。日本からの工業製品の輸出は１００％近く相手国の関税が撤廃される（米国での日本製トラックに対する関税25％は30年目に撤廃という例外はあるが）。

また、自由貿易のために加盟国が従うべきルールが大きく拡大された。知的財産権の保護、国有企業の既得権排除、相手国政府との投資紛争処理等、広範囲にわたりルールに従って、加盟国域内の貿易が行われるようになる。

こうして、加盟国の自由意思と決断により、きわめて高い比率で関税撤廃を達成した、世界最大であり初めての戦略的経済連携国家群が出現したのだ。大きい国も小さい国も同様に「法（ルール）治主義」を尊重し、服することを自発的に受け入れたことになる。法の下に全ての加盟国が平等の権利と義務を持ち、経済活動の自由を享受することができる。国家権力や独裁者の政治的目的や利益のために経済活動が干渉や侵害されることがなくなる。そのため、信頼に基づき、確固たる見通しを立ててＴＰＰ域内での経済活動を行うことが可能となる。経済は活性化され、あらゆる工業製品や農産物の貿易取引、技術の移転、投資等が活発に行われることになるだろう。

しかし、残念ながら２０１７年1月に、ドナルド・トランプ氏が前大統領バラク・フセイン・オバマ氏に反対し、大統領選挙でＴＰＰ離脱を公約していた。トランプ氏が大統領に就任すると、直ちにＴＰＰ12カ国大筋合意を拒否して米国は脱退した。２０２１年現在、米国は抜けたままである。日本は米国が脱退した直後に環太平洋戦略的経済連携協定を締結した。米国は、このままでは環太平洋圏での貿易が不利になるため、近未来に協定を締結せざるを得なくなるだろう。ＴＰＰは米国の目指す自由経済システムにもっとも近く、国益に大きく貢献する条件を満たしているし、且つ米国の対中戦略にも直結するものであるから。

ＴＰＰと安全保障

貿易と安全保障は表裏一帯であるといえる。特に海洋国家の貿易は安全保障なくして成立しない。16世紀以後、西欧諸国は海洋に進出し貿易により莫大な収益を得た。ポルトガル、オランダ、スペイン等の貿易商たちは、危険な海洋や他国で自らの身の安全を守ることなしには貿易を継続できなかった。必然的に私兵を抱えて活動した。そのため貿易による利益確保のためには力の行使がしばしば行われた。しかし、私兵を養い、保持することは貿易のコスト増大をもたらし、私兵では規模にも限界があった。

そこで、英国は例外的な制度をとった。既に述べたように、海軍を強化し、英国海軍が世界に散らばる商人達と貿易取引、および海運を保護した。貿易商人や海運業者は私兵を雇うよりもコストが安く、かつ、プロフェショナルで強力な保護者を得ることができた。やがて18世紀末と19世紀は、英国が世界の海と海洋貿易を支配することになったが、それは世界の海の秩序と平和が英国の海軍力によりもたらされたためだったのである。

現代においてはEU（European Union）が一つの国のように経済的平和秩序を形成している。この経済的平和秩序は、軍事的安全保障を求めるNATO（North Atlantic Treaty Organization）によりもたらされた平和と安全を土台として構成されてきたものである。

第二次大戦後の日本の経済発展も同様であり、米国とその軍事力が保障した世界的に自由な経済活動によりもたらされた。平和と安全が保障されずに経済の発展はあり得ないものだ。特に現代の経済活動は平和と安全の保証なしに実行はできない。すなわち経済の発展と安全保障は表裏一体である。

米国は「同盟国の自由と安全は米国の国益」と考える傾向が強い。これは米国の優れた側面である。米国は米国単独のみでは繁栄できないことを知っている。他国が自由と独立により繁栄することにより、米国も恩恵を受けることを歴史的に体験してきた。そのためには米国の友好諸国の「自由、独立、安全」がきわめて重要であることを認識している。米国は、英国が19世紀型の大英帝国にこだわることを諫め、世界大戦終了後には「全ての植民地に自由と独立を与える」方向に導いてきた。

第二次大戦中、太平洋戦争（日米戦争）開戦前にフランクリン・ルーズベルト米国大統領がウインストン・チャーチルと会談し「大西洋憲章」を互いに承認しあった（1941年8月）。これは一つの方向に向かい、共通の目的を達成するための承認であった。

「世界に自由と独立、そして安全なしに経済の繁栄はあり得ない」という思想は、現在では米国の国是となっている。そして、米国の認識が正しいことは歴史の事実が示している。

環太平洋のTPP加盟諸国が経済的に繁栄すればするほど、太平洋の安全と平和が米国の国益と深く一致するようになる。特にアジアの加盟諸国の経済的繁栄がもたらされれば、それは同時に、太平洋とインド洋に面するアジア諸国群と米国との関係とそのプレゼンスを確固たるものとする。米国の軍事力により平和を享受できるアジアの同盟や準同盟諸国が集団的自衛権の責任を積極的に果たそうとするからだ。海洋の安全保障が自由、独立そして経済の繁栄をもたらし、それがさらなる米国の国益となる。

今後に期待されるTPPの成功は、経済的繁栄をもたらすのみならず、本土に後退しようとしている米国をアジアにとどめる大きな力となるであろう。

しかし、米国が抱える国内事情等から見れば、米国はTPP加盟各国に「安全保障上の相応の負担」を当然のこととして求めるであろう。否、協力を求めざるを得ないだろう。対話と信頼によりそれにこたえるのは、安全保障の恩恵を受ける国としての当然の義務と責任でもある。海洋の安全と平和は尊い公共の財産である。それを保持する責任は総ての国にある。

環太平洋諸国のなかで米国の同盟国でありながら韓国は未だTPP加盟国となっていない

（2021年3月現在）。韓国が米国の力と協力を得て「南北を統一する」ためには、必然的にTPP加盟がきわめて重要な条件となるだろう。そのためのハードルは韓国にとり低いものである。それは米国の同盟国であるからだ。ただし韓国が、海洋国として米・英国型の自由と法の支配という価値観を自国の確たる基盤として、中国や北朝鮮と対峙できればという条件付きであるが……。

中華人民共和国のTPP加盟はハードルが高すぎる。近い未来にTPPが要求する国営企業の撤廃を約束することはできない。なぜなら、共産党中央の経済支配と国営企業の既得権益を放棄することはできないからだ。また加盟国の90％以上という高い関税撤廃基準も受け入れるはずがない。まして、「共産党の支配」に代わって普遍的価値観に基づく「法（ルール）の支配」を受け入れることはあり得ない。もし中華人民共和国に本格的に加盟する動きが出てきたときは、共産主義を捨てて自由中国へと生まれ変わらざるを得ない事態に陥った時か、もしくはTPP内部に入り込んでTPPを破壊しようとするときである。その時には、すべての加盟国が結束し、あらゆる希望的観測を排して事実を見つめて注意深く対応するべきである。ただしTPPへの新規加盟は、全批准国が承認しなければ、加盟のための本格的交渉がまったくできない。

（6）日本の針路

歪められた新しい出発点

日本は戦後、敗戦国として出発した。日本国憲法は連合軍司令官マッカーサーによる占領政策下にあって制定（1947年5月3日）された。占領支配されながら、占領者がつくり上げた憲法を日本国民の憲法として受け入れさせられた。そのような例は歴史上で他にあるだろうか？　その「日本国憲法」は、現在まで、70年以上の間、改正もされずに施行されてきたのだ。しかし、驚くべきことに、この憲法は「国家としての主体的意識を日本国民から喪失させ、国民の『自由、生命、幸福を追求する権利』を保護する政治的主体性を半永久的に持たせまいとする意思」のもとに制定されたものだった。

あまりにも矛盾していたのは、占領軍の故国であるアメリカ合衆国が誇る彼らの伝統的価値観（メイフラワー盟約・アメリカ独立宣言・合衆国憲法）を日本に適用することを拒否していたことだ。挙句の果てに、そのような憲法を改定するか、もしくは破棄するべき絶好の時に、日本の首相が逆にそれを信奉する道を選択した。

その結果、サンフランシスコ講和条約締結と日本国の独立後、第二の国策は国民経済の復興となった。第二の国策は「かつて日本軍の侵略支配や侵攻で迷惑をかけたアジア周辺国に対する〝経済協力〟という名の〝賠償〟と友好関係の回復」という外交政策であった。この状態は1980年代まで約35年間も続いた。外交の観点から見れば、それは「謝罪外交」の歴史であった。また、国内政策はひたすら国民経済の復興のみが優先された。

日本は、「①国民経済の復興最優先、再軍備の拒否と必要最小限の防衛力維持」、そして「②戦争に対する賠償と謝罪外交」という国家政策をひたすら実行したのだった。その結果、日本は短期間に奇跡的経済復興を遂げた。しかし、世界の先進諸国は70年代の日本をエコノミックアニマルと呼んだ。

①経済復興最優先と再軍備拒否

日本が世界の平和秩序を構成することに貢献して、日本人としての誇りや信頼を世界から得ることを追求せず、外交面では必要以上に静かにしてきた。そして日本は独立国でありながらも、日本国民の「生命、自由と幸福を追求する権利」を自国でまったく守ろうとせず、安全保障問題を米国に委ねてしまった。1985年を過ぎたころには、日本経済の競争力は米国をも圧迫するほど強力になったが、外交や安全保障政策では自国を「アメリカ合衆国の51番目の州」であるかのように思い込み、安心するようになっていた。

自国の安全保障はアメリカに依存しきって、まったくあやうさを疑わなくなった。「軍事力は悪」という誤った考えを「神」のごとく信じ、あがめ、そして「必要最小限の防衛力」、「専守防衛」、「専守防衛」「非核三原則」、等を教義として「信仰」する似非国民宗教を成立させている感がある。

・GHQによる思想改造?

普遍的価値観からはほど遠い、「矮小な歴史観」を活用する学者や政治リーダーたちは、どの人種や民族や集団にもよく見られるが、GHQは占領政策として、彼らを激しく公職から追放した。ただ、公職追放の対象になるべきでない人たちまで追放したため、その後の日本に大きな弊害をもたらしたのも事実であった。

GHQは日本の軍部が太平洋戦争の只中で推し進めた極端な皇国史観教育を日本文化の本質と見たようである。その為、GHQは日本の伝統文化までことごとく否定し廃棄させた。〝国家主義と全体主義〟から〝個人主義、自由と民主主義〟へ、〝神格化された天皇〟から〝象徴天皇〟へ、そして〝明治憲法（欽定憲法）〟から〝日本国憲法〟へと変化をさせてゆく過程が、「日本の伝統文化に係るものはすべてが悪いもの」との偏見に支配されていた。日本人の心は精神的空白状態に陥った。日本国民の価値観は一方的に否定されたが、それに代わるより良い価値観が生まれず大混乱を起こした。アメリカを全く知らなかった日本人が米国の善き価値観を理解できるはずがなかった。それが現在まで続いている。

〝日本国憲法を未だに崇拝する政界、学界、そしてメディアが持つ風潮〟、そして〝自由、平等と宗教的価値観との分離〟等は、今も精神的空白時代の遺産として色濃く残っている。

②〝経済協力〟という名の〝賠償〟と友好関係の回復

・日本外交の原則…〝戦争の贖罪〟と〝他者のために〟

1951年9月にサンフランシスコ講和会議が開かれ、日本は米国の後押しにより52カ国と講和条約を結び、戦争状態を終結し独立をした。この時46カ国は自ら賠償請求権を破棄した。フィリピン、インドネシア、南ベトナムとは賠償協定を締結した。台湾は52年に賠償請求権を破棄、中華人民共和国は1972年の日中共同宣言で賠償請求を放棄、そして韓国は講和会議で賠償請求権が認められなかった。

サンフランシスコ講和会議の後から最近に至るまで、日本に積極的外交戦略は何もなかったといえる。あえていえば、前述したように日本経済の復興と贖罪意識に基づく外交による世界諸国との友好関係確立であった。それは近年に至るまで継続された。

サンフランシスコ講和会議では、韓国に対しての戦争賠償責任は認められなかった。しかし、重要な隣国であり、また40年にわたる植民地政策に対する責任をとり、贖罪の意味を込めて経済協力をすることを決めた。そして、1965年6月22日に日韓基本条約が佐藤栄作首相（岸信介首相の弟）と朴正熙大統領によって結ばれた。

サンフランシスコ講和会議に基づいた韓国に対する日本の賠償ではなく、日本の韓国に対する経済協力という形で行われた。資金供与3億ドル、融資2億ドル、民間借款（金利0.55〜1.2%）3億ドル以上が支払われることとなった。これは国民の税金を投入するものであった。この総計は当時の韓国国家予算2年分に勝る額である。この時はポツダム宣言受諾から20年後だった。大都市のほとんどが焼け野原となり、工業地帯が完全に破壊された状況から経済復興がはじまったばかりの日本にとっては、当時の貨幣価値からしても、巨大な金額だった。当時の日本の外貨所有高の約半分にあたり、韓国政府・総予算の2—3年分に相当した。これに対し、韓国側は一切の「対日請求権の完全かつ最終的放棄」を約束した。

両国はこれにより正常な国家関係を回復することを約束した。この資金が基礎となり、韓国は北朝鮮の軍事的脅威の真只中にありながらも「漢江《ハンガン》の奇蹟」がはじまった。韓国に対してはその後も経済協力が継続され、そして拡大された。その後、さらにＯＤＡ（Official Development Assistance）が加わり、１９９０年までに50億ドル（金利 0.55 ～ 1.2％）の有償資金協力が行われた。

中華人民共和国に対しては、日中平和友好条約（１９７８年10月）を締結した。中国は賠償請求を一切破棄し、その代わりに日本からの巨額な経済援助を得ることとなった。有償資金協力（円借款）３兆１３３１億円、無償資金供与１４５７億円、技術協力１４４６億円等、総計で３兆４２３４億円に上った。その期間は１９７９年にＯＤＡが開始されてから２００５年５月までにおよんだ。港湾建設（１万トン以上が停泊）60カ所、上海国際空港、北京首都空港、鉄道（５２００㎞の電化）、水道、ガス、通信、化学肥料工場関連、日中友好病院、技術協力（３７，０００人を人材育成で受け入れ、５，０００人の専門家を日本から中国に派遣）等々、インフラ建設のほとんどの分野におよんだ。

タイランドに対する経済協力は１９６７～１９９０年までだった。無償経済援助は１，４１４億円、ＯＤＡの有償資金協力は８，３２７億円に至った。

マレーシアにはほぼ同時期の１９６６～１９９０年までで、ＯＤＡの有償資金協力が４，６７９億円であった。

フィリピンも１９６６～１９９０年の間に、無償援助資金１，１６７億円、有償資金援助が１兆５２７億円である。

インドネシアは１９６６～１９９０年に無償資金援助１，１９６億円、有償資金協力１兆９，７４３億円であった。

その他のアジア、アフリカ諸国へのＯＤＡの無償・有償の資金協力は膨大なものに上り、その総額は、第二次大戦後に圧倒的な経済力を持つようになった米国に次ぎ世界第二位である。

１９６０年代と70年代初めは、日本の経済が力強く復興した。しかし、いまだ復興途上にあったため、国民の税金は国民の生活向上に投資されるべきであったが、他国の発展のために投入してきた。このような例は歴史上ないといえるであろう。日本国民が誇りにできる歴史的事実である。日本は、自覚することなしに帝国主義時代の英国植民地政策と反対の経路をたどっていたといえよう。

その結果、世界でもっとも力強く発展するアジアの経済圏（韓国、中国、ＡＳＥＡＮ諸国）育成に貢献でき、日本もそれらの国の発展の恩恵を受けるようになった。他国が発展すれば、自国も恩恵を受け発展することが、普遍的原則であることを味わってきた。

・〝国家の行政トップ〟は〝国の父母〟

母は強い。幼い子供たちを抱え、守らねばならないから。命に責任を持つから強くなる。子供たちに対する愛が恐ろしいほどの強さを与える。危機に瀕する家庭に成長した兄弟姉妹がいるならば、母は夫を支え、兄弟姉妹を動員して幼い子供たちを守るために、あらゆる可能性に挑戦するだろう。人の一生には何が起こるかわからない。愛する夫が早世するかもしれない。頼れる夫もなく、子供たちを「自分よりも立派な人」にしようと育てねばならない時が来るかもしれない。母は強くならざるを得ない。

家庭を国家に拡大するなら、大統領や首相は国民の親（父母）である。その人が真に国民の安全と幸福に責任を持つならば、かれは国民の父母となり、国民は子供たちとなる。父母は子供が遭遇する危機を予見して小さな命を守ろうとする。母親はそれに対して特に敏感である。父母たる行政のトップは国民の安全と保護を最優先で責任を持つ立場にある。

ところが残念なことに、今の日本は行政トップに対し責任を果たすために必要な権限を大きく制限している。２０１９年末からはじまった新型コロナウイルス感染症が拡大する災難のなかで、首相と行政府、そして立法府が対処策を力強く実行できなかったのがその好例である。

感染拡大で国民が怯え、医療能力の限界に追い込まれて医療崩壊の危機に直面したが、行政府は先進諸国のような強い指導が一切できなかった。行政府は国民にお願いするばかりだった。あたかも深刻な病状をかかえた幼子を見ながら、もはや医者に見放されてただ狼狽する以外にない父母の如くであった。首相と行政府に責任を与えながらも、権限が与えられてないのである。権限を与えられていないところに責任は存在しない。では誰が「責任と権限」を持って「責任を負う」のだろうか？

武漢ウイルスは日本の民主主義に重大な課題を突き付けた。当然、立法処置がとられなければならない。立法機関「衆参国会」は激しく論議等がされているようだが、１年半が経過しても何も決まらない。このことは国民にとり感染症の脅威よりも恐ろしいことではないだろうか？

・〝誤った人間観と世界観〟を強制されてきた日本人

いったいなぜ、日本は「国家緊急事態法」や国の「安全保障能力の保持」を後回しにしてきたのだろうか。

原因は国の在り方を定める日本国憲法の前文を信奉し、国民教育をしてきたことにある。

「……日本国民は……平和を愛する諸国民の公正と信義を信頼して、われらの安全と生存を保持しようと決意した。……日本国民は、国家の名誉にかけて、全力をあげて崇高な理想と目的を達成することを誓う。」（日本国憲法前文）

日本国憲法は「平和を愛する諸国民の公正と信義を信頼して、われらの安全と生存を保持しようと決意した。」という。この観点に基づいて憲法九条で「国の在り方」を具体的に規定している。憲法の前文と憲法九条は紙の裏表である。

さて、いつの時代に諸国民の中に公正と信義が満ち溢れていた時代があっただろうか？日本国憲法は最高法としての権威によって「誤った人間観と世界観」を、日本国民に強制している。

現在では熱心に自由と人権尊重を強調するヨーロッパ諸国ではあるが、翻って２００年前までは大量のアフリカ人を奴隷にして富を得ていた。また、１９５０年代までアジア・アフリカ・中東地域で多数の植民地を力で支配し、資源を奪い、不払い労働で搾取していた。

日本もまた、自らが西欧列強の植民地政策を真似て、台湾、朝鮮半島、中国の満州を力で支配するために進出した。ソビエト連邦は日本と「日ソ中立条約」（相互不可侵を約束）を結んでいたにもかかわらず、日本が第二次大戦で事実上敗北して、無条件降伏を受け入れようとしていた時に、突如、日本に対して大規模な軍事侵攻をはじめた。57万人以上を拉致し、シベリアで強制労働をさせ、そして34万人も死に至らせたうえに、日本の固有の領土である国後・択捉・歯舞・色丹を奪い取った。

現在、中国は共産化され中華人民共和国となり、中国共産党による独裁国家と化した。そして、米国に次ぐ巨大な軍事力を持ち、南シナ海すべてを中国の領土・領海・領空にしようとしてアジア諸国を力で圧迫している。中国は漁業権問題でフイリッピンと争っていたが、２０１６年7月常設仲裁裁判所が「九段線内と両諸島に対する中国領有権は国際法に基づく正当な根拠がまったくない」と判決を下した。

その判決直後に中国の戴秉国（胡錦濤政権時代の外交の責任者）が米国ワシントンの講演会で「国際仲裁裁判所の判決は、なんの価値もない。紙屑のようなものだ」と主張したことは本書の冒頭でも述べた。

「平和を愛する諸国民の公正と信義を信頼して、われらの安全と生存を保持する」などという「人間観・世界観」はまったくの誤りであり、偽りであることは、このような中国の態度でも明らかである。

人間は人生を歩む過程で神と悪魔の間を行ったり来たりする。普通の人が時には悪魔のようになり、ある時には神のように非常に善良な人にもなり得るものだ。多くの人は神と悪魔の間に定着して中間的存在であるが、なかには本当に悪魔だと思える人も現れる。どんな人として人生を歩むかは本人のみが選択できる。

国家も人間が構成するものであるから、一人の人間によく似ている。ゆえに、同一の民族が悪魔の支配する闇の国となり、また逆に神の下の光の国ともなり得る。どちらに進むかは、そこに住む人々が決める。

第二次世界大戦・前後の英国

20世紀がはじまるとまもなく強力な全体主義独裁国家が4カ国出現した。そのうち3カ国はヨーロッパ大陸内とその地続きのロシアに現れた。英国は代表的な海洋国家である。当時の英国は自由と議会制民主主義の代表的国家として、これらの全体主義独裁国家によって生死にかかわる試練を受けることになった。海洋・民主主義国家が大陸・全体主義独裁国家の挑戦を受けたのだ。特にアドロフ・ヒトラーのナチスドイツとそれに続く共産主義ソビエト連邦の脅威を乗り越えることは英国にとりきわめて大きな困難であった。それを助けたのは、大西洋の対岸のアメリカ合衆国だった。強大な経済力と軍事力で英国とともにヒトラーのドイツとスターリンのソビエト連邦に戦いを挑んだ。米国がなければ英国はナチス独裁政権か、もしくは共産党独裁国家のソビエトに飲み込まれ、ヨーロッパから民主主義国家は消滅していただろう。

ロシアではロシア歴の１９１７年10月にボリシェヴィキ革命が起こり、翌年には共産党独裁体制となった。１９２２年にソビエト社会主義共和国連邦と称し、世界の共産党を指導する体制を出発させた。

イタリアではベニート・ムッソリーニが、第一次世界大戦後にファシスト党を組織し、１９２２年に政権を獲得、3年後にイタリアはファシスト党独裁国家となった。

第一次世界大戦後のドイツではアドルフ・ヒトラーが「ヴェルサイユ体制打破、ユダヤ人排斥、反共産主義」を掲げてナチス党を指導し、１９３３年に政権を獲得後すぐに独裁政権を樹立した。35年には徴兵制を復活させ、陸軍を70万人にした。軍需産業を急激に拡大し、経済の復興と目覚ましい拡大がなされた。戦争に備えて軍事大国化が始まったのである。

しかし、当時の英国は全く反応しなかった。英国は眠っていた。ウインストン・チャーチルは「戦争準備の必要性、国連は当てにならない、徴兵制の復活、軍備の拡大、増税の必要性」等を議会で主張したが全く無視された。マスコミは彼を「戦争屋、右翼、国連を無視する者」と攻撃した。

１９３８年3月ヒトラーはオーストリア併合を実現、さらにチェコスロバキアに対してズデーテン地方の割譲を迫った。１９３８年9月、ミュンヘン会議がヒトラー、ムッソリーニ、チェンバレン、仏外相ダラディエの参加によって開かれた。チェンバレンと仏・外相は、ドイツとの対話と友好関係を重視して、ズデーデン地方の割譲を認めた。英仏両国には断固たる決意はないと見たヒトラーは、１９３９年3月になるとチェコスロバキアに軍事侵攻した。英仏はヨーロッパ大陸とロシア支配のために、戦争をも決意していたアドロフ・ヒトラーを勇気づけてしまったのだ。チェンバレン英国首相の弱気と妥協が、第二次世界大戦勃発の誘因になった。

英国は議会制民主主義のもっとも長い歴史的伝統を持つ国だが、ヒトラーに対する宥和政策を選択し、またナチスの脅威に鈍感であった。英国が議会制民主主義国家として生き延びられたのは、「政治家ウインストン・チャーチルの存在」と「アメリカ合衆国」が強大な同盟国家として大西洋の西岸に存在していたことによる。

１９４０年5月、英国ではチャーチルが首相に就任した。その直後、フランス北部のダンケルクに追い詰められていた英仏軍35万人はドイツ軍の攻勢を防ぎながら、輸送船の他に小型艇、駆逐艦、民間船などすべてを動員して英国本土に脱出させることに成功した。この時、多数の民間船舶の所有者が自らの船を脱出のために提供した。これらの脱出作戦はチャーチルの指示によるものだった。ドイツ軍とフランス軍との戦いは同年5月10日に始まり、わずか1カ月半で決着した。パリとフランス北半分が占領され事実上のドイツ領土となった。英仏両軍は英国へと脱出した。

続いて英国上陸作戦のために、ドイツ空軍はロンドンと諸都市への激しい空爆を行ったが、英国はそれに耐えた。その後、ヒトラーは１９４１年6月に独ソ戦を開始し、英国上陸を放棄した。同年12月、日本は真珠湾攻撃を行い、米国が日・独・伊に宣戦布告した。アメリカ合衆国の宣戦布告と参戦と米国の経済と軍事援助に支えられて、英国は生き延びることができた。

英国の大歴史家アーノルド・トインビー（１８８９年～１９７５年）は歴史の法則をこのように述べている。

〝神自身の、愛の法は、「神の国」へと前進たらしめるか、「闇の国」へと前進たらしめるかの選択を人類の自由に任せているのである。〟（『図説・歴史の研究Ⅲ　１３２』アーノルド・J・トインビー）

第二次世界大戦前後の英国安全保障環境と〝相似的な日本〟

現在の日本は、「第二次世界大戦を前後した時代の英国」と非常によく似た安全保障環境のなかに立たされている。

英国は代表的な海洋国家であり、議会制民主主義国家となって、すでに250年を経ていた。20世紀に入りまもなく、ヨーロッパ大陸とユーラシアの一部に生まれた三つの強力な全体主義独裁国家(ナチスドイツ、イタリア、ソビエト連邦)が英国の行く手を遮った。現在の日本は、英国とよく似た島国で海洋国家であり、まさに英米型民主主義を受け継いで70年以上を経て、世界でも代表的な議会制民主主義国家となった。

今や、かの英国と同様に三つの強力な全体主義独裁国家に行く道を遮られている。その三国はユーラシア大陸に生まれた中華人民共和国(中共)、朝鮮民主主義人民共和国(北朝鮮)、そしてロシア連邦(ロシア)である。

中華人民共和国は共産党独裁国家である。今や、かつてのナチスドイツの経済力・軍事力の比ではない巨大な国家として成長し、米国に追いつき追い越す勢いである。米国政治が現在の民主党バイデン政権により混迷を深めれば、中共が米国を追い越す日も近いであろう。アメリカ合衆国の現在の政治的状況は、それを完全に否定しきれない不穏な情勢にある。

北朝鮮は金王朝型の朝鮮労働党独裁政権を造りあげた。国連安全保障理事会から経済制裁を受けて、全国民の生活は甚だしく困窮状態にある。しかし、あらゆる手段を駆使して克服を試みている。また中国が密かに違法な援助をしている。国家経済力は貧弱であるが、変形共産主義思想と政治組織による統率力は他の独裁国家のどれよりも圧倒的に勝る。しかも、すでに核兵器を所有していることは深刻な事態である。数十発の核弾頭積載中距離弾道ミサイルを所有しており、日本列島の全域を射程距離に収めている。在韓米軍が撤退すれば、短期間で北朝鮮が韓国を吸収することが可能になる。同時に日本を政治的に脅迫することが容易になる。

ロシア連邦（ロシア）は欧米の経済制裁により経済成長が停止している。今後経済状況はさらに悪化するだろう。プーチン大統領により、ロシア民族主義の独裁的強権政治が行われているが、ソビエト連邦の共産主義時代とは異なる。しかし、闘争的無神論が70年以上支配した影響が色濃く残るロシアは「普遍的価値観に基づく法の支配」になじめない。条約や国際法を国益の都合でいつでも破棄する危険な国となっている。加えて、ロシアは核兵器をはじめとする軍事力の質と能力がきわめて高い。質において中国の軍事力に大きく勝る。また、卓越した戦略的外交能力を持っている。

日本はこれらの三国の脅威を超えていかねばならない難題を背負っている。特に中国は地理的に日本に近く、すでに軍事的に圧迫し続けている。尖閣諸島では中共海軍艦艇が頻繁に意図的な領海侵犯をし、日本側の漁民は命の危険にさらされている。問題は日本政府が中国に対して宥和的にのみ対応してきたことである。日本政府は香港市民への政治弾圧、ウイグルでのジェノサイドに対して米欧と異なる態度を示している。中共に対して宥和政策を選択してきた。

前述したように、ヒトラーがオーストリアを併合した後、チェコスロバキアのドイツ人居住者の多いズデーテン地方をドイツ領土とする要求を繰り返した。ミュンヘン会議（チェンバレン、ダラディエ、ヒトラー、ムッソリーニ）が開かれた際、チェンバレン英国首相と仏首相ダラディエは「ドイツとの戦争を除ける理由」で宥和政策を選択し、チェコスロバキアを見捨て、ヒトラーの要求を受け入れてズデーテン地方の割譲を認めたのだった。

この事実を通して「英仏には阻止しようとする断固たる決意はない」と見たヒトラーは、翌年、チェコスロバキア、さらにポーランドを軍事侵攻した。そして結局、英仏はドイツに宣戦布告し、第二次大戦がはじまった。ミュンヘン会議で宥和政策を選択したことがヒトラーを勇気づけ、そして世界大戦にまで進展してしまったのだ。

日本は宥和政策を選択してはならない

日本は中華人民共和国に対して宥和政策を絶対に選択してはならない。それは習近平と中国共産党を勇気づけ、取り返しのつかないこととなる。このことは尖閣問題と台湾に対する日本の態度で試される。台湾は中国人がほとんどを占めている。ドイツ人が多数住んでいたズデーデン地方とよく似ている。過去にはドイツの領土であった。台湾も過去には中国の領土内だった。中共は「一つの中国」を要求している。台湾がズデーデン地方とよく似た立場にある。日本は米国を引っ張ってでも中共による台湾への攻撃を許してはならない。

もし、日米が台湾を見放したならば、環太平洋「大戦争時代」をもたらす。中共は〝弱い者には強く、そして強いものには弱い〟のである。

日本は英国の歴史的失敗を繰り返してはならない。世界、アジア、そしてアメリカさえも「強い母の国日本」の顕現を待っている。

おわりに

脅威は西から来る。日本は生き残れるだろうか？

第二次世界大戦前、「英国の脅威」はナチスドイツ、イタリアとソビエト連邦であった。現在の日本は、「第二次世界大戦を前後した時代の英国」と非常によく似た安全保障環境のなかに立たされている。

英国は代表的な海洋国家である。当時の英国は議会制民主主義国家となり、すでに250年を経ていた。20世紀に入りまもなく、ヨーロッパ大陸とユーラシアの一部に生まれた3つの強力な全体主義独裁国家（ナチスドイツ、イタリア、ソビエト連邦）が英国の行く手を遮った。海洋・民主主義国家が大陸・全体主義独裁国家の挑戦を受けたのだ。

特にアドロフ・ヒトラーのナチスドイツとそれに続く共産主義ソビエト連邦の脅威を乗り越えることは英国にとりきわめて大きな困難であった。強運なことに、大西洋の対岸にアメリカ合衆国があった。強大な経済力と軍事力で英国とともにナチスドイツとスターリンのソビエト連邦に戦いを挑み、両者を踏み潰した。米国がなければ英国はナチス独裁政権か、もしくは共産党独裁国家のソビエト連邦に飲み込まれ、ヨーロッパから民主主義国家は消滅していただろう。

「日本の脅威」：中華人民共和国、北朝鮮とロシア連邦

現在の日本は、「第二次世界大戦前後の英国」と非常によく似た安全保障環境のなかに立たされている。日本は、英国と同様に島国で海洋国家である。また英米型民主主義を受け継いで、既に70年以上を経た。この間、米国との日米同盟に支えられ、戦争に一度も巻き込まれることなく、政治的安定の上に経済成長時代から安定期にいたった。世界第3位のGDPを持つ経済大国であり、かつ世界で代表的な「法の支配」による議会制民主主義国家となった。その日本が、嘗ての英国（82年前の）と同様に、3つの強力な全体主義独裁国家により脅威を受けている。その三国はユーラシア大陸に生まれた中華人民共和国（中共）、朝鮮民主主義人民共和国（北朝鮮）、そしてロシア連邦（ロシア）である。中華人民共和国は共産党独裁国家である。今や、嘗てのナチスドイツの経済力・軍事力の比ではない程の巨大な国家として成長し、米国に追いつき追い越す勢いとなっている。

しかし、日本は、その時の英国と大きく異なる国際環境に立たされている。第二次大戦を前後する時代の米国は、圧倒的な軍事力と経済力を持ちながら、「自由」と「法の支配」の擁護者としての強力なビジョンを所有していた。しかし、今や米国の国内政治が、南北戦争の時のように二つに分裂が深く進行し、もとに戻らないかもしれない。米国が大混乱を始めたのだ。卓越した軍事力と政治力で世界の警察官として自由と平和を守ることが危うくなりつつある。既に「PART3・アメリカ合衆国は何処へ行く」で述べていることを繰り返すが、米国には3つの道が考えられる。

①伝統的保守勢力が政治的に勝利し、もう一度、アメリカ合衆国建国時代からの「法の支配」の下

の米国に戻る。
②米国型のマルクス主義者（戦闘的無神論者）に政治の主導権を握られて、自由と「法の支配」は破壊され、米国が専制的独裁国家に向かい急速に変化する。
③アメリカ合衆国の分裂（「法の支配」連合州と、反「法の支配」党連合州）による内乱および紛争がしばらく続く。小合衆国といくつかの独立州に分裂する。

①の場合は日本にとり大きな慶事となる。西からの脅威（中国共産党の脅威）を超えるのに絶大な助けとなる。しかし、日本は同盟国に対する当然の責任を果たすためにも、国防力の飛躍的強化、憲法改正、緊急事態法、スパイ防止法が施行されねばならない。世界にも例のない偽善的な防衛戦略である「非核三原則、専守防衛」の破棄は必定である。日本は独立国であり、アメリカ合衆国の一州ではない。

②の場合、日本には大凶である。世界大戦を前後する英国の立場とは全く異なるものとなる。日本国民はパニックに襲われ、そして生き延びるために必要な道を選ぶ。第二次大戦に向かうときの日米関係のように両国関係は悪化する。アメリカが中国共産党と兄弟関係のようになる。日本と米国は中国の経済市場を奪い合う関係になる。日米同盟は崩壊する。

日本に対する中華人民共和国、北朝鮮、ロシア共和国からの核兵器と強大な通常兵器力の脅威にさらされる。日本は単独で対応せねばならなくなる。韓国は大陸三国の路線に歩調を合わせるだろう。

日本国家が生き残るためには、①の場合に加えて、緊急に強力な情報機関、核開発、十分な弾道ミサイルシステムの確保は必定である。それらの準備の時を失うなら日本は歴史から消え去る。

③の場合は米国が決定的に弱体化することを意味する。嘗ての強力なアメリカ合衆国は永遠に失われる。例え、「一定期間の内紛または内戦の後に、半分以上の州連合により新アメリカ合衆国を形成する」としても弱体化する。この場合にも①の場合に加えて、日本は強力な情報機関、核開発、弾道ミサイルシステムの確立が生き残るためには絶対的条件となる。日本の立たされる立場は②の場合より少しはましだが、行き着く結論は②とほぼ同じになるだろう。(了)

あとがき

日本国民は歴史的事実から見ても偉大であり、非常に賢明です。多くの国と国民からも、そのようにみられています。不肖の著者は、「日本はこの困難を必ず乗り越える」と信じ込んでいます。「日本にわずかながらでも貢献できるかもしれない」と思えたことの一つが、この書を私が出版することでした。今となっては「悪文の故に、読者に疲労と混乱を与えるのみ」ではないことを祈るばかりです。読者の皆様が判定の絶対主権を持たれる。「囚人が判決を受けるために法廷に立つ心境」を探りながらこの本を世に送り出したいです。

出版にあたり、誠意をもってプロフェショナルなご指導をして戴いたアートヴィレッジ越智俊一社長とスタッフの方々に感謝申し上げます。

私を導いてくださった先生方と兄弟・朋友の深く高い見識と配慮が大きな支えでした。また、妻の支えが、執筆のための多くの時間と健康を私にもたらし、子供たちの家庭と孫たちが勇気と希望を与えてくれました。

人に支えられて自分があり、四方八方に感謝以外があってはならない自分であることを教えられました。

２０２１年９月

柗波孝幸

著者プロフィール

桝波孝幸　Takayuki Matsunami
1946 年生まれ
ニューヨーク州立大学 Albany 卒業　学士号（Liberal Arts・政治科学）
Unification Theological Seminary ニューヨーク州 Barrytown 卒業
修士号（宗教教育学）
世界宗教会議日本会議の事務局長を務める
財団法人青少年交流振興協会（当時、文部省生涯教育局所管）理事として青少年教育に携わる。
現在、一般社団法人共創日本ビジネスフオーラム　ヴィジョン執行室長
マルクス主義の人間観にショックを受け、はじめは「共産主義と宗教の関係」に関心と研究の焦点を当てたが、やがて「政治と宗教の関係」にそれらは移行した。
その延長線で「海洋国家・アメリカ合衆国と大陸国家・中華人民共和国」の関係と両国の近未来がどうなるかを探り求めている。それが、日本や極東諸国の運命を決定する他のどんなことよりも大きな要因となっているから！
著書：『宗教と共産主義』宗教と共産主義委員会共著　星雲社行：1989 年 4 月 30 日
『NOBLE　MAN　愛の彼方』　星雲社行：1989 年 8 月 10 日

生き残れるのか？わが祖国・日本
偉大な国民が目覚める時!!

2021年11月15日　第1刷発行
著　者――――松波孝幸
発　行――――アートヴィレッジ
〒660-0826　尼崎市北城内88-4・106
ＴＥＬ. 06-4950-0603　ＦＡＸ. 06-4950-0640
ＵＲＬ. http://art-v.jp
カバーデザイン　西垣秀樹